윤흥길

장마

Published by MINUMSA

The Rainy Spell and other stories
Copyright © 1980 by Yun Heung-gil
All rights reserved.
Printed in Seoul, Korea.

For information address Minumsa Publishing Co.
506 Shinsa-dong, Gangnam-gu, 135-887.
www.minumsa.com

Third Edition, 2005

ISBN 89-374-2007-4(04810)

오늘의 작가총서 7

윤흥길

장마

민음사

차례

장마

1

밭에서 완두를 거두어들이고 난 바로 그 이튿날부터 시작된 비가 며칠이고 계속해서 내렸다. 비는 분말처럼 몽근 알갱이가 되고, 때로는 금방 보꾹이라도 뚫고 쏟아져내릴 듯한 두려움의 결정체들이 되어 수시로 변덕을 부리면서 칠흑의 밤을 온통 물걸레처럼 질펀히 적시고 있었다.

동구 밖 어디쯤이 될까. 아마 상여를 넣어두는 빈집이 있는 둑길 근처일 것이다. 어쩐지 거기라면 개도 여우만큼 길고 음산한 울음을 충분히 낼 수 있을 것 같은 생각이 들었다. 그러나 실제로는 그보다 훨씬 더 먼 곳일지도 모른다. 잠시 꺼끔해지는 빗소리를 대신하여 멀리서 개 짖는 소리가 짬을 메우고 있었다. 그것이 저희들끼리의 무슨 군호나 되는 듯이 난리통에 몇 마리 남지 않은 동네 개들이 차례로 짖기 시작했다. 그날 밤따라 개들의 극성이 몹시도 유난했다. 그때 우리는 외할머니가 거처하는 건넌방에 모여 있었다. 외할머니의 심중에 뭔가 큰 변화가 생겨 우리는 그분을 위로하고 안심시켜 드리지 않으면 안 되었기 때문이다. 그런데 어머니와 작은이모는 개들이 사납게 짖기 시작하면서부터 갑자기 입을 다물어버렸다. 서로 외할머니의 눈치만 슬금슬금 살펴가며 모기장베가 붙어 있는 방문 쪽으로, 얼멍얼멍한 모기장베가 가린 등 만 등 막고 있는 어둠 저쪽으로 자꾸 눈길을 돌렸다. 나방이인지 하늘밥도둑인지 모를 날벌레 한 마리가 아까부터 날개를 발발 떨면서 방문에 붙어 끊임없이 오르내리고 있었다.

"내 말이 틀리능가 봐라. 인제 쪼매만 있으면 모다 알게 될 것이다. 어디 내 말이 맞능가 틀리능가 봐라."

외할머니가 낮게 중얼거렸다. 외할머니는 아침밥에 섞어먹을 완두를 까고 있었다. 아름이나 되어 보이는 축축한 완두 줄거리를 치마폭에 잔뜩 꾸리고 앉아서 외할머니는 꼬투리를 뚝 떼어 별로 서두르는 기색도 없이, 그러나 몸에 밴 익숙한 손놀림으로 속을 우볐다. 연둣빛 얼룩이 진 길쯤한 자실이 한옆으로 비어져나오면 그걸 손바닥에 받아 무릎맡의 대바구니에 담고 빈 깍지는 도로 치마폭 안에 떨어뜨렸다. 외할머니의 말에 뭐라고 대꾸할 기회를 놓쳐버린 어머니와 작은이모는 서로 어색한 눈짓을 나누었다. 밖에서는 다시 거세어지는 빗소리가 들리고, 거기에 질세라 개들이 더욱더 사납게 짖어대었다. 빗소리가 차차로 고비에 이르더니 뒤란 장독대 쪽에서 양철이 떨어져 곤두박질하는 소리가 났다. 벽에 걸어놓았던 두레박일 것이었다. 방문을 흔들며 갑자기 한 무더기의 비바람이 쏟아져 들어와 그러잖아도 위태롭게 까물거리던 호롱불을 아예 죽여버렸다. 방 안은 졸지에 밀어닥친 어둠과 끈끈한 공기 속에 잠기고 하늘밥도둑인지 나방이인지 모를 날벌레도 날갯소리를 멈추었다. 서너 집 건너에서 개가 짖기 시작했다. 잠자코 있던 우리 집 워리란 놈도 그 미련한 주둥이를 벌려 처음으로 웅얼거리는 소리를 했다. 사납게 짖어대는 소리가 마을 초입에서부터 우리가 사는 가운뎃말을 향하여 점점 다가오고 있었다.

"불을 키거라." 하고 외할머니가 말했다. "야가 어서 불을 키래도." 어둠 속에서 외할머니가 부스럭거렸다. "무신 놈으 날씨가 이 모냥인지, 원."

내가 방구석을 더듬어 성냥을 찾아서 호롱에 불을 댕겼다. 그러자 어머니가 심지를 돋우었다. 꼬불꼬불 그을음이 피어오르면서 천장에 둥근 무늬의 그림자를 만들었다.

"해마다 이맘때가 되면 날이 궂었어라우." 하고 어머니가 말참견을 했다.

"모든 게 날씨 탓이지요. 어머님이 그렇게 괜한 걱정을 하시는 것도 날씨 탓이에요."

작은이모도 한마디 거들었다. 시골 우리 집으로 피난 내려오기 전, 외가가 서울에 있을 때, 작은이모는 그곳에서 여학교를 나왔다.

"아니다. 느덜이 모르고 허는 소리다. 이 나이 먹드락 내 꿈이 틀린 적이 어디 한 번이나 있디야?"

외할머니는 고개를 설설 흔들었다. 그렇게 고개를 흔들면서도 완두 까는 손놀림은 멈추지 않았다.

"저는 꿈 같은 거 절대로 안 믿어요. 길준이한테서 몸 성히 잘 있다고 편지 온 게 바로 엊그젠데……."

"그러문요. 요새는 전투도 없고 혀서 심심허다고 편지 끄텀머리다가 쓴 걸 어머님도 직접 보셨잖아요."

"다아 소용없는 소리다. 느이 애비가 죽을 때만 혀도 나는 사날 전에 벌써 알아챘다. 이빨이 아니라 그때는 손구락이었지만. 꿈에 엄지손구락이 옴싹 빠져서 도망가 버리드라."

또 그놈의 꿈 얘기.

물리지도 않나 보다. 새벽잠에서 깨면서부터 줄곧 외할머니는 그놈의 꿈얘기만 늘어놓고 있었다. 점심때가 지나고 해질녘이 되어도 외할머니는 여전히 잠에서 덜 깬 듯이 흐리멍덩한 상태로 중얼거리고 있었다. 이가 거의 빠져 합죽해진 입두덩을 끊임없이 달싹이면서 자기 신변으로 몰려오는 어떤 불길한 기운이 있음을 거듭거듭 예언하는 것이었다. 위아래를 통틀어 겨우 일곱 개밖에 남지 않았는데, 난데없이 무쇠로 만든 커다란 족집게가 입 안으로 쑥 들어오더니 기중 실하게 붙어 있던 이빨 하나를 우지끈 잦뜨려놓고 달아나는 꿈을 꾸었다는 것이다. 악몽에서 깨어 정신을 수습한 다음 외할머니가 맨 처음 한 일은 손으로 더듬어 이를 낱낱이 점검해 보는 그것이었다. 그러고 나서 작은이모더러 거울을 가져오래서 눈으로 다시 한 번 개수를 확인했다. 그래도 미심쩍었던지 나중에는 나를 얼굴 가까이 불러 다짐을 거푸 받았다. 딱하게도 아무리 들여다봐야 이는 일곱 개 그대로였다. 더구나 어금니 대용으로 외할머니가 애지중지해 온 아래쪽 송곳니는 온전히 제자리에 박혀 있었다. 그러나 외할머니는 아무도 믿으려 하지 않았다. 송곳니가 제자리에 남아 있다는 사실이 아무래도 믿어지지 않는 모양이었다. 그분의 생각은 이미 현실을 떠나 꿈 쪽에만 머물고 있었다. 딸들도 사위도 못 미더워했고, 바늘귀를 잘 맨대서 이따금 칭찬해 주던 외손자의 시력에도 이젠 의심을 품었다. 거울 같은 건 말할 나위도 없고, 심지어는 입 안에까지 직접 들어가 개수를 확인해 보고 나온 당신의 손가락마저도 신용하지 않았다.

이런 상태로 그놈의 꿈얘기만 늘어놓으며 외할머니는 긴 여름나절을 보냈던 것이다. 참으로 답답한 노릇이었다. 그 답답함을 견디지 못하고 먼저 외삼촌을 들먹인 사람은 어머니였다. 부주의하게도 어머니의 입에서 육군소위를 달고 일선 소대장으로 나가 있는 외삼촌 이름이 불쑥 튀어나오자 외할머니는 갑자기 축 늘어진 양쪽 볼에 심한 경련을 일으켰다. 작은이모가 조심성이 없는 어머니를 나무라는 표정을 지었다. 외할머니는 어머니의 말을 못 들은 척하고 그냥 넘겨버렸다. 노인양반을 안심시키기 위해서는 별수 없다고 생각을 바꾸었는지 작은이모도 오래지 않아 외삼촌얘기를 꺼냈다. 그러나 외할머니는 하나뿐인 아들 이름을 끝내 입 밖에 내지 않았다. 그러면서도 그놈의 꿈얘기는 여전했다.

날이 어두워지면서부터는 입장들이 뒤바뀌어 위로하는 사람과 위로받는 사람을 거의 구별할 수 없게 되었다. 시간이 지날수록 외할머니의 말씨는 주술에라도 걸린 듯이 더욱 암시적이 되고, 어딘지 모르게 자신만만한 표정을 띠기조차 했다. 반면에 어머니와 이모는 까닭없이 안절부절못하면서 일껏 까려고 가져다놓은 완두줄거리를 우두커니 내려다보기만 했다. 결국 일감은 외할머니 앞으로 떠넘겨지고, 어머니와 이모는 심란스럽게 앉아 언제 끝날지 모르는 중얼거림에 어쩔 수 없이 귀를 기울이고 있었다.

주룩주룩 쏟아지는 비가 온 세상을 물걸레처럼 질펀히 적시고 있었다. 난리를 겪고도 용케 살아남은 동네 개들이 일제히 들고일어나 극성맞은 그 포효로 마을을 휩싼 어둠의 장막을 갈기갈기 찢어발기고 있었다. 외할머니는 몸에 익은 손놀림으로 완두꼬투리를 후벼서 자실은 대바구니에, 그리고 빈 깍지는 치마폭 안에 정확히 갈라놓았다. 우리 집 지천꾸러기 워리란 놈이 전에없이 사납고 우렁찬 소리로 짖어대기 시작했다. 그때 우리는 발소리를 저벅거리며 이웃집 담모퉁이를 돌아나오는 인기척을 들을 수 있었다. 한 사람뿐이 아니었다. 적어도 두셋은 될 것이었다. 물구덩이라도 잘못 디

덮는지 흙탕을 튀기는 소리가 나고, 이어서 날씨를 심하게 탓하며 투덜거리는 소리까지 똑똑히 들렸다. 도대체 누구일까, 이 밤중에 억수로 내리는 비를 맞아가며 마을을 활보하는 사람들은. 전쟁이 북으로 물러났다고는 하지만 아직도 빨치산늘이 읍내 경찰서를 습격하고 불을 지를 만큼 어수선한 때였다. 예의를 좀 아는 사람이라면 웬만큼 긴한 용무가 아니고는 해가 진 뒤에 남의 집을 방문하는 법이 거의 없었다. 그런데 저 사람들은 지금 누구네 집을 찾아가고 있을까. 대관절 무슨 짓을 하려고 밤길을 떼뭉쳐 다니는 것일까. 어머니가 작은이모의 손을 덥석 움켜잡았다. 이모는 어머니한테 손을 내맡긴 채 모기장베가 엉성히 가리고 있는 어둠 속 저쪽을 뚫어지게 쏘아보고 있었다. 안방 마루 밑에서 워리란 놈이 숨넘어가는 소리로 짖어대고 있었다. 귀가 약간 어두운 외할머니까지도 우세두세하던 인기척이 바로 우리 집 사립짝 앞에 머물러 한동안이나 주춤거리고 있음을 이미 깨닫고 있었다.

"기연시 왔구나, 기연시 왔어."

외할머니가 바짝 마른 소리로 중얼거렸다.

"순구." 하고 사립 밖에서 어떤 사람이 우리 아버지 이름을 불렀다. "순구 집에 있능가?"

안방에서 할머니가 콩콩 밭은기침을 했다. 아버지가 밖으로 나가려 하는 기척이 들렸다. 그러자 어머니가 깜짝 놀라며 안방 쪽에 대고 속삭였다.

"내가 살째기 나가볼 팅게 당신은 암말도 말고 죽은디끼 있어라우."

그러나 아버지는 방문을 열고 벌써 마루에 나가 있었다. 신발을 찾아 신으면서 아버지는 방금 어머니가 했던 것과 꼭 같은 말을 했다. 우리는 아버지로부터 꼼짝도 말고 방 안에 가만히 앉아 있으라는 수의를 받았다. 아버지가 어디를 어떻게 했는지 미친 듯이 짖어대며 날뛰던 워리녀석이 별안간 깨갱 소리를 마지막으로 주둥이를 꾹 닫아버렸다. 마당을 가로질러 가면서 아버지가 조심스럽게 물었다.

"누구요?"

"나, 이 동네 구장일세."

"아니 자네가 이 밤중에 어떻게……."

사립에 매달린 워낭이 딸랑딸랑 흔들렸다. 어른들이 몇 마디 서로 주고받는 소리가 들렸다. 그런 다음 바깥은 다시 조용해지고 줄기차게 내리는 빗소리만이 귀를 가득 채웠다. 방 안을 서성거리던 어머니가 더 참지를 못하고 방문을 활짝 열어젖혔다. 급히 밖으로 나서는 어머니를 작은이모가 허둥지둥 뒤따랐다. 안방에서는 우리 친할머니가 콩콩 밭은기침을 하고 있었다. 내 바로 곁에서는 외할머니가 천천히 별로 서두르는 기색도 없이 완두를 까는 일에 아주 열중해 있었다. 완두꼬투리를 손톱으로 우비면서 외할머니는 이렇게 중얼거렸다.

"나사 뭐 암시랑토 않다. 오널 아니면 니알 중으로 틀림없이 무신 기별이 올 종 알고 있었으니께, 진즉부터 알고 있었으니께, 나사 뭐 암시랑토 않다."

좀이 쑤셔서 곱게 앉아 견딜 수가 없었다. 나는 마침내 외할머니를 혼자 놔두고 슬그머니 건넌방을 빠져나왔다. 외할머니의 바짝 메마른 음성은 토방에까지도 들렸다.

"……나사 뭐 암시랑토 않다……."

안에서 생각했던 것보다 밖은 더 껌껌했다. 걸음을 옮길 적마다 누린내 풍기는 축축한 털북숭이가 양쪽 가랑이 사이로 척척 감겨들었다. 워리 녀석이 자꾸만 낑낑거리며 뜨뜻한 혀로 손바닥을 핥았다. 안에서 생각했던 것보다도 빗방울이 더 굵었다. 비는 얼굴을 뒤

덮고 베잠방이를 적셔 단박에 내 몸뚱이를 물독에 빠진 새앙쥐 꼴
로 만들어놓았다. 워리가 더 이상 따라오질 못하고 뒷전을 돌면서
잔뜩 겁을 먹은 소리로 으르렁거렸다. 어른들 모습은 사립짝께로
모두 나가셨을 때에야 비로소 어렴풋하게 드러났다. 이미 이야기가
다 끝난 뒤인 듯했다. 쏟아지는 빗줄기 속에서 어른들은 그저 잠자
코 있기만 했다. 군용 방수포를 머리 위로 뒤집어쓴 두 사내와 이쪽
을 향하고 선 구장어른의 낯익은 얼굴이 희미하게 보였다. 아버지
와 작은이모는 금방 땅바닥으로 주저앉을 듯이 흐늘거리는 어머니
를 양쪽에서 단단히 부축하고 있었다. 한참 만에야 구장 어른이 입
을 열었다.

"들어가걸랑 빙모님께 말씀이나 잘 디려주게."

그러자 방수포를 쓴 어느 한쪽 사내가 뒤를 이었다. 그는 매우 내
키지 않는 얘기인 듯 머뭇거려서 목소리가 굉장히 수줍게 들렸다.

"뭐라고 말씀드려야 좋을지 모르겠습니다만…… 괴롭기는 저희
들도 매일반입니다. 어쩌다가 이런 일을 맡아가지고 참…… 그럼
저희들은 이만 물러가 보겠습니다."

"살펴 가시오."라고 아버지가 인사를 했다.

그들은 회중전등으로 길을 더듬으며 사립을 빠져나갔다. 어머니
의 입에서 흐느낌이 새어나왔다. 작은이모가 어머니한테 핀잔을 주
었다. 그러자 어머니는 조금 더 큰 소리로 울기 시작했다. 아버지는
아무 말도 않고 앞장서 집 안으로 들어갔다. 어머니를 부축하고 걸
으면서 작은이모가 자꾸 소곤거렸다.

"제발 이러지 좀 말아요. 언니가 이러면 어머님은 어떻게 되겠어
요. 어머님을 생각해야지, 어머님을……."

어머니가 입 안을 주먹으로 틀어막았다. 그래서 방 안에 들어설
때는 가까스로 울음을 그칠 수 있었다.

먼저 들어온 아버지가 외할머니 앞에 앉아 죄라도 지은 사람처럼 거북살스러운 자세로 뭔가를 만지작거리고 있었다. 구장어른이 주고 갔음에 틀림없는 젖은 종이쪽이었다. 아버지는 일부러 쥐어짜 내듯이 온몸에서 물방울을 뚝뚝 떨어뜨렸다. 아버지뿐이 아니라 밖에 나갔다 온 사람은 나까지 넣어 모두 몸에서 흘러내리는 물방울로 방바닥을 흥건히 적시고 있었다. 옷을 엷게 입은 어머니와 작은이모는 적삼과 치마가 몸에 찰싹 늘어붙어 거의 벗은 거나 다름없을 정도로 속살이 들여다보였다. 외할머니는 아무도 쳐다보려 하지 않았다.

"거 봐라." 하면서 외할머니는 또 혼잣말처럼 중얼거렸다. "거 봐."

외할머니의 거동을 아까부터 나는 안타까운 마음으로 지켜보고 있었다. 나는 외할머니의 끊임없이 달싹거리는 합죽한 입보다는 완두를 까는 작업에 더 관심을 모았다. 언제부터인지 모르게 외할머니의 손놀림에 변화가 생겼음을 깨달은 것이다. 같이들 방 안에 있으면서도 그걸 눈치챈 사람은 나 혼자뿐이었다. 시선을 떨군 채 일에 열중해 있는 그 모습은 여전했으나 우리가 밖에 나갔다 온 뒤부터 줄곧 외할머니는 강마른 두 팔을 가늘게 떨고 있었다. 그리고 일껏 까낸 연둣빛 싱싱한 자실을 빈 깍지가 수북이 담긴 치마폭 속에 아무렇지도 않게 떨어뜨리는 것이었다. 외할머니가 실수를 계속할까 봐서 내 마음은 몹시도 조마조마했다. 가능하다면 잘못을 깨우쳐주고 싶어 나는 몇 번이나 기회를 벼르고 벼르다가 방 안을 억누르는 무거운 분위기에 주눅이 들어 차마 입을 열지 못하고 말았다. 말려서 아궁이에 넣을 빈 깍지가 당연하다는 듯이 이제 곧 대바구니 속으로 들어갈 줄을 번연히 알면서도 속수무책으로 주름살이 두껍게 밀리는 우리 외할머니의 떨리는 손끝만을 지켜보는 도리밖에 없었다.

"내가 내둥 뭐라고 그러냐. 오널 중으로 틀림없이 무신 기별이 온다고 안 그러냐?"

창백하던 낯빛이 순간적으로 홍조를 띠어 갑자기 십 년은 젊어 긴 외할머니가 몇 미디 또 중얼거렸다. 줄기디에 붙은 새도운 쏘부리를 뚝 따내어 속을 우비면서 외할머니는 다시 죽은 사람처럼 창백한 얼굴이 되더니 앉은 자리에서 단숨에 열 살은 더 먹어버렸다. 외할머니는 무척 흥분해 있었다. 말의 마디와 마디 짬에서 감추고 있던 거친 숨결이 불거져나오고 목젖이 울릴 정도로 자주 마른침을 넘기는 것으로 보아 그걸 느낄 수 있었다.

"느이 애비가 죽을 임시에도 나는 사날 전버텀 알고 있었다. 늙은이가 밥 먹고 헐 일 없응게 앉어서 요사시런 소리나 씨월거린다고 느덜은 이 에미를 야속허게 생각했을 것이다. 그런디 지내놓고 보니께 어쩌드냐. 뭐라고 말허능가 보게 어디 느덜 쇠견이나 한번 시연이 들어봤으면 씨겄다. 어쩌냐, 시방도 에미 말이 그렇게 시덥잖게 들리냐? 그러면 못쓰느니라, 못써. 눈 어둡고 귀 어둡다고 에미까장 우숩게 알면 못쓴다. 할망구라고 혀서 허는 소리마둥 다 비싼 밥 먹고 맥없이 씨워리는 소리로만 들으면 큰 잘못이다. 이날 입때까장 내 꿈은 틀린 적이 없었니라. 무신 일이 생길 적마둥 이 에미가 꾸는 꿈은 단 한 번도 틀린 적이 없었니라."

머리를 뒤로 젖혀 한껏 고자세를 하고 앉아서 외할머니는 자기 선견지명을 그제까지 몰라준 두 딸에게 잠시 면박을 주었다. 얼굴이 다시 벌겋게 달아 있었다. 딸들을 바라보는 충혈된 두 눈에 가득 담긴 것은 희열 바로 그것이었다. 자기 예감이 적중된 것을 누구한테나 자랑하고 싶어 어쩔 줄 모르는 기색이 역연했다. 우스꽝스러울 정도로 의기양양해하고 있는 그 표정을 오래 보고 있자니까 주술에 가까운 어떤 강렬한 기운이 가슴속에 뜨겁게 전달되어 와서 외할머니란 사람이 내게는 별안간 무섭게 느껴지기 시작했다. 그리고 비극이 덮쳐올 때마다 매번 그것을 점쟁이처럼 신통하게 알아맞혔다는 외할머니의 주장을 곧이곧대로 믿지 않을 수 없게 되었다. 말하자면 그때 우리 외할머니는 크다면 크고 작다면 작은 하나의 싸움에서 마침내 승리를 거둔 셈인데, 그러고도 모자라서 우리들마저 못살게굴 만큼 아직도 노인다운 끈기와 옹고집에 충분한 여력이 있는 듯이 보였고, 그것이 외손자인 내게는 감히 누구도 범접 못할 불가사의한 힘으로 느껴져 오래도록 기억에 남을 강렬한 감동을 주었다.

어머니는 알게 모르게 울음소리를 점차로 높이고 있었다. 처음에는 방 안에 있는 다른 사람들이 거의 눈치채지 못할 정도로 아주 가늘디가늘게 시작되었었다. 그런데 웬만큼 소리를 높여봐도 역시 상관하는 사람이 없으니까 나중에는 아예 마음놓고 큰 소리로 울기 시작했다. 모기 한 마리가 이모의 백지장처럼 하얀 목덜미에 붙어 피를 빨고 있었다. 모기란 놈이 앵두알처럼 통통하게 배를 불리며 피를 빨아먹는데도 이모는 꼼짝을 않고 우두커니 앉아만 있었다. 방문이 활짝 열려진 채로였다. 열린 문으로 모기떼들이 꾸역꾸역 몰려드는데도 누구 하나 닫으려는 사람이 없었다. 곳곳에서 사납게 짖어대는 개들의 소리로 군용 방수포를 둘러쓴 사람들이 마을 어디쯤을 가고 있는가를 가만히 앉아서도 빤히 어림할 수 있었다. 그들이 들어올 때와는 정반대로 개 짖는 소리가 마을 안쪽에서 바깥쪽을 향하여 점점 멀어지고 작아지고 차츰 뜸해지더니 이윽고는 아주 잠잠해져 버렸다. 어느 틈에 들어왔는지 한 마리의 까만 날벌레가 방 안을 이리저리 날아다니며 아까부터 소란을 피우고 있었다. 하마터면 호롱불까지 끌 뻔해 가면서 온 방 안을 몇 바퀴씩이나 휘젓고 다니던 끝에 그것은 내 손에 붙잡혔다. 하늘밥도둑이었다. 나의 엄지와 검지 사이에 끼여 그것은 자꾸만 꼼지락거렸다. 흙을 헤집을 때 삽으로 쓰는 튼튼한 앞발을 힘차게 버둥거리며 한사코 내 손아귀에서 도망치려 했다. 하지만 그까짓 저항이 내게 무슨 상관이냐, 그것이 죽고 사는 것은 내 마음먹기 하나에 달려 있었다. 나는 그것을 얼마든지 죽일 수 있고 또 얼마든지 살릴 수도 있었다. 나는 하늘밥도둑을 쥔 두 개의 손가락에 지그시 압력을 가하기 시작했다. 이때 외할머니의 중얼거림이 들렸다.

"나사 뭐 암시랑토 않다. 진작서부텀 이럴 종 알고 있었웅게 나사 뭐 암시랑토 않다."

그러자 어머니의 울음이 별안간 절정에 이르러 방 안이 온통 뼛속까지 갉는 듯한 아픈 소리로 가득 차버렸다.

불싸앙헌 우리이 준이이 아이고 우리 기일준이가아 아하이고 아이고오 따른 집 자석들은 기피도 잘 허동마안 워쩌자고 우리이 준이느은 허지 말라는 소대장인가 그 웬수녀르 밥티긴가를 달어가지이고 이 지경이 되었느은고 아이고 아하이고 이 일을 어쩌다아냐아……

방 안을 가득 채우고도 남아도는 어머니의 진한 핏빛 울음은 어느덧 두루마리 멍석이 되어 어둠에 잠긴 마당 쪽으로 끝없이 풀려나가고, 그 위로 꺼끔해졌다 되거세어지는 장맛비가 소리를 지르면서 두텁디두텁게 깔리고 또 깔렸다.

2

작은 언덕과 작은 언덕, 그리고 낮은 산과 낮은 산들을 앞에 주욱 거느린 채 그 세모꼴의 머리로 하늘을 떠받치고 선 건지산은 언제 보아도 모습이 의젓했다. 하기야 늘 의젓이만 보아온 그 건지산이 갑자기 그럴 줄 몰랐다고 느껴지던 우스꽝스러운 한때도 있긴 있었다. 밤이면 어른들이 거기 모여 불장난을 한다. 어떤 때는 훤한 대낮에도 산봉우리에서 뭉개뭉개 연기가 피어오르는 걸 볼 수 있다. 밤마다 그들은 얼마나 많은 오줌을 지리는 것일까. 어머니의 강압에 못 이겨 키를 쓰고 동네를 한 바퀴 돈 경험이 있는 나로서는 건지산에서부터 흘러내리는 마을 앞 시냇물을 일단 의심의 눈으로 바라보지 않을 수 없었다. 도대체 이제까지 점잖은 촌노인처럼 그저 묵중히만 서 있던 산이 갑자기 연기와 불길을 내뿜는 것부터가 장난 같았다. 어른들 놀이치고는 너무 유치하고 어리석고 그러면서도 어떻게 보면 아주 평화스럽게 보이는 장난이었다. 봉홧불과 무수한 살상과의 상관관계를 나는 미처 깨닫지 못했다. 왜 건지산에서 불길이 오르고 난 다음이면 꼭 읍내에서 시가전이 벌어지고 꼭 어느 고을 어떤 동네가 쑥대밭이 되어야만 하는가를 이해할 수가 없었다. 그러나 설사 그런 문제를 일찍이 이해해버렸다 해도 결과는 매마찬가지였을 것이다. 난생 처음 봉홧불을 구경하던 당시의 망측스러운 상상에도 불구하고 내 의식 속에서의 건지산은 어느 틈에 그 의젓한 모습을 되찾고 날이 지남에 따라 더욱더 친근하게 느껴지기 시작했다.

그런데, 아침에 일어나서 보니 그 건지산 허리 윗부분이 검은 구름으로 친친 감겨 있었다. 비는 그쳐 있었으나 건지산이 있는 동쪽 하늘자락을 완전히 덮고 있는 시커먼 구름을 보면 그것이 여태 것보다 더 많은 양의 비를 새롭게 장만하고 있음을 얼른 알 수 있었다. 이따금씩 하늘 어두운 구석에서 번개가 튀어나와 그 언젠가 마을 앞 둑길에서 어떤 사내가 어떤 사내의 가슴에 쑤셔박던 그때의 그 죽창처럼 건지산 아니면 그 근처 어딘가를 무섭게 찔러댔다. 그리고 그럴 적마다 찔린 산이 지르는 비명과도 같은 천둥소리가 지축을 흔들었다. 그만한 덩치에 그만큼 아픈 찔림을 당한다면 내 입에서도 그 정도의 비명쯤 당연히 나오겠다 싶은 처참한 소리를 지르곤 했다. 이른 아침부터 건지산이 하늘에 부대끼는 모양을 멀리서도 똑똑히 볼 수 있었다.

눈을 감고 있어도 외할머니의 발소리는 다른 사람과 확연히 구별되었다. 무게가 전혀 없는 사람처럼 겨우 치맛자락 스치는 소리만 내면서 가볍고 조심스럽게 걸었다. 그처럼 용의주도하게 다가와서는 갑자기 묘한 냄새를 풍겼다. 오래된 장롱이나 무슨 골동품 따위, 또는 흘러들어오기만 했지 빠져나갈 데라곤 없는 깊은 방죽 같은 데서나 맡을 수 있는 참으로 이상한 냄새였다. 먼먼 옛날로부터 오늘을 향해 부는 바람에 묻어오는 냄새와 치마 스치는 소리로 구별되는 할머니, 우리 외할머니가 조심조심 다가오고 있음을 나는 어렴풋이 깨달았다. 나는 건넌방에 누워서 잠든 시늉을 하고 있었다. 외할머니란 사람이 전에 없이 두렵게 느껴지기 시작한 뒤부터 내게는 자주 잠든 시늉을 하는 버릇이 생겼다. 낮잠 자는 외손자를 깨우지 않을 양으로 외할머니는 다른 날보다 더 조심하는 것 같았다. 그러나 나는 이마에 와닿는 외할머니의 미지근한 숨결 속에서 독특한 그 냄새를 이미 싫도록 맡았고, 이제 곧 외할머니가 하려는 일이 무엇인가를 충분히 짐작해 버렸다. 아니나 다를까, 외할머니의 강마른 손이 내 아랫도리를 벗기기 시작했다. 어디 이놈 잠지 좀 만져보자. 다른 때 같으면 이런 말을 했을 것이다. 또 이렇게도 말했을 것이다. 즈이 오삼춘 타겨서 붕알도 꼭 왜솔방울맹키로 생겼지. 그런데 외할머니는 아무 얘기도 하지 않았다. 그저 잠자코 손만 놀리면서 언제까지고 내 살을 주무르는 것이었다. 외가가 우리 집으로 피난오면서부터 시작된 그것은 내겐 크나큰 고역이요 굉장히 모욕적인 장난이기도 했다. 잠방이 속으로 들어오는 외할머니의 손을 단 한 번이라도 좋은 기분으로 받아들인 적이 있다면 나는 내 입을 찢어도 아무 말 않겠다. 국민학교 삼학년 나이에 아직도 코흘리개로 취급받기를 바라는 애들이 얼마나 될는지는 모르지만 이만하면 철이 들 대로 든 셈이며 다 큰 거나 마찬가지라고 자부하던 나로서는 무척이나 자존심이 상하는 일이었다. 뿌리치면 외할머니가 대단히 섭섭해하기 때문에 울며 겨자 먹기로 그 수모를 모두 참아내는 도리밖에 없긴 했지만서도.

긴 한숨과 함께 외할머니의 손이 샅을 빠져나갔다. 손을 거두고 나서도 외할머니는 한참이나 더 내 얼굴을 내려다보는 눈치였다.

"불쌍헌 것……."

혼잣말을 남기면서 외할머니는 내 곁을 떠났다. 구겨진 무명 치맛자락을 소리없이 끌면서 마루로 나서는 외할머니의 뒷모습을 나는 실눈을 뜨고 바라보았다. 방금 그 중얼거림이 누구를 가리키는 것인지는 모른다. 불쌍한 사람은 내 주위에 너무 많았다. 우선 일선에서 전사한 외삼촌이 그렇고, 사실은 나 역시도 몹시 불쌍한 처지에 있었다. 형사한테서 양과자를 얻어먹은 사건 이후로 나는 근 달소수간이나 줄곧 울안에만 틀어박혀 근신하면서, 근신할 것을 명령한 아버지와 용서할 권한을 가진 할머니의 눈치를 살피는 신세였다. 그러나 가장 불쌍한 사람은 바로 외할머니 자신이었을지도 모른다. 마루 끝에 앉아서 구름에 덮인 건지산 근방을 바라보는 외할머니의 모습은 몹시도 허전해 보였다. 전사통지서를 받던 날 저녁에 본 강하고 두렵던 모습은 도무지 찾아볼 수 없었다. 이젠 시들 대로 시들어 먼산바라기로 오두마니 앉아 있는 초라한 할멈 하나가 있을 뿐이었다. 고역에서 해방된 기분은 그 측은한 모습으로 하여 금세 지워지고 말았다.

외삼촌의 죽음이 알려지고 나서 며칠 동안은 집안 꼴이 엉망이었다. 누구나 다 그랬지만 그중에서도 어머니가 제일 심했다. 어머니는 학교 운동회 때 우리가 그랬듯이 흰 헝겊을 머리에 질끈 동이고서 방바닥을 쳐가며 한차례씩 서럽게 울고 나서는 자리에 누워버렸다. 그러나 끼니때만 되면 슬그머니 일어나 이모가 늘어다 주는 꽁보리밥 한 그릇을 다급하게 비우고는 순갈을 놓자마자 밥상머리에서 또 한차례 서럽게 운 다음 다시 자리에 눕는 것이었다. 누워서 한다는 소리가 늘, 누구를 양자로 데려다가 끊어진 대를 이어야 되지 않겠냐는 것이었다. 거기에 비해 이모는 무척 대조적이었다. 처음부터 그랬지만 이모는 끝내 눈물 한 방울 비치지 않았다. 누구하고 말 한마디 나누는 법도 없고, 아무것도 입에 대지 않았다. 그러면서 전에 어머니가 하던 일을 도맡아 혼자 밥도 짓고 설거지도 하고 빨래도 했다. 사흘째 되는 날, 울안 샘에서 물동이를 들다가 벌렁 나자빠지는 걸 볼 때까지 나는 이모가 뒤란 대밭 속이나 침침한 부엌 안에서 우리 몰래 뭔가를 먹는 줄로만 알았다. 독하고 엉큼스러운 구석이 있는 이모가 설마 사흘을 내리 굶지야 않겠지, 생각하고 안심했었다.

어머니와 이모는 그래도 괜찮은 편이었다. 무엇보다 우려되는 건 할머니와 외할머니 간의 불화였다. 외삼촌과 이모를 공부시키기 위해 살림을 정리해서 서울로 떠났던 외가가 어느 날 보퉁이를 꾸려들고 느닷없이 우리들 눈앞에 나타났을 때, 사랑채를 비우고 같이 지내기를 먼저 권한 사람은 할머니였다. 난리가 끝나는 날까지 늙은이들끼리 서로 의지하며 살자는 말을 여러 번 들을 수 있었고, 얼마 전까지만 해도 두 사돈댁은 사실 말다툼 한번 없이 의좋게 지내왔다. 수복이 되어 완장을 두르고 설치던 삼촌이 인민군을 따라 어디론지 쫓겨가 버리고 그때까지 대밭 속에 굴을 파고 숨어 의용군을 피하던 외삼촌이 국군에 입대하게 되어 양쪽에 다 각기 입장을 달리하는 근심거리가 생긴 뒤로도 겉에 두드러진 변화는 없었다. 그러던 두 분 사이에 얼추 금이 가기 시작한 것은 저 사건——내가 낯모르는 사람의 꼬임에 빠져 과자를 얻어먹은 일로 할머니의 분노를 사면서였다. 할머니의 말을 옮기자면, 나는 짐승만도 못한, 과자 한 조각에 제 삼촌을 팔아먹은, 천하에 무지막지한 사람백정이었다. 외할머니가 유일한 내 편이 되어 궁지에 몰린 외손자를 감싸고 역성드는 바람에 할머니는 그때 단단히 비위가 상했던 것이다. 다음으로 두 분을 아주 갈라서게 만든 결정적인 계기는 전사통지서를 받은 그 이튿날에 왔다. 먼저 복장을 지른 쪽은 외할머니였다. 그날 오후도 장대 같은 벼락불이 건지산 날망으로 푹푹 꽂히는 험한 날씨였는데, 마루 끝에 서서 그 광경을 지켜보던 외할머니가 별안간 무서운 저주의 말을 퍼붓기 시작한 것이다.

"더 쏟아져라! 어서 한 번 더 쏟아져서 바웃새에 숨은 뿔갱이마자 다 씰어가그라! 나뭇틈새기에 엎던 뿔갱이 숯뎅이같이 싹싹 끄실러라! 한 번 더, 한 번 더, 옳지! 하늘님 고오맙습니다!"

소리를 듣고 식구들이 마루로 몰려들었으나 모두들 어리둥절해서 외할머니를 말리는 사람이 없었다. 벼락에 맞아 죽어 넘어지는 하나하나의 모습이 눈에 선히 보인다는 듯이 외할머니는 더욱 기가 나서 빨치산이 득실거린다는 건지산에 대고 자꾸 저주를 쏟았다.

"저 늙다리 예편네가 뒤질라고 환장을 혔댜?"

그러자 안방 문이 우당탕 열리면서 악의를 그득 담은 할머니의 얼굴이 불쑥 나타났다. 외할머니를 능히 필적할 만한 인물이 그제까지 집 안 한쪽에 도사리고 있었음을 나는 뒤늦게 깨닫고 긴장했다.

"여그가 시방 누집인 종 알고 저 지랄이랴, 지랄이?"

옆에서 흔들어깨우는 바람에 갑자기 잠꼬대를 그친 사람처럼 외할머니는 멍멍한 눈길로 주위를 잠깐 둘러보았다.

"보자 보자 허니께 참말로 눈꼴시어서 볼 수가 없네. 은혜를 웬수로 갚는다드니 그 말이 거그를 두고 허는 말이고만. 올디 갈디 없는 신세 하도 불쌍혀서 들어앉혀 놓게로 인자는 아도 으런도 몰라보고 샀인 야냥개를 다 부리네그랴. 미쳐노 솝게 미쳐야지, 그렇게 숭악시런 맘을 먹으면은 뻽대로 거그한티 날베락이 내리는 뻽여."

당장 메어꽂을 듯한 기세로 상대방의 서슬을 다잡고 나더니 할머니는 사뭇 훈계조가 되었다.

"아아니, 거그가 그런다고 죽은 자석이 살아나고 산 사람이 그렇게 쉽게 죽을 성부른가? 어림 반푼도 없는 소리 빛감도 말어. 인명은 재천이랬다고, 다아 저 타고난 명대로 살다가 가는 게여. 그러고 자석이 부모보담 먼처 가는 것은 부모죄여. 부모들이 전생에 죄가 많었기 땜시 자석놈을 앞시워놓고는 뒤에 남어서 그 고통을 다아 감당허게 맹근 게여. 애시당초 자기 팔자소관이 그런 걸 가지고 누구를 탓허고 마잘 것이 없어. 낫살이 저만치 예순줄에 앉어 있음시나 조께 부끄런 종도 알어야지."

"그려. 나는 전생에 죄가 많어서 아덜놈 먼첨 보냈다 치자. 그럼 누구는 복을 휘여지게 짊어지고 나와서 아덜농사를 그따우로 지었다냐?" 하고 외할머니도 앙칼지게 쏘아붙였다.

"저놈으 예펜네 말하는 것 좀 보소이. 참말로 죽을라고 환장혔능개비. 내 아덜이 왜 어디가 어쩌간디 그려?"

"생각혀 보면 알 것이구만."

"저 죽은 댐이 지사 지내줄 놈 하나 없응게 남덜도 모다 그런 종 아는가 분디……."

"고만덜 혀둬요!"

"우리 순철이는 끈덕도 없다, 끈덕도 없어. 무신 일이 생겨야만 쇡이 시연헐 티지만 순철이 갸는 쏘내기 새도 요리조리 뚫고 댕길

아여."

"어따 구만덜 허라니께요!" 하고 아버지가 한 번 더 짜증을 부렸다.

아까부터 어머니는 외할머니의 허벅지를 자꾸만 집어뜯고 있었다.

"느그 시엄씨 허는 소리 들었냐? 명색이 그리도 사분인디, 나보고 시상에 지사 지내줄 놈 하나 없는 년이란다. 자석 하나 있는 것 나라에다 바친 것만도 분하고 원통헌디, 명색이 자기 사분한티 헌다는 소리가 그 모냥이구나. 자석 잃고 쇡이 뒤집힌 에미가 무신 소린들 못 허겄냐. 그런디 말 한마디 어덕잡어 가지고 불쌍한 늙은이 앞에서 똑 아덜자식 여럿 둔 위세를 혀야만 쓰겄냐? 너도 입이 있으면 어디 말 좀 혀봐라, 야야."

외할머니는 어머니를 돌아보며 통사정을 하고, 어머니는 울상이 되어 한쪽 눈을 연방 쫑긋거려 가며 외할머니의 다리를 꼬집었다. 할머니는 할머니대로 아버지를 붙들고 늘어졌다.

"야, 애비야. 니 동상 어서 죽으라고 고사 지내는 예펜네를 내가 조께 혼내줬기로 너까지 한통속이 되어 목매달 게 뭐냐. 너한티는 장몬지 뭣인지 모르지만 나는 죽었으면 죽었지 그런 꼴 못 본다. 당장 어떻게 하지 않으면 내가 이 집을 나갈랑게 알어서 혀라."

"나갈란다! 그러잖아도 드럽고 챙피시러서 나갈란다! 차라리 길가티서 굶어죽는 게 낫지 이런 집서는 더 있으라도 안 있을란다! 이런 뿔갱이 집……."

외할머니의 격한 음성이 갑자기 뚝 멎었다. 외할머니는 천천히 고개를 들어 맞은편의 아버지를 멀거니 건너다보았다. "뿔갱이 집 서는……." 하고 하다 만 말의 뒤끝을, 그러나 매우 자신없는 어조로 간신히 흘리면서 이번에는 어머니 쪽을 바라보았다. 마지막으로 나를 한참 동안 눈여겨보고 나서 머리를 설레설레 흔들었다. 그러더니 갑자기 시선을 떨구는 것이었다. 쏟아져내리는 그 시선이 대바구니 속에 무겁게 담겼다. 그 대바구니를 잠자코 무릎마디로 끌어당겨 그림자처럼 조용한 몸놀림으로 한 개의 완두줄거리를 집어올렸다. 외할머니의 얼굴은 어제나 그제 죽은 사람 모양으로 완전한 잿빛이었다.

외할머니의 말 한마디가 집안에 던진 파문은 의외로 심각했다. 외할머니의 입에서 '뿔갱이'란 말이 엉겁결에 튀어나왔을 때 식구들은 도무지 믿을 수 없다는 듯이 넋을 잃은 표정들이었다. 너무도 놀란 나머지 숨소리조차 제대로 못 내면서 오직 느릿느릿 변화하는 외할머니의 동작만을 시종일관 주목할 따름이었다. 여태까지 삼촌 때문에 동네에서 손가락질을 받고 치안대와 경찰로부터 시달림을 당해 오면서 가족들 간에 절대로 써서는 안 될 말로 묵계가 되어 있었다. 그리고 이 금기는 연주창에 새우젓을 가리듯이 아주 철저하게 지켜져왔다. 그런데 이토록 무서운 말을 함부로 입 밖에 쏟다니. 외할머니의 과오는 어떤 변명으로도 씻을 수 없는 치명적인 것이었고 그래서 가족들의 놀라움은 이루 형언할 수 없었던 것이다. 그러나 누구보다도 놀란 사람은 다름 아닌 발설 당자였다. 외할머니는 구태여 변명을 늘어놓진 않았다. 변명해 봤자 소용도 없는 일이긴 하지만 그보다는 오히려 할머니가 무슨 못 들을 소리를 해도 꾹 참고 견디는 것으로 자신의 실수를 솔직히 인정하고 있었다. 할머니의 분노를 어떻게 설명하면 좋을까. 길길이 뛰다가 거품을 물고 까무러칠 지경이었다. 그리고 외할머니와 이모를, 경우에 따라서는 어머니까지도 내보낼 것을 아버지한테 거듭 다짐받으려 했다.

"오널 중으로 내쫓아야 된다. 그리고 저것들이 삽짝을 나서기 전에 짐보퉁이를 잘 조사혀라. 메칠 전에 내 은비네가 없어졌는디, 어떤 년 손버릇인지 다 알 만헌 소행이니께."

이모가 소리없이 사랑채로 건너가 버렸다. 해댈 만큼 해대고 나서 할머니는 지쳐 드러눕고, 잠시 깃들인 정적을 어머니의 허겁스러운 통곡이 또 물리쳐버렸다. 그러자 아버지의 벽력 같은 고함이 떨어졌다.

"그놈으 주둥빼기 안 오므릴래!"

정적은 차라리 소란보다 더 견딜 수 없는 고문이었다. 아버지는 씨엉씨엉 집을 나갔다. 외할머니는 밤늦도록 혼자 마루에 남아 파들파들 떨리는 앙상한 손으로 줄창 완두만 까대고 있었다. 아버지는 어디서 고주망태가 되어 입에서 감내를 펑펑 풍기며 새벽녘에야 집으로 돌아왔다.

먹구름에 덮인 건지산 날망으로 연거푸 시퍼런 벼락이 꽂히고 있었다. 전에는 거의 매일 밤 볼 수 있던 봉홧불이 장마가 시작되면서부터는 숫제 자취를 감추었다. 이따금 건지산 쪽에 눈을 주면서 마루 끝에 앉아 있는 외할머니의 뒷모습은 너무도 허전해 보였다. 그때나 다름없이 떨어지는 벼락불을 보고도 외할머니는 아무 말도 하지 않았다. 안사돈끼리 한 다래끼 단단히 벌인 뒤로 무슨 일에나 여간해서는 입을 열려 하지 않았다. 완두를 까는 것만이 죽는 날까지 자기가 맡은 유일한 일이라는 듯 대바구니를 앞에 하고 외할머니는 끊임없이 손을 놀리고 있었다.

3

이북에서 우리 마을로 피난온 지 얼마 안 되는 아이 하나가 맥고자를 눌러쓴 어떤 사내와 함께 우리들 노는 장소에 나타났다. 온 얼굴이 버짐투성이인 그 아이는 한여름인데도 때가 까맣게 긴 장구통 배를 득득 긁던 손을 들어 나를 가리키면서 사내에게 뭐라고 짤막

한 말을 했다. 그러자 사내가 윗얼굴을 깊숙이 가린 넓은 챙 밑으로
나를 유심히 쏘아보았다. 이북아이는 사내가 호주머니에서 꺼내주
는 무엇인가를 받아쥐고는 뒤도 돌아보지 않고 토끼처럼 달아나버
렸다. 맥고자의 기 큰 사내가 똑바로 나를 향하고 나아왔다. 섬게
그을린 살갗, 날카롭게 굴리는 부리부리한 눈방울, 그리고 조금의
주저도 없이 곧장 목표물을 향하는 대담한 그 걸음걸이가 내게는
어쩐지 위압적이었다.

"녀석 참 귀엽게도 생겼다."

사내의 눈이 갑자기 가늘어지는가 했더니 뜻밖에도 첫인상과는
전혀 다른 상냥한 웃음이 얼굴 가득히 만들어졌다. 사내는 내 머리
를 두어 번 쓰다듬어내렸다.

"아저씨가 묻는 말에 잘만 대답하면 정말로 귀여울 텐데……."

사내의 태도는 나를 몹시 당황하게 만들었다. 나는 사내의 눈을
바로 쳐다볼 수가 없어 공연히 손바닥만 폈다 오므렸다 하면서 고
개를 박고 서 있었다. 내 손아귀엔 할머니의 은비녀가 쥐어져 있었
고, 그것은 돌확에다 갈아서 끝이 뾰족한 대못으로 개조했기 때문
에 못치기놀이를 할 때 동네 애들이 아무리 큰 못으로 쳐도 넘어지
지 않았다.

"아버지 성함이 김순구 씨지?"

사내는 흰 남방셔츠의 단추를 끌렀다.

"그렇다면 김순철 씨는 네 삼촌이 되겠구나. 그렇지?"

사내는 맥고자를 벗어들었다. 그때까지 한마디도 대꾸하지 않았
다. 그런데도 사내는 이렇게 엉너리를 치는 것이었다.

"역시 그렇구나. 착한 애라서 대답도 썩썩 잘하는구나."

사내는 맥고자를 부채마냥 흔들어 남방 속으로 바람을 불어넣
었다.

"아저씨는 삼촌 친구란다. 굉장히 친한 친군데 서로 떨어져서 오랫동안 만나질 못했다. 만나서 꼭 상의할 얘기가 있는데, 지금 네 삼촌 어디 있지?"

생전 처음 보는 그 사내는 우리 작은이모처럼 깨끗한 서울말씨를 썼다.

"어이 더워! 여긴 굉장히 덥구나. 아저씨하구 저쪽 시원한 데로 가서 얘기 좀 할까?"

같이 놀던 애들은 따라오지 못하게 했다. 아이들이 안 보이는 마을 당산 위 나무그늘 밑에 이르자 사내는 걸음을 멈추고 호주머니를 뒤적였다.

"삼촌한테 꼭 전할 말이 있어서 그래. 삼촌이 어디 있는지 얘기만 하면 내 이걸 주지."

은딱지에 싼 다섯 개의 납작한 물건을 놓으면서 사내는 이렇게 말했다. 그리고 그중에서 하나를 껍질을 벗겨 내 코앞에 디밀었다.

"너 이런 거 먹어본 적 있어?"

윤기 흐르는 흑갈색의 그것에서 먹음직스러운 향기가 풍겼다.

"쪼꼴렛이다. 아저씨가 묻는 말에 대답만 잘 하면 이걸 너한테 몽땅 주겠다."

나는 될 수 있는 대로 그 이상한 과자 위에 시선이 머물지 않도록 신경을 많이 썼다. 그러나 나도 모르게 꿀꺽꿀꺽 넘어가는 침은 어쩔 수가 없었다.

"뭐 조금도 부끄러워할 것 없다. 착한 아이는 상을 받는 것이 당연한단다. 어떠냐, 대답하겠니? 네 대답 한마디면 아저씨는 친구를 만나서 좋고, 너는 이 맛있는 쪼꼴렛을 먹을 수 있어서 좋고……."

무엇 때문에 내가 망설이고 있었는지 알 수 없다. 받아서 좋을 것인가, 아니면 절대로 받아서는 안 될 것인가를 결정짓지 못해서

였을까. 혹은 그런 도덕적인 문제가 아니라 단순히 그 나이의 시골 애답게 모르는 사람에 대한 낯가림 때문에 그랬을까. 확실한 것은 별로 기억에 없다. 아무튼 나는 꽤 오래 시간을 끌었던 것 같다.

"싫어?" 사내가 새촉했다. "싫면 될 이시?" 사내는 몹시 십십한 표정을 지었다. "그렇다면 별수 없구나. 착하게 굴면 이걸 꼭 너한 테 주려고 했는데 이젠 하는 수 없다. 나한텐 필요없는 물건야. 자, 봐라. 아깝지만 이렇게 내버리는 수밖에……."

실제로 사내는 그걸 아무렇지도 않다는 듯이, 땅바닥에 던졌다. 던졌을 뿐만이 아니고 구두 뒤축으로 싹싹 밟아 뭉개어버렸다. 내 표정을 흘끗 읽고 나서 그는 또 한 개를 내던졌다.

"난 네가 굉장히 똑똑한 앤 줄 알았는데…… 참 안됐구나."

그는 또 한 개를 구둣발로 짓밟아 놓았다. 벌써 세 개째였다. 사 내의 손안에 이제 두 개의 과자가 남아 있었다. 그리고 여태까지의 사내의 태도로 보아 나머지 두 개마저도 충분히 짓밟고 남을 사람 이었다. 사내가 별안간 껄껄 웃었다.

"너 이 녀석 우는구나. 못난 녀석 같으니라구. 애, 꼬마야. 이제 라도 늦진 않아. 잘 생각해 봐. 삼촌이 집에 다녀갔었지? 그게 언 제지?"

어른의 비상한 수완을 나로서는 도저히 당해 낼 재간이 없다는 생각이 든 것은 바로 그 순간이었다. 그리고, 이 아저씨는 진짜로 삼촌의 친구일는지도 모른다, 그렇게 생각하니 마음이 한결 가벼워 졌다.

막 시작할 때의 첫마디가 가장 힘들었다. 그러나 일단 얘기를 꺼 낸 다음부터는 연자새에 감긴 실처럼 전날 밤의 기억들이 술술 풀 려나왔다.

유월 뙤약볕 속을 걸어 삼십 리 밖 산골에 사는 고모가 우리 집에 왔다. 시국이 어수선한 동안에도 예고 없이 찾아와서 하루나 이틀쯤 묵어간 적이 종종 있으므로 고모의 갑작스러운 출현이 그날따라 부자연스럽게 보일 특별한 이유라곤 없었다. 그런데, 고모를 모시고 안방으로 들어갔던 어머니가 별안간 얼굴색이 노래져 뛰어나오면서부터 사정은 눈에 보이게 달라졌다. 나를 심부름시키지 않고 어머니는 당신이 직접 아버지를 부르러 달려나갔다. 논에서 지심(김)을 매던 아버지가 흙탕에 젖은 옷차림 그대로 돌아와 우물도 거치지 않고 곧장 안방으로 향했다. 아버지 뒤를 바짝 쫓아들어온 어머니가 멀쩡한 대낮에 사립문을 닫아걸었다. 모두들 온전한 정신이 아닌 듯했다. 나와 외갓집 식구들만 따돌려놓은 안방에서는 해 질 무렵이 되기까지 긴 쑥덕공론이 벌어지는 것이었다. 이윽고 날이 어두워지자 따돌림을 받던 우리 세 사람에게 식은밥 한 그릇씩이 저녁으로 몫 지어졌다. 내가 숟갈을 놓을 때쯤 되어 아버지는 옷을 갈아입었다. 나는 어둠이 깔린 사립 밖으로 나서는 아버지의 뒷모습을 의혹에 찬 눈으로 바라보았다.

"오널은 일찍 자거라."

할머니 앉은 자리 바로 옆에다 요를 펴면서 어머니가 말했다. 아직 초저녁인데 모두 나를 어거지로라도 재울 작정들이었다.

"웃방에다 재우지 그러라우?"

나를 턱으로 가리키며 고모가 어머니한테 말했다.

"아매 팽기찮을 것이다."라고 할머니가 말했다. "쟈는 눈만 깜었다 하면 누가 띠며 가도 모르는 아다."

"쩡일 노니라고 대간헐 틴디 어서어서 자거라. 니알 아적까장 눈도 뜨지 말고 죽은디끼 자빠져 자야 된다. 알겄냐?"

어머니가 내게 단단히 일렀다.

누구네 집에 밤마을을 간 것도 아니다. 틀림없이 어떤 긴한 용무를 띠고 나간 것이다. 나는 아버지가 돌아올 때까지 가능한 한 말똥말똥한 정신으로 있고 싶었다. 어른들이 도대체 무슨 꿍꿍이를 꾸미는 것인지 기어이 밝혀낼 심산이었다. 그러기 위해서는 빨리 자라는 분부에 싫어도 따르는 척할 필요가 있었다. 눈을 감자마자 걷잡을 수 없이 덮쳐오는 졸음과 싸워가며 나는 방 안 동정에 귀를 곤두세웠다. 그러나 어른들 입에서는 단서가 될 만한 말이 전연 나오지 않았다. 그리고 정작 눈을 떴어야 될 중요한 시간에 이미 나는 깊은 잠에 빠져 있었다.

방바닥에 부딪는 둔중한 어떤 소리가 잠든 나를 얼핏 깨웠다.

"아구메나! 그게 폭발탄 아니냐?"

나는 그 순간 겁에 질린 할머니의 음성을 들었다. 양쪽에서 내 시야를 답답하게 가로막고 앉은 사람들은 어머니와 아버지였다. 두 덩치의 커다란 몸체 사이로 호롱불이 침침하게 비쳐들었다.

"괴춤에 찬 것도 마자 끌러라."

아버지가 방 안의 누군가를 향해 명령조의 말을 했다. 잠시 머뭇머뭇하는 기색이더니 아버지의 맞은쪽에서 부스럭거리는 소리가 났다.

"곤총을 두 자루썩이나……."

"숭칙도 혀라!"

어머니와 할머니가 동시에 중얼거렸다. 잠은 벌써 천리만리나 도망가버렸고, 선뜩한 기운이 움직이는 뱀처럼 등줄기를 타고 내렸다. 관심의 대상에서 내가 일단 벗어나 있다 해도 안심할 수 없는 일이기 때문에 한 치 시선을 옮기는 데 여간만 수고스러운 게 아니었다. 나는 옹색한 시야 안에서 벌어지는 변화에 온 신경을 모았다. 그러자 굵직한 남자 목소리가 들렸다.

"동만이는 내가 온다는 걸 모르고 잠들었는가요?"

아버지가 옆으로 약간 돌아앉으려는 낌새여서 나는 얼른 눈을 감았다. 내 얼굴을 가리고 있던 그늘이 확 물러나면서 눈뚜껑 위로 불빛이 따갑게 쏟아져내렸다.

"부러 귀띔을 안 혔어라우." 하고 어머니가 그것이 무슨 자랑이나 되는 것처럼 얘기했다.

"염려할 거 없다. 저 녀석은 눈만 붙였다 허면 시상 모르게 자는 아다."라고 할머니도 말을 거들었다.

방 안이 잠시 조용해졌다. 아무도 섣불리 입을 열 수 없는 삭막한 분위기 같았다. 그러는 동안에도 내 귓속엔 권총과 수류탄을 찬 채 밤중 몰래 숨어들어온 사람의 그 굵은 음성이 아직 쟁쟁했다. 바로 그가 몇 달 전에 집을 나간 후 소식을 몰라 식구 모두가 애타하던 삼촌임에 틀림없다면, 유감이지만 삼촌의 목소리는 내가 첫귀에 거의 못 알아들을 만큼 무섭게 변모해 있었다. 자갈바탕에 함부로 굴린 질항아리처럼 그렇게 거칠 수가 없고, 어떤 일에도 신명이 안 난다는 투의 그런 무심한 음색이었다. 내가 기억하는바 우리 삼촌은 아무 자리에나 끼어 버릇없이 너털웃음을 잘 웃고 자기와는 전혀 이해 상관이 없는 남의 일에도 곧잘 뛰어들어 판세를 될수록 시끌짝하게 유도하면서 까닭 없이 흥분하고 쉽게 감동해 버리는 사람이었다. 하지만 아무리 생각해 봐도 조금 전의 그 소리는 어김없는 삼촌의 음성이었다. 소리의 변모만큼이나 험상궂어 있을 삼촌의 얼굴 모양을 상상해 보았다. 그러자 별안간 오금이 가려워오기 시작했다. 이 가려움증은 삽시에 전신으로 번져 꼭 개미집이 많은 풀밭에 누웠거나 한 듯이 등 복판이나 겨드랑 밑 아니면 발가락 사이 같은, 하필 누운 채로 어른들에게 들키지 않고 손을 뻗어 용이하게 긁을 수 없는 부위들만 심하게 물것을 타는 것처럼 스물거리는 것이었다. 거기에 설상가상으로 기침까지 나오려고 목줄띠가 근질거리고 자꾸만 입 안에 침이 괴었다.

산에서의 생활이 제일 궁금한 모양이었다. 그간 어떻게 지냈는가를 할머니는 요모조모로 따지고 캐물었다. '예' 아니면 '아니요' 정도로 삼촌은 대답을 극히 간단히 끝맺곤 했는데, 그만한 대화를 꾸리는 데도 때로는 약간 짜증스러운 기색이었다. 그러나 할머니는 아무 눈치도 없이 밤이 이슥하도록 질문을 혼자 도맡고 있었다.

"니 말로는 사람이 많다고는 허드라만, 혀봤자 맨나 남정네들 뿐일 턴디 끄니때마동 밥이랑 국이랑은 누가 끼리냐?"

"즈이들이죠, 뭐."

"짐치나 너물 같은 경건이도?"

"예."

"시상에나! 이 에미가 저티 있었드라면 지때 간이라도 맞춰주고 헐 것인디……."

"……."

"그래 입에 맞기나 허디야?"

"괜찮어요."

"남정네 손으로 맹근 것이 오직허겄냐만 들을시록 시장시러서 그런다."

"괜찮다니께요."

"이리저리 처소를 욍겨 댕기느라면 끄니를 걸르고 헐 때는 없냐?"

"아니요."

"아무리 급혀도 너 쌩쌀을 집어먹어서는 못쓴다. 그러다 곽란이라도 나는 날이면 큰일이다. 산중으로 의원을 부르겄냐, 약 한 첩인들 대리겄냐, 에미 말 명심혀야 된다."

"염려 마세요."

34

"그리고 산말랭이라니께 말이 하절이지 밤중에는 엄동이나 진배 없을 턴디 아랫두리 개릴 이불 한 쪽이나 지대로 천신허냐?"

"그럼요."

"소캐도 들을 만큼 들고?"

"……."

"치운 디서 너무 오래 있지 마라. 그러고 얼음 백힌 디는 까짓대가 질이다. 까짓대를 푹 삶아서 그 물에다가 한참썩 수족을 정구고 나면 고닥 풀리느니라. 에미가 저티 있으면 조석으로……."

"글씨, 염려 마시랑게요!"

"니 손발을 보닝게 이 에미 가슴이 찢어지는 것 같아서 그런다. 아무리 시상이 험허다고는 혀도 그래도 귀동으로 키운 자석인디 손이 그게 뭐냐."

"에이 참 어머니도!"

그 이상 참을 수 없다는 듯이 삼촌이 길게 한숨을 쉬었다.

"인자 구만 좀 혀두세요."

기회를 봐서 아버지도 한마디 했다.

"손구락이 얼어터져서 떨어져나가도 에미보고 걱정허지 말란 말이냐?"

할머니가 발끈해서 소리쳤다. 당신 딴엔 여전히 심각하고 절실한 어조였다. 그러자 아버지 역시 못지않게 언성을 높였다.

"조매만 있으면 날이 샐 참인디 한가허게 앉아서 그런 소리나 혀야만 똑 쓰겄소? 사람이 사느냐 죽느냐 허는 판국에 시방 짐치 걱정 이불 걱정 허게 생겼냔 말요!"

할머니는 아무 소리도 못했다. 물론 할 얘기야 얼마든지 더 있었을 것이다. 하지만 아버지의 말대꾸 속에 담긴 어쩐지 예사롭지 않은 구석이 극성스러운 노인 양반을 그처럼 몬존하도록 만들었으리라.

"앞으로 어떻게 할 작정이냐?"

한동안 뜸을 들인 후에 아버지는 이렇게 물었다. 삼촌을 향해서였다.

뭘 말이유?

"산에서 끝까지 버틸 작정이냐?"

대답이 없자 아버지는 또, 자수할 생각이 없느냐고 물었다. 오래두고 별러온 말인 듯 아버지는 천천히 이야기를 털어놓기 시작했다. 아버지는 늘 쫓기기만 하는 생활의 비참함을 거듭 강조했다. 그리고 자수를 해서 고향에 돌아와 다시 농사를 지으며 편히 산다는 아무아무개를 예로 들면서 삼촌도 그렇게 하라고 간곡히 권하는 것이었다. 아버지는 '개죽음'이란 말을 자주 들먹였다. 개죽음, 개죽음, 개죽음, 개죽음…….

"성님은 어찌서 자꼬 그것이 개죽음이라고 그러시오?"

삼촌이 갑자기 볼멘소리를 했다. 머지않아 인민군이 다시 내려오기로 되어 있다고 삼촌은 장담을 했다. 그날까지 그저 악착같이 버티는 거라고 말하면서, 세상이 다시 뒤바뀌는 날 화를 당하지 않도록 모든 일을 알아서 조처하라고 오히려 아버지한테 되씌우기조차 했다. 얘기를 들으면서 삼촌의 변모를 또 한 번 실감할 수가 있었다. 말이 아주 청산유수였다. 옛날의 삼촌한테서 그처럼 차분한 설교조의 말씨를 기대한다는 건 어림도 없는 얘기였다. 자기 주장을 상대방에게 조리있게 전달할 재간이 없어 걸핏하면 우격다짐을 벌이던 사람이었다. 날이 밝기 전에 산을 타야 된다면서 삼촌은 주섬주섬 뭘 챙기기 시작했다. 총과 수류탄일 것이었다. 여러 사람이 한꺼번에 움직이는 소리가 났다.

"일단 집 안에 돌아온 이상 니 맘대로는 못 나간다!"

마침내 나는 눈을 떴다. 갑작스럽게 벌어진 소동 속에서 내가 천천히 몸을 일으켜앉는 걸 부자연스럽게 보는 사람은 아무도 없었다. 삼촌은 얼굴이 온통 수염투성이였다. 아랫목에 벽을 등대고 앉은 삼촌을 아버지와 고모 둘이서 껴안다시피 붙잡고 있었다. 고모가 붙잡고 있던 한쪽 팔을 빼앗아 흔들면서 할머니가 말했다.

"야 말만 듣고 나는 니가 어디 가서 펜안히 지내는 종만 알었다. 작년 그때맹키로 면사무소 의자에 버티고 앉어서 밀주단속반이나 잡어다가 쥑이고 그러는 종 알었다. 그런디 오널사 알고 보니께 그게 아니구나. 사정을 죄다 알었응게 인자는 죽었으면 죽었지 너를 그 험헌 디로는 안 보낼란다."

삼촌의 손을 연방 자기 뺨에 대고 비비면서 할머니는 느껴 울었다.

"에미가 따러가서 끄니랑 잠자리랑 일일이 수발을 하면 행결 맘이 뇌겄지만 그럴 순 없다니 너를 인자는 저티다 꼭 붙들어앉혀 놓고 내 눈으로 지켜볼란다. 집에 있음서 농새나 짓고 그러다가 장개를 가서 이 에미한티 니 속에서 난 새끼들도 조깨 안어보게 허고 그러면 얼매나 좋겄냐?"

오랜만에 고모도 입을 열어 가정을 가진 사람만이 갖는 재미를 이야기하고, 어머니도 은근히 맞장구를 놓았다. 아버지가 재차 타이르기 시작했다. 전세가 어떻게 돌아가고 있는가를 자세히 설명하면서 인민군의 헛약속에 속고 있음을 깨우치려 애를 썼다. 경찰에 아는 사람이 더러 있으니까 줄을 대면 몸을 상하지 않고도 빠져나올 방법이 있을 거라고 얘기했다. 그러나 삼촌은 끝내

"성님마자 날 쇡이기유?"

아버지의 손을 홱 뿌리쳐버렸다.

"쇡이다니?"

"들어서 다아 알고 있어요."

삐라를 주워 읽고 귀순하러 내려간 사람을 경찰이 마구잡이로

죽였다는 것이다. 과거를 무조건 용서하고 자유를 준다는 건 다 새빨간 거짓말이요 속임수라는 것이다.

"그런디 성님마자도 날더러 자수를 허라니……."

"뭐여?"

이때 아버지의 팔이 위로 번쩍 들렸다. 그리고 삼촌의 귀싸대기에서 철썩 소리가 났다. 숨을 헉헉 몰아쉬면서 아버지는 삼촌을 무섭게 째려보았다.

"내가 그럼 이놈아, 너를 이놈아, 죽을 구뎅이로 몰아는단 말이냐? 하나배끼 없는 동상놈을 못 쥑여서 환장이라도 했단 말이냐, 이놈아?"

"야가 불쌍헌 아를 왜 패고 야단이냐!"

가슴으로 삼촌을 감싸안으면서 할머니가 소리내어 울었다. 아버지가 담배통을 앞으로 끄집어 다렸다. 풋초를 말아쥐는 두 손이 발발 떨렸다. 삼촌이 고개를 떨구었다.

닭이 첫 홰를 치는 소리가 들렸다. 장닭의 긴 울음을 듣고 삼촌은 깜짝 놀라는 표정으로 식구들을 둘러보았다. 짧은 여름밤이 이제 곧 새려 하고 있었다.

"사람을 죽였어요." 무거운 짐을 부리고는 주저앉는 사람처럼 허탈한 소리로 이렇게 중얼거렸다. "그것도 아주 많이……."

이렇게 해서 삼촌은 결국 자수를 하기로 결심했다. 그것은 참으로 긴긴 설득이었고 삼촌이 마음을 돌리기까지 아버지가 보인 인내심은 내 보기에 정말 놀라운 것이었다. 모든 일이 아버지가 처음 계획했던 대로 잘 이루어진 셈이며, 그래도 뭔가 못 미더워하는 삼촌을 안심시키기 위해서 아버지는 확실한 보장을 받을 때까지 한 이틀 여유를 두고 동정을 살피기로 이야기가 되었다. 그동안 삼촌은 전에 외삼촌이 그랬던 것처럼 대밭 속에서 숨어지낼 참이었다.

이야기는 다 끝났고, 이제 남은 일이란 날이 완전히 밝기까지 눈이라도 잠깐 붙여두는 것뿐이었다. 그런데 이때였다. 윗옷을 벗으려던 삼촌이 느닷없이 몸을 엎드리면서 방바닥에 귀를 대는 것이었다. 할머니가 질겁을 했다.

"무신 일이냐?"

"쉬잇!"

삼촌이 손가락을 세워 입술에 대고는 눈으로 방문 쪽을 가리켰다. 대번에 얼굴색들이 달라지면서 덩달아 바깥쪽으로 귀를 모았다.

"소리가 났어요."

그러나 내 귀엔 아무 소리도 잡히지 않았다. 멀리서 우는 풀벌레 소리라면 몰라도 인기척 같은 건 전혀 없었다. 그런데도 삼촌은 방바닥에 잔뜩 귀를 붙인 채 일어날 생각을 아니 했다. 숨막힐 듯한 긴장 속에서 쿵쿵 울리는 심장의 고동만 듣고 있던 나도 마침내 삼촌이 얘기하는 어떤 소리를 붙들었다. 심장의 고동과는 확연히 구별되는 그 소리는 매우 느린 간격으로 땅을 살금살금 밟고 있었다. 너무도 꼼꼼하고 신중해서 가까이 오고 있는지 점점 멀어져가는 중인지조차 구분하기 어려웠다.

"밖에 거 누구요!"

아버지가 소리는 작으나 엄하게 꾸짖는 말투로 이렇게 물었다. 그러자 움직이는 소리가 뚝 그쳤다. 불현듯 그것이 어디선가 많이 귀에 익은, 어쩌면 내가 잘 아는 사람의 발소리일지도 모른다는 생각이 들었다. 나는 그게 누구일까고 다급히 생각해 보았다. 발소리가 다시 들렸다. 이번에는 전보다 조금 빨리 움직이는 듯했다. 삼촌이 몸을 벌떡 일으켰다. 그리고 눈 깜짝할 사이에 시커먼 몸뚱이가 내 앉은키를 훌쩍 뛰어넘어 버렸다. 뒷문이 부서지는 소리를 내며 떨어져나가고 삼촌의 커다란 뒷모습이 어둠 속으로 곤두박질을 했다. 어느새 삼촌은 대밭 속을 빠져나가고 있었다. 어쩌나 동작이 날렵하던지 누가 붙잡고 말 한마디 건넬 여가도 없었다. 삼촌이 망가뜨리고 간 뒷문을 통해서 나는 밖으로 나갔다. 부엌 옆을 돌아 안마당으로 들렀다. 혼자였지만 조금도 무섭지 않았다. 바깥에서부터 텃밭을 지나 대문간까지 울바자 안에 있는 모든 것들을 한눈에 살폈으나 아무것도 안 보였다. 그러나 불이 꺼진 사랑채에 시선이 머물자 그곳에서 나는 절반쯤 열려 있던 방문이 희부연 여명을 밀어내며 소리없이 닫히는 걸 보았다. 이 발견으로 하여 나는 크나큰 희열을 맛볼 수가 있었다. 그렇다, 역시 그것은 내가 잘 아는 사람의 귀에 익은 발소리였다.

"일이 이렇게 될 종 알었드라면 진작에 다 챙겨놀 것인디…… 먹을 것 하나 입을 것 하나 못 쥐여 보내고…… 누가 알었어야지…… 뜨뜻한 밥 한 그럭 지대로 못 멕여 보내다니…… 누가 알었어야지……."

가슴을 뜯으며 흐느끼는 할머니 옆에서 고모가 내 손목을 꼬옥 잡아 한쪽으로 끌었다. 이어서 고모는 뜨거운 입김을 내 귓속에 불어 넣었다.

"삼춘이 집에 댕겨갔다는 얘기 누구한티도 혀서는 안 되야. 알겄냐? 그런 얘기는 함부로 하다가는 왼 집안이 큰일난다. 잽혀가, 알었냐? 알었냐?"

동네 사람들이 우리 집 대문 앞을 여러 겹으로 에워싸고 있었다. 그렇게들 모여서서 웅성거리며 대문 안을 넘어다보려고 열심이었다. 당산 근처까지 들리던 여인네들의 통곡은 바로 우리 집에서 흘러나오는 소리였다. 내가 다가가자 사람들의 시선이 일제히 내게로 쏠렸다. 나를 턱으로 가리키면서 자기들끼리 서로 의미심장한 눈짓을 나누고는 또 쑤군거렸다. 사람들이 이내 좌우로 살라지면서 가운데로 길이 뚫렸다. 낯선 사내가 앞장서 걸어나오고 바로 뒤를 이어 아버지가 따라나왔다. 그리고 한 걸음 떨어져 맥고자의 사내가 보였다. 그는 아버지의 팔을 뒤로 결박한 오라의 한쪽을 손에 감아 쥐고 있었다. 나를 보더니 그는 헤벌쭉 웃으며 한 눈을 찡긋해 보였다. 내 앞에서 아버지가 우뚝 걸음을 멈추었다. 아버지는 몹시 안타까워하는 눈초리로 나를 내려다보며 한참이나 무슨 말을 할 듯 할 듯하다가는 잠자코 도로 발을 떼기 시작했다. 대문간에서는 어머니와 고모 그리고 할머니들이 한 덩어리가 되어 자빠지고 고부라져 가며 통곡을 터뜨리고 있었다. 그제야 비로소 내게도 어떤 고통의 감정이 서서히 살아나기 시작했다. 날이 어둑해질 때까지 맥고자한테 나를 일러준 그 이북아이를 찾아 동네 안팎을 무작정 뒤지고 다니는 동안, 그것은 일종의 배신감과 어울려갈수록 무서운 분노로 변했고, 때로는 감당 못할 큰 슬픔이 되어 눈을 후비고 가슴을 찌르기도 했다. 맥고자의 그 사내는 나한테 그런 얘길 들었다는 걸 누구한테도 알리지 않겠다고 단단히 약속한 바 있었다. 그것은 그때 나이의 내겐 어른들에 의해서 기록된 최초의 치명적인 배신이었다.

그날 밤부터 나는 온전한 외할머니 차지가 되었던 것이다. 나와 외할머니 사이엔 자기도 의식하지 못하는 사이에 잘못을 저지른 자들끼리 갖는 공통의 비밀이 있었다. 그것은 우리로 하여금 온갖 구박 속에서도 서로 등을 기대고 견딜 수 있는 귀중한 힘을 주었는지도 모르겠다. 아무튼 우리 할머니는 성깔이 대단한 사람이었다. 어쩌다 집 안에서 얼굴이라도 마주치는 날이면 뱀이나 밟은 듯이 질색을 했고, 이야기는 물론 나하고 한방에서 밥 먹는 것조차 완강히 거부해 버렸다.

아버지는 꼬박 일주일 만에야 풀려나왔다. 먹을 걸 차입하느라고 그간 읍내를 뻔질나게 들락거렸던 어머니가 대문턱을 넘어서는 아버지 머리 위로 연방 소금을 뿌리면서 눈물을 질금거리고 있었다. 끌려가기 전과는 딴판으로 아버지는 얼굴이 영 말씀이 아니었다. 눈꺼풀은 우묵 끼지고 그 대신 광대뼈만 눈에 띠게 솟아 마지막 마름질한 옥양목처럼 희푸른 낯빛이 말할 수 없이 초췌해 보였다. 나를 더구나 외면하게 만든 것은 걸음을 옮길 적마다 오른쪽 다리를 절름거리며 짓는 몹시 괴로운 표정이었다. 집에 돌아온 첫 저녁, 아버지는 당시 마을에서 구하기 힘든 두부를 한꺼번에 세 모나 날것으로 먹어치웠다. 본디 입이 무거운 양반인 줄은 알지만 그날 따라 아버지는 더욱 말이 없었다. 가끔 내 얼굴을 멀거니 내려다보며 금방 무슨 말을 꺼낼 듯하다가도 도로 시선을 거두어버리곤 했다. 아버지가 만약 매를 든다면 죽는 한이 있어도 달아나지 않기로 이미 각오가 되어 있었다. 그리고 아버지가 손만 뻗으면 넉넉히 잡을 만한 거리에 목침이 있고 등경걸이가 있었다. 뭔가 속 시원한 꼴을 보지 않고는 너무 찜찜해서 아버지 앞을 도저히 물러날 수가 없을 것 같았다. 정중히 무릎을 꿇고 앉아 이제나저제나 하며 나는 기다렸다. 그러나 지나간 일에 대해서 아버지는 끝끝내 입을 다물어버렸다. 다만 잠들기 전에 이런 말 한마디를 남기는 건 잊지 않았다.

"동만이 너 니알부터 내 허가 없이 밖으로 나댕겼다가는 다리 몽생이가 분질러질 팅게 그리 알어라!"

아아, 그때 우리 아버지가 미친 듯이 매를 휘둘러 줬더라면 마지막 말을 남기며 나는 얼마나 행복한 마음으로 눈을 감을 수 있었을 것인가. 아버님, 제가 잘못했어요, 라고.

4

계속해서 비는 내렸다. 어쩌다 한나절씩 빗발을 긋는 것으로 하늘은 잠시 선심을 쓰는 척했고, 그러면서도 찌무룩한 상태는 여전하여 낮게 뜬 그 철회색 구름으로 억누르는 손의 무게를 더한층 단도리하는 것이었고, 그러다가도 갑자기 하마터면 잊을 뻔했다는 듯이 악의에 찬 빗줄기를 주룩주룩 흘리곤 했다. 아무 데나 손가락으로 그저 꾹 찌르기만 하면 대꾸라도 하는 양 선명한 물기가 배어나왔다. 토방이 그랬고 방바닥이 그랬고 벽이 그랬다. 세상이 온통 물바다요 수렁 속이었다. 쉬임 없이 붓는 물로 우물은 거의 구정물이나 마찬가지여서 팔팔 끓이지 않고는 한 모금도 목으로 넘길 수가 없고, 밤새 아궁이 밑바닥엔 물이 홍건히 괴어 불을 지필 적마다 어머니가 울상을 지으며 봇도랑을 푸듯 양재기질을 하지 않으면 안 되었다. 세상이 하도 빗소리 천지여서 심지어는 아버지가 뀌는 방귀마저도 그놈의 빗소리로 들릴 지경이라는 객쩍은 농담 끝에 어머니가 딱 한 차례 웃는 걸 본 적이 있다.

우중인데도 읍내에서는 야음을 틈탄 또 한차례의 습격이 있었다. 읍내와는 짱짱한 이십 리 상거인 우리 동네에까지도 콩 볶듯 어둠을 두드리는 총성이 또렷이 들릴 정도였다. 비를 무릅써 가며 당산 위에 올라섰다 돌아온 아버지 말에 의하면, 밤하늘로 치솟는 시뻘건 불길을 멀리 볼 수 있었다고 한다. 습격 사건에 관한 소식은 하루도 채 못 되어 마을에 소상하게 전해졌다.

동생네의 안부가 걱정되어 새벽같이 읍내를 다녀온 동네 사람 하나가 이웃집 진구네 아버지와 함께 일부러 아버지를 만나러 왔다. 마루에 걸터앉자마자 그는 할머니가 큰방에서 듣는 줄도 모르고 신이야 넋이야 눈치없이 떠벌리기 시작했다. 경찰서 부근 인가

들이 많이 상했고, 먼저 공격한 빨치산 쪽이 되레 혼구멍이 나게 당해서 목숨을 살려 산으로 도망친 숫자가 불과 몇 명밖에 안 될 거라는 얘기였다. 그가 전하는 내용 가운데 특히 인상적인 것은 읍내 곳곳에 널린 빨치산 시체들을 묘사하는 대목이었다. 거적때기에 덮인 끔찍한 모습 하나하나를 설명해 보이는 것이었다. 그는 한 가지 예로 사지가 제각기 흩어져 뒹구는 주검을 들었다. 최고로 많이 맞은 것이 세어보니 열여섯 방인가 열일곱 방인가 되더라고도 했다. 허리 위아래가 완전히 두 겹으로 포개져 시궁창에 박혀 있었다는 시체에 흥미가 쏠렸다. 사람 몸뚱이가 마치 주머니칼이 반절로 접혀지듯 그렇게 등 쪽으로 두 겹이 될 수 있다는 게 내게는 커다란 의문이었다. 정말 그렇게 되리라고는 아무래도 믿어지지가 않았다. 마지막으로 그는, 시체들을 모아 경찰서 뒤뜰에 전시해 놓았다가 연고자가 나타나면 인도해 준다더라는 소문까지 암냥해서 전했다. 그가 아버지를 만나러 온 목적이 바로 이것이었다. 그러니까 빨리 가보는 게 좋을 거라고 넌지시 권했다. 같이 온 진구네 아버지도, 두말 말고 어서 그렇게 하라고 채근을 했다. 이야기를 들으면서 아버지는 내내 참담한 표정이었다. 그리고 두 사람의 권고에 몹시 망설거리는 기색을 노골적으로 나타내고 있었다. 그러나 죽마고우인 구장어른이 뒤늦게 찾아와 자기가 정 무엇하면 함께 따라가 주겠다고 제안하자 그제야 아버지 얼굴에 결심의 빛이 떠올랐다.

행장을 차려 삿갓 위에 유지로 된 갈모를 받쳐쓰고 빗속을 나서는 아버지 등 뒤에서 할머니는 가소로워죽겠다는 내색을 구태여 감추려 하지 않았다. 아버지의 읍내행을 할머니는 처음부터 억척스럽게 반대하고 나섰다. 그런 수고가 절대로 필요없다는 주장이었다. 나중에는 하늘이 정해 놓은 일을 아직도 곧이곧 신용하지 않는 아들의 어리석음에 불같이 화를 내는 것이었다. 할머니의 주장은 아주 단순했다. 읍내에서 어떤 일이 벌어졌든 삼촌하고는 아무런 상관도 없는 일이다. 아무리 기구한 처지에 빠진들 삼촌만은 죽지 않고 멀쩡히 살아남도록 되어 있는 것이고, 아무 날 아무 시만 되면 할머니 앞에 버젓이 나타나게시리 하늘이 알아서 진즉에 다 수습해 놓았다. 그런데 동생을 찾으러 시체구덩이를 휘젓고 다니다니, 도무지 말도 안 되는 소리였다. 다른 사람은 다 몰라도 할머니 혼자만은 그걸 철저히 믿고 있었다. 믿다 뿐이냐, 그날에 대비하여 사소한 일에 이르기까지 하나하나 신경을 써 준비를 게을리 하지 않으며 속새로 목이 길어나게 기다리고 있는 판이었다. 할머니에겐 꼭 그럴 만한 사유가 있었다.

작은아들을 창황 중에 떠나보낸 사건이 있은 후로 할머니가 지낸 나날은 그야말로 죽지 못해 사는 세상이었다. 밤잠을 못 자고 한 술 밥이 안 넘어갈 정도로 한시도 안정을 못하면서 아들의 뒷소식이 궁금해 간장을 말리는 것이었다. 그때 마침 친정에 다니러 온 고모가 자기 이웃 마을에 산다는 점쟁이 이야기를 꺼냈다. 일이 이렇게 되어 할머니는 어느 하루로 날을 받아 쌀말이나 머리에 얹고 기가 막히게 용하다는 그 소경 점쟁이를 찾아나섰던 것이다. 늦은 저녁이 되어 할머니는 갈 때와는 사람이 다르게 희색이 만면해 가지고 돌아와서는 식구 전부를 모은 자리에서 소경의 혜안을 극구 칭송한 다음 그를 대리하여 놀라운 신탁을 전했던 것이다. 그런데 그로부터 손가락을 꼽아가며 고대하던 그날이, 삼촌이 집에 다시 돌아오기로 되어 있다는 그 '아무 날 아무 시'가 인제는 당장 며칠 눈앞의 일로 우리에게 다가오고 있는 중이었다.

아버지와 구장어른은 빈손으로 돌아왔다. 아버지가 헛걸음을 한 것이 우리에겐 삼촌이 실제로 돌아온 거나 다름없는 경사였다. 그런데도 아버지는 여느 때와 매일반으로 별로 말이 없는 게 이상했다. 아버지 얼굴에는 성질이 전혀 다른 두 개의 표정이 복잡하게 얽혀 있었다. 적이 안심이 되는 한편 더욱더 착잡해지기도 하는 듯한 두 개의 얼굴이 수시로 변덕을 부리며 엇갈리고 있었다. 경찰서 뒤뜰에서 시제를 못 봤다는 사실이 결과석으로 삼촌의 생존을 의미하는 것임에 틀림없다 해도 그가 겪게 될 앞날의 고초가 두고두고 마음에 걸리는 모양이었다. 하지만 할머니는 그게 아니었다. 대번에 기고만장해 가지고, 그러면 그렇지 그것 보라고, 내가 뭐라고 그러더냐고, 우리 순철이는 보통 사람과 다르다고, 거지반 고함을 지르듯 말하는 것이었다. 이윽고 할머니는 어린애처럼 엉엉 소리내어 울면서, 합장한 두 손바닥을 불이 나게 비비대면서 샘솟듯 흘러내리는 눈물로 뒤범벅이 된 늙고 추한 얼굴을 들어 꾸벅꾸벅 수없이 큰절을 해가면서, 하늘에 감사하고 땅에 감사하고 부처님께 감사하고 신령님께 감사하고 조상님네들께 감사하고 터줏귀신에게 감사하면서, 번갈아 방바닥과 천장과 사면 벽을 향하여 이리 돌고 저리 돌고 뺑뺑이질을 치면서 미쳐돌아가는 것이었다. 할머니가 가진 소박한 신앙과 모성애가 우리 모두의 가슴 구석구석을 뜨겁게 적시는 감동의 순간이었다. 우리는 모두 믿기로 했다. 같이 믿어주지 않고서야 어떻게 할머니를 진정시킬 수 있단 말인가. 결국 우리 식구들은 하나같이 어떤 엄숙한 종교적 분위기에 싸여 예배의식의 한 절차처럼 서로 '아무 날 아무 시'란 주문을 나직이 외어가며 불사신 우리 삼촌의 무사귀환을 신심 깊게 확인하기를 끝없이 되풀이했고, 그러다가 그날에 우리가 맞게 될 행복스러운 꿈의 크기를 저마다 재기 위하여 새벽이 방문 밖에까지 와 있음을 피부로 느끼며 늦은 잠자리에 다난했던 하루를 고이 눕혔다. 그토록 벅찬 하루를 우리는 살았다.

외할머니가 거처하는 사랑방에 누워 줄창 내리는 방문 저쪽의 빗소리를 어렴풋이 가늠하고 있었다. 끊어졌다가는 이어지고 그러다가 슬그머니 되끊어지고 때로는 커졌다 작아졌다 하는 빗소리가 마치 귓밥을 살살 긁어내는 귀이개의 연약한 끝부리처럼 내 귀를 대고 간지럽혔다. 간밤에 얻은 피로가 미처 덜 풀려 밀어닥치는 졸음과 힘겹게 겨루면서 듣는 그 빗소리는 꼭 꿈속에서처럼 먼 세계의 일로 아련하게 들렸다. 어차피 바깥출입을 못하도록 발이 묶여 있는 나한테 지루한 장마의 계속이 그래도 불행 중 다행으로 느껴질 경우가 어쩌다 있었다. 울 밖 들판과 언덕을 태우는 쨍쨍한 햇볕이 있고 정자나무를 흔드는 바람과 거기에서 들리는 시원스러운 매미울음이라도 있었더라면 여름날 긴 하루를 특별한 놀이나 재미도 없이 꼬박 집 안에만 갇혀지내야 할 내게는 아마 온 세상의 빛과 소리가 한층 더 저주스럽게 여겨졌을 것이다. 어쩐 일로 잠깐씩 비가 걷히는 오후 같은 때면 그 짬을 놓칠세라 재빨리 패거리를 꾸미며 우리 집 대문 앞 골목길을 질주하는 동네 아이들의 북새를 방 안에 앉아서도 환히 들을 수 있었다. 앞강 언저리 우북한 물푸렁이 밑이나 층계논 물목마다 훑고 다니며 히히거리는 아이들과 그들이 제각기 건져올리는 소쿠리나 통발 안에서 은빛 비늘을 번득이는 낱낱이 살찐 붕어들이 세차게 앙탈하는 꼴을 연상할 적마다 버림받은 자의 슬픔이 울컥 되살아나곤 했다. 그들 또래 사이에서 나라는 존재가 어느덧 까맣게 잊혀져가고 있었다. 단 한 번 빈말로라도 나를 부르러 우리 집 삽짝 앞에 선 때가 없었다. 세상 전부가 그들 차지인 부러움의 시각에 나는 울바자 앞 늙은 감나무 밑에 서서 다 줍고 나면 금방 두엄간에 던져버릴, 장마통에 우수수 떨어진 썩은 감꽃이나 하릴없이 주워가며 일찌감치 체념이란 걸 익혔다. 내가 바라는 건 오로지 개학뿐이었다. 이제 얼마 안 있으면 문을 닫았던 학교가 다시 열릴 것이고, 그렇게만 될 양이면 아버지의 금족령도 자연 흐지

부지되어 악몽 같은 세월에도 결국은 끝장이 올 것이었다.

완두를 까던 일손을 멈추고 외할머니가 허리를 쭈욱 폈다. 죽치고 들어앉아 진종일 누구와 말 한마디 건네는 법 없이 손만 놀리는 외할머니 덕분에 거둬들인 완두는 내충 내 처분이 되었나. 그런데 헛간 구석에 아직도 남아 있는 약간의 줄거리 더미에서 탈이 생겼다. 꼬투리 속에 든 채로 습기를 잔뜩 머금은 자실에서 샛노란 싹이 포식한 구더기처럼 길게 돋아져나오고 있었다. 그것이 더 길어나기 전에 서둘러서 마저 다 까놓아야 하는 일 또한 전적으로 외할머니 책임이었다. 어찌 된 영문인지 완두에 관한 일이라면 식구들은 무조건 외할머니 혼자 떠맡은 것으로 치부해 버렸다. 그리고 외할머니 자신도 응당 그래야만 된다는 듯 눈곱만치도 싫은 내색 않고 그 깨끗잖은 일감을 자기 유일의 소일거리로 삼았다. 아니다. 남이 행여 손을 댈까 봐 당신 혼자 한시도 쉬지 않고 오직 그것만 붙잡고 늘어지기 때문에 모두들 양보를 해버린 선의의 결과라고 해야 이야기가 더 정확해지겠다. 어쨌든 우리 외할머니는 완두만 한번 붙잡으면 시간 가는 줄도 모르고 그저 묵묵히 손을 놀리는 것이었다. 그리고 연둣빛 무늬의 길쯤한 자실과 함께 대바구니 속에다 흘러나오는 긴 한숨을 가끔 담곤 했다. 그렇게 열심이자니 생김새와는 다르게 참을성이나 강단이 놀라운 외할머니도 가끔씩은 허리나 옆구리 같은 데가 결리는 때도 있는 모양이었다. 대바구니를 옆으로 밀어놓은 다음 치마 앞자락을 툭툭 떨었다. 치마폭에 손을 문질러 닦고 나서 내 곁으로 바싹 다가앉았다. 이마에 와닿는 미지근한 숨결 속에서 나는 외할머니의 그 독특한 체취를 맡았다. 아니나 다를까, 섬뜩할 만큼 차가운 손이 잠방이 속으로 슬금슬금 기어들기 시작했다. 사타귀를 주무르는 외할머니의 앙상한 손을 나는 단 한 번이라도 좋은 기분으로 받아들인 적이 없다.

"그이 오립춘 디깨시 넝일도 꼭 왜슬빙 율맹기고 생겼지   ."

이모가 슬며시 홑이불을 머리 위로 뒤집어쓰는 걸 눈으로 안 보아도 옆에서 느낄 수 있었다. 얼마 전부터 이모는 기관지가 갑작스럽게 나빠져 늘 사랑방 아랫목에 누워서 나날을 보내고 있었다. 외삼촌 얘기가 나오면 이모는 으레 그렇게 이불을 둘러써버렸다.

"오삼춘이 존냐, 친삼춘이 존냐?"

외할머니가 던지는 뚱딴지 같은 질문이었다. 그런 질문만 받으면 나는 어찌할 바를 몰랐다. 우선 질문 자체가 일방적인 대답을 강요하다시피 하고 있었다. 묻는 순서부터가 매번 외삼촌 쪽이 먼저였다. 그리고 내 처지로서는 도저히 누구는 좋고 누구는 싫다고 얘기할 입장이 못 되었다. 사실대로 얘기하려면 둘 다 좋다고 해야 된다. 그런데 외할머니의 요구는 둘 가운데서 똑 부러지게 하나만을 가려내라는 것이다.

"오삼춘이 존냐, 친삼춘이 존냐?"

그러나 나는 알고 있었다. 거듭되는 물음이나 대답 자체가 중요한 건 결코 아니었다. 대화를 이끌어나가려는 열정도 별다른 감정도 개입시킴이 없이 그저 무심히 흘리는 듯한 그 질문이 실은 자기 자신의 긴 이야기를 꺼내기 위한 막연한 서두임을 나는 벌써부터 깨닫고 있었다. 그래서 당황하는 것도 처음 두어 차례뿐, 이젠 잠자코 누워서 제법 능청도 떨 줄 알게 되었다. 그러면 외할머니는 못내 섭섭하다는 표정을 지어 보였다.

"그럴 티지, 언지든지 팔은 안으로만 휘는 벱이니께……."

그러나 섭섭한 표정도 잠시뿐, 외할머니는 곧 아무렇지도 않은 얼굴이 되어 다른 이야기를 시작하는 것이었다.

"니가 참말로 우리 권오문이 생질 노릇을 똑똑히 헐라면은 위선 느이 오삼춘이 어떤 사람였능가부터 알아야 된다. 그러지 않고서는 어디 가서 감히 권오문이가 우리 오삼춘이라고 말혈 자격이 없지 암, 없다마다."

외할머니가 얘기하는 동안 외삼촌은 항상 축구선수 복장을 하고 있었다. 그리고 그는 내 머릿속에 급조된 끝없이 넓은 상상의 운동 장을 한 필의 준마처럼 종횡으로 치닫고 있었다. 멋진 폼으로 푸른 하늘을 향하여 공을 뻥뻥 차올리고 있었다. 공부도 공부지만 운동 에는 아주 '귀신' 이었다. 특히 축구를 잘해서 '중학교' 부터 '대핵 교' 까지 늘 선수로 뽑혀다녔다. 외할머니가 '축구 차는' 아들에 비 로소 자랑을 느끼기 시작한 건 그가 중학교 오학년 되던 해 가을 난 생 처음으로 공설운동장에 나가 정규시합을 관람하고서였다. 그때 까지 하나뿐인 아들을 운동선수로 키우고 싶지 않았던 외할머니는 시합이 끝나자 생판 모르는 '여학상' 들이 떼로 찾아와 마치 며느리 가 시어머니 받들듯 허물없이 어머님이라고 부르는 데 질려버렸다. 더구나 제 남편이라도 추듯 당신 아들 자랑에 자지러지는 꼴들이 하 기가 막혀 '호말만헌 츠녀들이 이게 다 어디서 배워먹은 버리장 머리냐' 고 알아듣게 혼을 내어 쫓아보내긴 했지만, 그게 노상 싫은 것만은 아니었다. 그 후부터 시합이 열릴 때마다 극성스럽게 뒤쫓 아다니며 귀찮게 구는 여학생들을 '눈물이 쏙 빠지게' 혼을 내어 돌려보내는 것이 일이었다.

"그때 니가 그걸 꼭 봤어야만 되는 건디…… 느이 오삼춘이 내질 른 꽁을 안고서나 저쪽 문지기가 뒤로 벌렁 나자빠지는 꼴을 봐뒀 드라면 아매 대답허기가 수월혔을 것이다. 오삼춘이 더 좋다고 말 이다."

평소에는 그토록 말수가 적다가도 일단 아들이야기만 시작되면 끝을 모르는 사람이었다. 아들의 자랑스러운 면면을 내 마음 가운 데 더욱 인상 깊게 심어주려고 외할머니는 최선을 다했다. 혹시 내기 외삼촌의 얼굴을 영영 잊어버리기라고도 할까 봐서 이렇게 생겼는지 말해 보라고 꼬치꼬치 그 특징을 캐물어 새삼스럽게 기억을 일깨워 주기도 했다. 그것은 사실이었다. 외할머니의 뇌리에서 묵은 추억들이 자연스럽게 과장되고 더러는 필요 이상으로 미화되어 나타날 가능성을 충분히 참작한다 해도 그가 남달리 축구에 뛰어났다는 점 그리고 주위 사람들로부터 많은 떠받듦을 당했다는 것 등은 모두 어김없는 사실들이었다.

한마디로, 그는 멋쟁이였다. 볕에 장시간 내맡겨도 그을지 않을 사기처럼 하얀 얼굴 바탕에 지나치리만큼 오똑한 콧날과 짙은 눈썹이 유난했다. 알이 총총 들어박힌 옥수수를 연상케 하는 가지런한 이를 내보이며 웃는 모습과 다리가 길고 상체는 알맞게 균형이 잡힌 해사한 몸집에서 어딘지 모르게 도회인들이 갖는 귀공자다운 면모를 풍기는 사람이었다. 어렸을 때, 그가 우리 집에 들러 하루나 이틀가량 묵었다 가는 걸 몇 차례 본 적이 있다. 한번은 그가 배낭을 멘 친구들을 여럿 데리고 왔다. 지리산을 가는 길에 들렀다면서 사랑채에 짐을 푼 그들은 밤새껏 하모니카를 불고 기타를 퉁겼다. 그날 밤 외삼촌 친구 중 하나가 일곱 살 난 내게 여자와 입 맞추는 법을 가르쳐준다며 까칠까칠한 턱을 마구 비비대는 바람에 비명을 지르고 뛰어나온 일이 기억에 남는다. 그리고 또 한번은 어떤 이쁜 여자와 함께였다. 난리가 나기 바로 전해인데, 그때도 먼저의 친구들이 여러 명 같이 와서 전에 없이 닷새를 놀고먹어 우리 할머니의 눈총을 샀고, 어머니 입장이 그 때문에 한때 난처했다. 그들은 외삼촌과 여자를 늘 상전처럼 공손히 모시면서 두 사람의 말이라면 죽는 시늉까지도 서슴지 않았다. 외삼촌 일행은 방문을 걸어닫고 한나절씩이나 들어앉아서 자주 무엇인가를 의논하느라고 밀담을 나누었다. 나중에 어머니한테 들은 얘기지만 그때 그들은 한창 쫓고 쫓기는 중이었다. 좌익 학생들과의 오랜 싸움 끝에 뭔가 일을 저지르고 잠시 쉬러 내려왔다는 거다. 난리가 나 대밭 땅굴 속에서 숨어 지내던 한 달 남짓을 제하고는 그런 일들이 내가 외삼촌과 접촉한 전말의 대부분인 셈이다. 짧은 기간의 접촉을 가지면서 내가 그에게 품은 건 한 사람의 피붙이로서 느끼는 친근한 정이기보다 차라리 존경심 쪽이었다. 어린 나의 존경심을 불러일으킬 만한 요소들이 확실히 그에게는 있었다. 단정한 용모나 말씨에서 풍기는 섬세한 감각과 교양은 얼핏 여성적인 면이고, 무한한 기력을 배경으로 한 민첩한 동작과 차가운 결단은 과시 사내 중의 사내였다. 그만한 나이에 벌써 조직을 이끌고 활동할 수 있었다는 점 또한 그의 비범한 면을 결정적으로 장식하는 후광과도 같은 구실을 했다. 한 인간의 내부에 공존하는 갖가지 이질적인 능력의 신기한 배합이 내게는 언제나 수수께끼였다.

삼촌은 외삼촌보다 세 살 위였다. 나이는 많아도 하는 짓들이 어떻게 보면 영락없는 어린애였다. 그가 사변 전에 밀주나 밀도살을 심하게 단속해서 마을의 원성을 산 적이 있는 사람을 용케 잡아다가 족친 이야기는 인근에서 한때 유명했다. 마을 남녀노소가 모두 모인 정자 마당에서 그는 무릎을 꿇린 단속반원에게 맹물을 한정없이 들이켜는 희한한 벌을 주었다. 그동안 술단속을 철저히 한 데 대한 상이라는 것이다. 뒤통수를 겨눈 총부리 앞에서 삼촌의 가련한 그 포로는 똥물을 켜는 오뉴월 장마 개구리 꼴이 되어 한 바께쓰는 실히 넘을 거창한 양의 맹물을 꿀컥꿀컥 정신없이 퍼마셨다. 그런 다음 장구통 같은 배를 내놓고 손바닥으로 철썩철썩 박자를 맞춰 두들겨가며 "나는 누룩이 손자요! 나는 짐승 새끼요! 우리 아버지는 소요! 돼지가 우리 어머니요!"라는 구호를 정확히 백 번 외쳤다. 그래도 성이 안 차는지 여흥으로 노래란 노래는 아무거나 죄 부르게 했는데, 목이 쉴 대로 쉬어 진짜 소새끼의 울음처럼 꺽꺽 막히는 소리가 너무도 처량하니까 그때까지 배꼽을 쥐어가며 재미있어하던 동네 사람들도 끝판에는 아예 웃지를 않았다. 모든 일이 그런 식이었다. 이웃 마을 용상리의 소지주 최 주사를 끌어내어 혼낸 이야기도 그와 비슷했다. 그는 마을의 유명한 알건달 하나를 주례자로 내세워 이미 애어멈이 된 최 주사의 고명딸과 그야말로 엉터리 결혼식을 올렸다. 역시 정자 마당에서였고, 그 무렵의 시골에선 아주 보기 드문 하이칼라 신식 결혼이었다. 그리고 최 주사와 최 주사의 진짜 사위가 멀쩡히 보는 앞에서였다. 결혼식이 끝나자마자 그는 주례를 본 건달에게 신부를 양보해 버리고 곧장 최 주사 쪽으로 달라붙었다. 그날 최 주사는 많이 혼났다. 입으로는 깍듯이 장인어른이라고 존대하는 불한당한테 넙치가 되도록 얻어맞고 기절해 버렸다. 최 주사네 딸을 열렬히 짝사랑하던 나머지 어느 달이 밝은 밤 술김에 담을 넘었다가 최 주사 어른에게 붙잡혀 그 집 머슴들로부터 초주검을 당한 쓰라린 기억이 있었던 것이다.

두 사람의 성격은 아주 대조적이었다. 성격뿐만 아니라 모든 면이 다 그랬다. 삼촌의 부역행위가 술김에 최 주사네 담을 넘는 거와 한가지 경우로 어떤 외부적 자극이 타고난 맹목성을 부채질하여 자기도 모르게 휩쓸려 들어간 시간의 소용돌이 속에서 마냥 흥청거려본 것이라면, 외삼촌의 우익활동이나 그 후의 장교 후보생 자원은 움직일 수 없는 주의주장 밑에 치밀한 계산과 검토를 거쳐 이루어진 결과였다. 자주 만난 건 아니지만 그래도 두 사람은 사이가 괜찮은 편이었다. 괜찮지 않고서는 그토록 서슬이 퍼런 인공 치하에서 한 달 이상의 피신생활이란 도저히 불가능했으리라. 붉은 완장을 차는 건 못 배우고 가난하게 큰 자기 같은 사람이나 할 짓이라고 말하면서 삼촌은 세 살이나 아래인 외삼촌을 존경하고 대우했다. 배

운 사람에 대한 선망의 감정이 그런 식으로 나타난 것인지는 몰라
도 하여튼 삼촌은 숨어지내는 젊은 사돈에 대한 존경심을 이따금
굴속으로 들여보내는 친절과 배려 속에 표시했다. 그러는 자기 감
정을 "동만이 저 녀석을 생각혀서도 그러고…… 성님이나 아짐씨
체면으로 봐서도 그러고……."라는 말로 어머니 앞에서 표현하기
도 했다. 그러나 외삼촌은 달랐다. 아무 꾸밈새 없는 활달한 그 성
품에 은근히 호감은 가지면서도 겉으로는 철딱서니없이 덤벙거리
며 돌아가는 사돈에게 늘 싸늘한 시선을 던지는 것 같았다. 결국 외
삼촌의 예감은 적중했다. 그렇게나 정이 두터운 것 같던 삼촌도 끝
내는 인공 치하가 물러가던 저 광란의 날 새벽에 사람들을 시켜 땅
굴을 덮치게 했다. 저녁밥을 든든히 먹고 나서 식구들 아무한테도
행방을 알리지 않은 채 외삼촌이 슬그머니 잠적해 버린 몇 시간 후
의 일이었다.

이모의 기침소리가 들렸다. 홑이불을 들쓰고 아랫목에 반듯이
누운 채 이모는 기관지를 옥죄이는 통증을 자꾸만 기침으로 배앝고
있었다. 외할머니가 뭐라고뭐라고 중얼거리는 소리도 들렸다. 그
리고 커졌다 작아졌다 하는 그놈의 빗소리도 여전히 들렸다.

"갸는 에릴 적부텀 구질털털헌 걸 원판 싫어허는 아라 죽을 때도
아매 곱게 죽었을 거여. 총알도 한 방배끼 안 맞고, 딱 심장이나 머
리 같은 디를 맞어서 어디가 아프고 어쩌고 헐 저를도 없이 아조 단
박에……."

전날 동네 사람이 찾아와 무책임하게 지껄이고 간 이야기들이
커다란 충격을 준 모양이었다. 읍내 곳곳에 나뒹굴던 시체들의 갖
가지 형태가 밤새도록 우리 집 사랑채를 넘나들며 한 불행한 노파
의 꿈자리를 실컷 어지럽히고 갔는지도 모른다. 얼마든지 가능한
일이었다. 외할머니는 아들이 기왕이면 잠자듯 곱게 누워 그지없이

평안한 자세로 전사했기를 기원하고 있었다. 악마의 총탄이 제발 급소를 건드려 조금도 고통을 안 느끼고 순간적으로 저세상 사람이 되었기를, 육신의 고통은 물론 홀어미를 남겨둔 채 먼저 떠나는 자식 된 도리의 아픔도 일체 없었기를 간절히 희망했다. 죽은 후에도 시신이 온전해서 옛날이야기에 나오는 원귀들처럼 흩어진 제 몸 조각을 찾아 언제까지고 산천을 방황하며 이승에 머무는, 두 번 죽는 거나 다름이 없는 불행한 신세가 되지는 않았을 거라고, 절대로 그럴 리가 없다고 고집스럽게 중얼거렸다. 그러나 목소리에서 점차로 힘이 풀리고 있었다. 이모의 기침이 자꾸만 잦은 가락으로 변하는 것과 정반대였다. 외할머니의 중얼거림은 방문 저쪽으로부터 끊임없이 건너오는 빗소리의 사이사이에 옹색하게 끼어 점점 맥을 못 추고 있었다.

5

소경 점쟁이가 예언했다는 그날이 뿌작뿌작 다가오고 있었다. 날은 여전히 궂었고, 사람들은 모두 지쳤다. 할머니 혼자만은 예외로 하고 인제는 모두가 정말 지쳐버렸다. 아주 지칠 대로 지쳐버렸다. 기다리는 것에도, 계속되는 장맛비에도.

우리 마을과 강 건너 마을을 연결하는 징검다리가 물에 잠긴 지는 이미 오래전이었다. 그 후 양편 둑에 맨 굵은 동아줄에 간신히 의지하여 어른들은 혼자 힘으로, 아이들은 어른들 어깨 위에 목말을 타고 허리까지 잠기는 빠른 물살 속을 곡예를 하듯 위태롭게 건너곤 했는데, 계속 불어나는 강물로 수심이 어른의 키를 훨씬 넘어버려 이젠 그것마저도 불가능해졌다고 한다. 읍내 쪽과는 교통이

두절된 셈이었다. 상류 쪽에서 떠내려오는 물건 중에 돼지도 있고 황소도 있고 뿌리째 뽑힌 소나무도 있다는 얘기가 나돌았는데 아버지는 그럴 리가 없다고 소문을 일축해 버렸다. 마을 자체가 섬진강의 상류에 속해 있기 때문에 웬만큼 심한 홍수가 아니고는 삶은 호박에 이빨도 안 들어갈 거짓말이라는 것이었다. 그러나 외부와의 교통이 끊어질 만큼 장마가 심한 것만은 부인 못할 사실이어서 우리 할머니한테 색다른 근심 한 가지를 더 안겨주었다.

"야가 틀림없이 읍내 쪽으서 올 챔인디 강이 저 모냥이니 야단이다."

내가 그렇게 귀찮게 구는데도 달아나지 않고 며칠 동안을 내리 우리 집 토방에서 머무는 두꺼비 한 마리를 볼 수 있었다. 장마통에 집을 잃고 깜냥엔 비를 피해 오길 잘했다고 안심하는 성싶었다. 하지만 마루 밑으로 토방으로 그 미련하게 생긴 몸뚱이를 괜히 어정어정 밀고 다니는 꼬락서니가 보기에 딱했다. 사흘째 되는 날, 허연 뱃가죽이 하늘을 향하도록 발랑 뒤집고는 똥구멍에 보릿대를 끼워 고무공만큼이나 뺑뺑하게 바람주사를 놓아주었더니 어디로 갔는지 한나절쯤 눈에 안 띄었다. 그러나 이튿날 아침이 되니까 어느 틈에 되돌아와 자리를 지키고 있었다. 섬돌 위에 대뚝 올라앉아 퉁방울 눈으로 처마에서 떨어지는 낙숫물을 우두커니 내려다보고 있었다.

이 무렵, 광 속에서는 변고가 생겼다. 하루아침에 생긴 게 아니라 전부터 어두컴컴한 구석에서 은밀한 가운데 진행되어 나온 변인데, 그걸 아무도 눈치채지 못했기 때문에 알고 나서의 놀라움이 더욱 컸다. 훑은 그대로 척척 쟁여놓은 겉보리가마가 썩기 시작한 두엄더미처럼 모락모락 김을 피워올렸던 것이다. 전에 완두가 그랬듯 엿기름으로 쓴다면 꼭 알맞게시리 애써 수확해 놓은 곡식에서 노랗게 싹이 길어나고 있었다. 아버지가 마침 쥐덫을 놓으려고 광 속에 들어갔다가 요행히 발견했기에 망정이지 하마터면 우리는 가을걷이까지 않아서 굶을 뻔했다. 갑자기 온 집안이 일손이 한창 달릴 무렵의 농번기를 새잡이로 맞이한 것처럼 부산스럽게 돌아가기 시작했다. 뒤늦게나마 보릿가마를 안전하게 건사하는 일이 여간 큰 문제가 아니었다. 당장 광의 구조를 고쳐 바닥과 가마 사이가 뜨도록 통나무를 밑에 질러두어 뼘 정도의 공간을 만들고 훈김을 피우는 가마니를 모조리 끌어내다가 편편한 장소를 골라 깔아널고 말리는 등으로 법석을 떨었다. 방바닥이고 부뚜막이고 어디 가릴 것 없이 집 안 구석구석에서 걸리적거리는 게 그놈의 까끌까끌한 겉보리였다. 입짓이 까다로운 편이어서 소화도 잘 안 될 뿐더러 보리는 원래 내 성미에 안 맞았다. 그리고 퉁퉁한 알맹이 한가운데 일자로 팬 홈 자국을 볼 때마다 언젠가 할머니한테서 들은 이야기가 떠올라 기분이 좋질 않았다. 옛날 어떤 고을에 한 소년이 살았는데, 어느 날 아비가 불치의 난병에 걸려 유명한 의원을 찾게 되었더란다. 의원의 처방에 따라 아무나 닥치는 대로 세 사람──선비, 중, 미치광이──을 죽이고 생간을 꺼내어 달여먹였더니 병이 깨끗이 낫더란다. 그래서 시체를 묻어 장사를 후히 지내주었는데, 이듬해 보니까 무덤 위에 이상한 열매가 맺히더란다. 그것이 오늘날의 보리이며 거기에 팬 홈은 소년이 배를 가를 때 생긴 칼자국이라는 것이다. 그런데 그 기분 나쁜 열매가 집 안을 온통 차지해 버려 마음놓고 움직일 수조차 없게 사람들을 구박하는 판이었다. 그러나 할머니만은 역시 대단한 양반이었다. 이와 같은 북새통 속에서도 할머니는 아랑곳없이 꼬박꼬박 자기 할 일을 다했다. 우선 어머니를 시켜 장롱 속에서 꺼낸 비장의 옷감으로 한복을 마르게 했다. 집 안에서 입기로는 한복만큼 의젓하고 편한 옷이 없다는 얘기였다. 삼촌이 전에 즐겨 먹었다는 호박전을, 그렇게 터무니없이 많이 장만해 놓으면 이틀 후에는 몽땅 쉬어터져 한 개도 못 먹게 된다는 어머니의 만류에도 불구하고 한 광주리나 되게 부치게 했다. 손수 고사리나물을 무치면서, 세상이 하도 험하니까 이젠 나물마저 쓸 만한 게 별로 없더라고 억지스러운 푸념을 늘어놓기도 했다. 상하기 쉬운 음식은 소금에 절이고 콩기름으로 튀겨 단단히 갈무리해 두었다. 준비는 대강 끝난 셈이었다. 없는 집 시골 살림으로 그만한 준비라면 웬만한 잔치쯤은 치르고도 남을 것이었다. 부엌을 둘러보는 할머니의 얼굴에서 장한 일을 끝낸 사람의 긍지가 오래도록 남아 떠나지 않고 있었다. 아직도 할머니한테 남은 근심거리가 있다면 그것은 딱 한 가지뿐이었다.

"야가 틀림없이 읍내 쪽으서 올 챔인디, 강이 저 모냥이니 야단이다, 야단!"

"어머님은 별걱정도 다 허시우. 강물이 좀 짚다고 틀림없이 올 아가 못 오겄소? 장마철이면 질이 잘 맥힌다는 걸 저도 알 티닝게 석교다리로 돌아서라도 때가 되면 어련히 오겄지요."

할머니를 안심시키려고 아버지가 대수롭잖다는 듯이 말을 받았다. 그러나 할머니는 고개를 설레설레 흔들어 보였다.

"돌아서라도 오기야 오겄지. 오겄지만서도 거그를 돌라면 시오리는 휠낀 더 걷는 심 아니냐? 입으로야 쉽지만 이 우중에 시오릿길을 더 돈다는 게 얼매나 그역시런 노릇이냐, 더군다나 얼음이 백혀서 성치도 않은 발을 가지고."

고모는 하루 전에 왔다. 와서 찬장도 열어보고 살강 위 광주리도 둘러보며 한참 수선을 떨고 나서는 할머니와 어머니에게 수고를 칭찬했다. 모든 준비가 마음에 썩 드는 눈치였다. 고모는 할머니 못지않게 삼촌의 귀환을 철석같이 믿고 있었다. 애당초 점쟁이를 소개한 사람이 고모였다. 할머니로 하여금 점쟁이의 예언을 하늘같이 받들게 만든 것도 고모였으니 그 믿음이 오죽하랴만, 모녀간에 어쩌면 그리도 손발이 척척 맞아들어가는지 모르겠다고 사랑채에 건너온 어머니가 은근히 험담을 할 정도였다. 그렇다고 어머니가 삼촌이 살아서 돌아오기를 바라지 않는 건 아니었다. 항상 말이 없는 이모나 한때 빨치산을 저주한 적이 있는 외할머니까지도 기왕이면 사돈네 집안 일이 그렇게 되기를 은연중에 바라면서 음식 장만하는 과정을 조용히 지켜보아왔었다. 그러나 바란다는 것과 믿는다는 건 전혀 별개의 문제였다. 나 역시 삼촌이 돌아온다면 얼마나 좋을까, 하고 그날이 억세게 기다려졌다. 하지만 아무리 어린 소견에도 그런 일이 달이 지고 해가 뜨듯 그렇게 간단히 이루어질 것 같지 않았다. 삼촌이 온다면 도대체 어떤 상태에서 어디로 온단 말인가. 부엌에서 아버지가 어머니한테 이야기하는 걸 우연히 엿들은 적이 있었다. 도대체 가망이 없다는 것이었다. 할머니의 신앙이——그것은 완벽한 하나의 신앙이었다. 그리고 신앙도 아주 이만저만한 신앙이 아니었다——우리에게 남긴 뜨거운 감동에서 벗어나 한 발짝만 물러서서 생각해 보면 거울 앞에 선 듯 사정이 너무도 명백해지는 것이어서 할머니와 한가지로 낙관적이 될 수 없는 현실이 그저 안타깝기만 했다. 궁여지책으로 아버지는 어디 가서 삼촌이 이미 자수를 했을 경우를 이야기했다. 그러나 그것마저도 곧 자기 입으로 부인해 버렸다. 만약의 경우 정말로 그랬다면 사전에 한 번쯤 경찰로부터 무슨 연락이 있었을 것 아니냐면서. 우리 집이 항상 감시를 받고 있다는 사실을 아버지는 누구보다도 잘 알았다. 문전을 오락가락하면서 울바자 너머로 수상쩍은 눈길을 던지는 어떤 낯선 사내를 종종 볼 수가 있었고, 그가 쳐놓은 투명한 그물에 의하여 우리는 제 발로 걸을 수는 있되 실은 빠져나갈 구멍이 없는 물고기 신세나 마찬가지였다. 그 사내가 바로 이웃인 진구네 집에 들러 우리 집 형편을 샅샅이 염탐하고 가거나 드물게는 아버지를 살그머니 불러내어 주막에 가서 같이 술을 마시는 때도 있다는 걸 나는 진작부터 알고 있었다. 사내의 모습이 눈에 띌 때마다 소스라치게 놀라는 사람은 나였다. 그의 출현이 나한테는 매우 중대한 의미를 지니고 있었다. 그것은 일껏 사그라지려던 죄책감에 대한 무서운 채찍질이면서 새로운 일깨움이었다. 과자 한 조각에 제 삼촌을 팔아먹는 사람백정이라고 소리소리 외치던 할머니의 저주가 당시 그대로의 형태로 또렷이 되살아나는 것이었다. 아버지가 던지는 목침덩이에 맞아 코피를 흘리면서 나는 그날 저녁에 벌써 죽었어야 옳은 몸이었다. 사내를 만나고 돌아온 날 밤에 짓는 아버지의 우울한 표정을 읽는 일이 내게는 죽는 것 이상으로 괴로웠다. 할머니의 저주에 대항하는 유일한 방법이란 마지막 숨을 거두며 눈을 감는 자신의 처량한 모습을 상상을 통하여 보는 길뿐이었다. 오직 그것만이 나에게 감미로운 위안을 가져다주었다. 나는 어린 주검을 앞에 놓고 모든 식구들이, 그 가운데서도 특히 할머니가 남보다 서러운 소리로 많이 울어주기를 바랐다. 할머니의 후회가 크면 클수록 나는 당연하게도 더욱더 감미로운 기분에 젖을 수 있었다. 그러나 상상에서 깨어보면 나는 여전히 피둥피둥하게 살아 있었고, 그래서 돌아온 삼촌의 얼굴을 다시 대할 일이 점점 꿈만 같아지는 것이었다. 내가 삼촌이 돌아오기를 누구보다도 더 기다리면서 한편으로는 어처구니없이 독한 마음을 품는 건, 이를테면 사람들 눈에 띄지 않을 어느 으슥한 산골짜기 같은 데서 이미 오래전에 싸늘한 시체로 굳어져 내 눈앞에 다시 나타나는 날이 영영 없기를 바라는 건 순전히 그 때문이었다. 정말이지 나는 하루 앞으로 닥쳐온 그 '아무 날 아무 시'가 견딜 수 없이 두려웠다. 너무도 두려워 세상 끝날까지 오늘만이 한없이 계속되기를 어느 앞에나 빌고 싶은 심정이었다. 그러나 제아무리 그닇나고는 애도 아머시가 꿰는 고동에 미기면 역시 내 괴로움 따위는 아무것도 아니었으리라. 부엌에서 이야기할 때 할머니의 지나친 처사에 불먹은 소리를 하는 어머니를 애잔한 말씨로 타이르고 있었다.

"낸들 왜 몰라서 그러겄나. 임자 말자꾸로 아매 안 오기가 쉬울 게여. 그리고 천행으로 온다 혀도 어머님이 맘잡숫는 대로 일이 그렇게는 안 될 게여. 내가 그건 자네보담 더 잘 알어. 허지만 자식 된 도리로 어쩌겄나. 허라는 대로 안 혔다가 무신 꼴을 또 당헐지 누가 아냐 말여. 시방 조깨 몸살을 앓아두는 것이 낭중에 더 험헌 일을 치르는 것보담은 낫지. 안 그런가?"

동생의 귀환이 거의 불가능하리란 걸 빤히 알면서도 노인양반의 주장에 감히 거역할 수 없는 괴로움, 그러면서도 울며 겨자 먹기로 열심히 따르는 척해야만 되는 괴로움, 아버지는 그걸 말하고 있었다. 할머니의 신앙과 모성애가 한때 우리를 감동시켜 점쟁이의 예언에 다소간 기대를 걸어보도록 충동한 게 사실이라고는 해도 결코 그것을 액면 그대로 믿어서가 아니었다. 거기에는 노인양반을 절대로 실망시키지 않겠다는 조심스러운 배려가 들어 있었다. 아버지는 기대 뒤에 올 절망을, 그리고 절망 뒤에 올 무서운 결말을 일찍부터 예감하고 있었다. 최선을 다하면서 그저 가는 데까지 무작정 가볼 따름이었다. 그렇다면 용하기로 소문난 소경점쟁이가 어디로 어떻게 온다는 얘기까지 일러주지 않은 것은 크나큰 실책이 아닐 수 없었다.

어느덧 밤이었다. 어둠이 깔리면서부터 점차로 약해지기 시작한 빗밑이 이젠 완연히 알아보게 성글어졌다. 사립문 기둥에 달아놓은 장명등이 뿌옇게 밝히는 빛무리의 둥그런 허공 속으로 장마도 기진했다는 듯 몽근 빗방울을 쉬엄쉬엄 떨어뜨리고 있었다. 난리를 치르는 동안 자연스럽게 익힌 습성으로 누가 등화관제를 명령하지 않더라도 저녁밥만 먹고 나면 집집마다 불을 꺼버리는 우리 마을에서 유독 우리 집 한 채만이 전에 없이 장명등을 내달아 외로운 파수병처럼 밤을 밝히고 있었다. 역시 할머니의 성화에 못 이겨서였다. 누가 아니는 것이었다. 내일 진시, 그러니까 대략 오전 열시경에 오는 것으로 되어는 있지만, 사정이 갑자기 바뀌어 오밤중에 문을 두드리게 될지도 모른다는 것이었다. 아무런 채비도 없이 불시에 맞이하여 모처럼 어려운 걸음을 한 아들을 처음부터 섭섭하게 만든다는 건 결코 할머니의 원하는 바가 아니었다.

"다아 요런 때 쓸라고 비싼 섹우지름 애껴놓았지."

대문만이 아니라 처마 밑에도 장명등 하나를 더 달고 각 방마다 밤새도록 불이 꺼지지 않게 분부하면서 할머니는 여느 날과 달리 집 안 전체를 대낮처럼 밝혀야 하는 이유를 매우 간단한 말로 설명했다.

"어디서 보드라도, 시오 리 배까티서 보드라도, 아, 저그 불이 훤헌 디가 바로 우리 집이고나, 우리 엄니가 잠 한 소곰 안 자고 날 지달리는구나, 험서 허우단심 뜀박질허게 맹글어야 된다."

밤이 깊었다. 밤이 깊었으나 아무도 자려 하지 않았다. 노인 양반이 그렇게 설치고 다니는 판인데, 그걸 모르는 척하고 드러누울 만한 배포를 가진 사람이 우리 집엔 없었다. 날씨마저 할머니의 비위를 맞추는 듯했다. 가랑비로 바뀌던 빗밑마저 슬금슬금 자취를 감추는 기색이더니 밤이 이슥해지자 처마 아래 울리던 낙숫물 소리도 아예 들을 수 없게 되었다. 그리고 습기를 옮겨나르는 서늘한 바람이 불기 시작했다. 하기야 쏟을 만큼 쏟았으니 인제는 장마가 물러갈 때도 되긴 했다. 그런데 할머니는 날씨의 변화를 재빨리 내일의 경사에 결부시켜 퍽도 유리하게 해석해 버렸다.

아마 자정은 훨씬 지났을 것이다. 나는 안재에서 사랑채로 들어와 외할머니 곁에 누워 있었다. 이모도 외할머니도 여태 안 자고 있었다. 잠을 이룰 수가 없었을 것이다. 이모는 얼굴이 천장을 향하게 반듯이 누워 있었고, 외할머니는 아랫목 벽에다 등을 붙인 채 비스듬한 앉음새로 방문 쪽을 향하고 있었다. 내 눈은 호롱불이 까불거리며 천장에 그리는 그을음무늬의 움직임을 쫓고 있었다. 내 귀는 방문 저편 어둠 속으로 활짝 열려 풀밭 어디쯤에서 열심히 밤을 노래하는 소리를 듣고 있었다. 사위가 너무나 조용했다. 식구들이 모두 깨어 있는데도 그렇게 집 안이 조용할 수가 없었다. 너무도 조용해서 그 조용함이 오히려 어둠의 소리를 듣는 일에 방해가 될 지경이었다. 사위를 짓누르는 적막의 우세한 힘 앞에 청각의 기능이 꼭 마비당하는 듯한 기분이었다. 그래서 내 귀에 들리는 저 소리들이 실제로는 세상에 존재하지도 않는 것들이며 나는 지금 무엇에 홀려 가짜를 진짜처럼 착각하고 있는지도 모른다는 의구심마저 들었다. 그러나 정신을 차리고는 다시 들어보면 마치 거대한 적막의 한 귀퉁이를 가냘프면서도 날카로운 줄칼로 참을성 좋게 썸질하는 것같이 들리는 그 소리는 나 이외의 다른 생명체가 분명히 또 있어 어둠 속에서 내처 잠들지 못하고 있음을 알리는 신호였다. 들깨주머니에서 참깨를 가리듯 혹은 참깨주머니에서 들깨를 가리듯 나뭇가지를 스치는 바람소리 속에서 여치의 울음과 귀뚜라미의 울음을 따로따로 구분하여 그 소리들이 풍기는 백반처럼 시디신 맛을 나는 오래도록 음미하고 있었다. 그러나 난데없는 소리가 중간에 뛰어들었고, 생전처음 듣는 듯한 그 이상스러운 소리는 갑자기 나를 긴장 속으로 몰아넣었다. 그러나 한 차례 울리고 나서 그 소리는 뚝 그쳤다. 소리의 뒤끝을 겨우 붙잡았다고 느끼는 순간에 벌써 달아나버렸으므로, 내가 또 무엇인가에 홀려 잘못 듣고 있을지도 모른다는 암담한 기분이 들었다. 잠시 후에 그 소리는 다시 들렸다. 이번에는 윤곽이 아주 뚜렷했다. 결코 크다고는 할 수 없어도 잡다한 밤의 소리 속에서 그것은 가려내기가 비교적 수월했다. 병 주둥이를 입에 대고 아이들이 흔히 장난으로 부는 소리를 듣고 있는 기분이라고나 할까, 먼 바다에서 울리는 뱃고동처럼 그것은 매우 은은하게 들렸다. 그리고 그것은 매우 애매한 소리여서 출처가 어디쯤인지 도무지 짐작조차 할 수 없었다. 어떻게 생각하면 방문 바로 건너 우리집 텃밭 속이 분명했다. 밤의 고요 속을 뚫고 은은히 건너오는 이상한 소리. 그 소리에 나는 정말로 홀림을 당하고 있었다. 도깨비불에 넋을 덜미잡혀 밤새껏 공동묘지를 헤맸다는 어떤 아이처럼 은은하면서도 왠지 모르게 소름이 돋을 만큼 음산함이 풍겨지는 그 소리의 신비스러운 가락에 이끌려 내 마음은 어느새 강언덕으로 줄달음치고 있었다.

"구렝이 우는 소리다."

외할머니가 말했다. 앞을 떡 가로막고 서는 시커먼 그림자와도 같이 외할머니의 그 말이 별안간 귓전에서 울리는 바람에 나는 하마터면 소리를 지를 뻔했다.

"구렝이가 비암들을 모으는 소리여."

외할머니의 입에서 흘러나오는 말 그 자체가 바로 구렝이였고, 혓바닥을 날름거리는 그것이 내 몸뚱이를 눈 깜짝할 사이에 친친 휘감아 버려 나는 숨도 제대로 쉴 수가 없었다. 대번에 식은땀이 배었다. 내 몸에 와닿는 선뜩한 기운을 물리쳐준 사람은 고맙게도 이모였다. 나는 혼자가 아니었다. 그리고 그 소리를 들은 사람도 나혼자만이 아닌 것이 얼마나 다행한 일인지 몰랐다. 언제 일어나 앉았는지 이모가 내 곁에서 방문 쪽을 노려보고 있었다. 무슨 말을 더하려고 외할머니가 입을 달싹거렸다. 그러자 이모가 내 어깨 위에

64

손을 얹으면서 눈을 흘겼다.

"그만두세요."

그러나 외할머니는 자꾸만 입을 달싹거리고 있었다. 이모한테서 한마디 더 핀잔을 먹지 않았더라면 외할머니는 기어코 무슨 말인가를 하고야 말았을 것이다.

"제발 좀 그만두시라니까요!"

이모가 나를 홑이불 속으로 끌어들였다. 나는 이모의 겨드랑이 사이에 묻혀 잠시 후에 울리는 그 소리를 다시 들을 수 있었다. 먼 바다에서 울리는 뱃고동 같은 그 소리가 또 한바탕 선뜩한 기운을 방 안에 잔뜩 부려놓고 갔다. 이번 역시 강언덕 근처인지 텃밭 속인지 분간 못할 애매한 소리였다. 그러고는 시간이 많이 흘렀다. 세 번째를 마지막으로 구렁이 우는 소리는 다시 들리지 않았다. 그러나 소리의 여운이 늦게까지 방 안에 남아 아무도 입을 열지 못하도록 사람들을 위협하고 있는 성싶었다. 특히 외할머니의 경우가 가장 심해서 방문 쪽을 향해 상체를 기울인 꾸부정한 자세를 풀지 않은 채 아직도 거북살스럽게 앉아 있었다. 얼굴표정이 몹시 동요하고 있었다. 머리라도 되게 얻어맞은 듯이 멍한 표정을 짓다가도 느닷없이 한꺼번에 많은 것들을 생각해 내려는 사람처럼 한껏 찡그린 눈으로 문밖을 내다보곤 했다. 마침내 외할머니가 이쪽으로 고개를 돌렸다.

"동만아." 외할머니가 나를 불렀다. "악아, 동만아."

나하고 시선이 마주치자 외할머니는 슬머시 외면을 했다. 잠시 망설이는 기색을 보이고 나서 천천히 입을 열었다.

"너도 그렇게 생각하고 있나?"

밑도 끝도 없는 질문을 던진 다음 외할머니는 한참을 망설였다.

"이 외할매 땜시 느그 삼촌이 그렇게 되었다고 생각허냐?"

나는 대답을 하기로 마음먹었다. 외할머니의 절실한 어조에 끌려 무슨 말이든 꼭 대답을 해주지 않으면 안 된다고 생각했다. 그러나 곧 그럴 필요가 없음을 깨달았다. 외할머니는 나를 쳐다보지도 않았고, 사실상 나에겐 아무런 관심도 두시 않았고, 오식 사기 외솔수생각에만 골몰해 있는 상태였다. 설령 내가 대답을 했다손쳐도 전혀 알아듣지 못했을 것이다.

"아니다. 그날 저녁 일은 절대로 그런 것이 아니다. 누구를 해꼬지헐라고 그런 것이 아니라 소피를 보러 나갔다가 안채에 불이 훤허고 밤중에 두런두런 얘깃소리가 들리걸래 대처나 무슨 일인가 싶어서 찌끔 구다본 것뿐이다. 일판이 그렇게 꼴 종 누가 알았냐. 내가 미쳤다고 그런 자리에 갔겄냐. 허기사 늙은이가 눈치코치도 없이 사둔네 일에 해자를 논 게 잘못은 잘못이지. 잘헌 일은 아니여. 잘헌 일은 아니지만서도, 그런다고 이 외할매만을 탓혀서는 못쓴다. 그날 저녁에 내가 아녔드라도 느네 삼춘은 오던 질을 되짚어서 도로 떠날 사람이었어. 팔자를 그렇게 타고난 거여."

이모가 나를 가슴으로 꽉 끌어안았다. 나는 이모의 젖둔덕 사이에 얼굴을 파묻고는 매우 아늑한 기분으로 외할머니의 중얼거림을 들었다. 그러자 매를 흠씬 얻어맞고 한바탕 섧게 울고 난 뒤끝인 듯 온몸이 나른한 가운데 걷잡을 수 없는 졸음이 밀려들기 시작했고, 노곤한 꿈결 속에서도 이담에 크면 꼭 이모한테 장가를 들겠다고 생각하면서 나는 외할머니의 중얼거림에 어렴풋이 귀를 기울이고 있었다.

6

할머니가 대문간에 서서 호통을 치는 바람에 혼곤한 잠에서 깨었다. 날은 부옇게 밝았으나 아직도 꼭두새벽이었다. 가뜩이나 짧은 여름밤인데 그런 정도는 자나마나였다. 잠을 설친 탓으로 머릿속이 띠잉 울리고 눈꺼풀은 슬슬 감겼다. 그러나 나는 아무렇지도 않은 편이었다. 여러 날 겹치는 피로와 긴장 때문에 얼굴 모양들이 모두 말이 아니었다. 아버지는 부황이 든 사람처럼 얼굴이 누렇게 떠 부석부석했고, 어머니는 숫제 강마른 대꼬챙이었다. 외가 식구들이라 해서 특별히 나은 사람도 없었다. 그런데 우리 할머니만이 청청해 가지고 첫새벽부터 기진맥진한 사람들을 게으른 소 잡도리하듯 했다. 아버지와 어머니를 대문간에 나란히 불러놓고 무섭게 닦아세우는 중이었다. 장명등이 꺼져 있었다. 기름이 아직 반나마 들어 있는데도 어느 바람이 언제 끄고 갔는지 유리갓에 물기가 촉촉했다. 장명등 일로 할머니는 몹시 심정이 상해 버렸다. 하느님이 간밤에 몰래 들어와서 아버지와 어머니의 정성을 시험하고 간 증거로 삼아버렸다. 할머니의 노여움은 거기에서 그치지 않았다. 그것 한 가지만으로도 하나밖에 없는 동생 시동생을 끝까지 돌봐줄 의사가 있는지 없는지 알 수 있다면서 정성의 기미가 보일 때까지 광과 장롱의 열쇠를 당신이 직접 맡아 관리하겠다고 선언해 버렸다.

"경사시런 날 아적부텀 예펜네가 집 안에서 큰 소리를 하면 될 일도 안 되는 벱이니께 이만침 혀두고 참는다만, 후사는 느덜이 알아서들 혀라. 나는 손구락 하나 깐닥 않고 뒷전에서 귀경만 허고 있을란다."

말을 마치고 돌아서면서 할머니는 거듭 혀를 찼다.

"큰자석이라고 있다는 것이 저 모양이니 원, 쯧쯧."

할머니는 양쪽 팔을 홰홰 내저으며 부리나케 안채로 향했다.

"지지리 복도 못 타고난 년이지. 나만침 아덜 메누릿복이 없는 년도 드물 것이여."

사랑채 앞을 지나면서 또 혼잣낼을 했다. 날이 혼잣낼이지 실상은 이웃에까지 들릴 고함에 가까운 소리였다.

할머니는 정말로 손가락 한 개도 까딱하지 않았다. 방문을 꽝 닫고 들어앉은 후로 밖에서 일어나는 일은 죽이 끓든 밥이 끓든 일체 상관하지 않았다. 그런 대신 봉창에 달린 작은 유리 너머로 늘 마당을 감시하면서 일일이 못마땅한 표정을 지어 보였다. 우리는 수대로 하나씩 빗자루나 연장 같은 걸 들고 나와 감시의 눈초리를 뒤통수에 느껴가면서 마당도 쓸고 마루도 닦고 집 안팎의 거미줄도 걷었다. 고모도 나오고 이모까지 합세하여 모두들 바삐 움직인 보람이 있어 장마로 어지럽혀진 집 안이 말끔히 청소되었다. 이모와 고모는 어머니를 도우러 부엌으로 들어가고 나는 아버지와 함께 대문에서 마당에 이르는 소롯길과 텃밭 사이에 깊은 도랑을 내어 물기를 빼느라고 식전부터 구슬땀을 흘렸다.

하늘은 아직도 흐렸다. 오랜만에 햇빛을 볼 수 있을지 모른다고 기대했던 날씨가 아무래도 신통치 않았다. 그러나 서녘 하늘 한 귀퉁이가 빠끔히 열려 있었고, 구름을 몰아가는 서늘한 바람이 불었다. 다시 비가 내릴 기미 같은 건 어디에도 안 보였다. 그것만도 우리에겐 참으로 다행스러운 일이었다. 우리뿐만 아니라 모든 사람이 다 그러했다. 이른 아침부터 우리 집에 찾아오는 동네 사람들이 내미는 첫마디가 한결같이 날씨에 관한 얘기였다. 그리고 그다음 차례가 삼촌얘기였다. 그들은 날씨부터 시작해 가지고 아주 자연스럽게 아버지한테 접근했으며 아낙네들은 부엌을 무시로 드나들었다. 우리 집은 완전히 잔칫집답게 동네 사람들로 북적거렸고, 저마다 연줄을 찾아 말을 걸어보려는 사람들 때문에 식구들은 도무지 정신을 못 차릴 정도였다. 그들이 가장 궁금해하는 것은, 우리 식구들이 어느 정도 미신을 믿고 있는가였다. 물론 그들은 미신이란 말은 입밖에 비치지도 않았다. 점쟁이의 말 한마디가 이만큼 일을 크게 벌여놓을 수 있었던 데 대해 놀라움을 표시하면서도 속셈이 빤히 보일 만큼 노골적이지는 않았다. 이야기 끝에 그들은, 가족들 정성에 끌려서라도 삼촌이 틀림없이 돌아올 거라는 격려의 말을 잊지 않았다. 아버지는 그저 웃고만 있었다. 그런 말을 하는 몇 사람의 태도에서 아버지는 그들이 우리 일을 가지고 자기네 나름으로 한창 즐기고 있다는 사실을 충분히 눈치챘을 것이다. 마치 죽어가는 환자 앞에서 금방 나을 병이니 아무 염려 말라고 위로하는 의사와 흡사한 태도를 취하는 사람이 더러 있었기 때문이다. 시간이 진시에 점점 가까워질수록 사람이 늘어 우리 집은 더욱더 붐볐다. 마을 안에서 성한 발을 가진 사람은 하나도 안 빠지고 다 모인 성싶었다. 혼자 진구네 집 마루에 앉아 담배를 피우는 낯선 사내의 모습도 보였다. 장터처럼 북적거리는 속에서 우리는 아직 아침밥도 먹지 못했다. 삼촌이 오면 같이 먹는다고 할머니가 상을 못 차리게 했던 것이다. 아주 굶는 건 아니니까 진득이 참는 도리밖에 없지만, 그러자니 배가 굉장히 고팠다.

마침내 진시였다. 진시가 시작되는 여덟시였다. 모두들 흥분에 싸여 초조하게 기다리는 가운데 자꾸만 시간이 흘렀다. 아홉시가 지나고 어느덧 열시가 다 되었다. 그런데도 우리 집엔 아무 일도 일어나지 않았다.

사람들이 죄다 흩어진 다음에야 비로소 우리는 점심이나 다름없는 아침을 먹을 수 있었다. 구장어른과 진구네 식구들만이 나중까지 남아 실의에 잠긴 우리 일가의 말동무가 되어주었다. 안방에 혼자 남은 할머니를 제외하고 모두들 침통한 표정으로 건넌방에 차려진 상머리에 둘러앉았다. 뜨적뜨적 수저를 놀리는 심란한 얼굴들에 비해 반찬만은 명절날만큼이나 걸었다. 기왕 해놓은 밥이니까 먼저 들 들라고 빌아넌서도 할머니 사신은 한사코 소반상을 서부해 버렸다. 진시가 벌써 지났는데도 할머니는 여전히 태평이었다. 적어도 겉으로는 그렇게 보였다. 애당초 말이 났을 때부터 자기는 시간 같은 건 그리 염두에 두지 않았다는 것이었다. 중요한 것은 '아무 날'이지 그까짓 '아무 시' 따위는 별게 아니라는 것이었다. 하늘이 주관하는 일에도 간혹 실수가 있는 법인데 하물며 사람이 하는 일이야 따져 무얼 하겠냐는 것이었다. 아무리 점쟁이가 용하다고는 해도 시간만큼은 이쪽에서 너그럽게 받아들여야 된다는 주장이었다. 할머니한테는 아직도 그날 하루가 창창히 남아 있었던 것이다. 어느 때 와도 기필코 올 사람이니까 그때까지 더 두고 기다렸다가 모처럼 한번 모자 겸상을 받겠다면서 할머니는 추호도 지친 기색을 나타내지 않았다.

마루 위에 발돋움을 하고 자꾸만 입맛을 다시면서 근천을 떨던 워리란 놈이 갑자기 토방으로 내려섰다. 우리는 워리가 대문 쪽을 향해 으르렁거리는 소리를 들었다. 그리고 이내 함성을 들었다. 수저질을 하던 아버지의 손이 허공에서 정지하는 걸 계기로 우리는 일시에 모든 동작을 멈추었다. 아이들이 일제히 올리는 함성이 매우 빠른 속도로 가까이 오는 중이었다. 숟가락을 아무 데나 팽개치면서 나는 밖으로 뛰어나갔다. 우리 집 대문간이 와자지껄하는 소리로 금방 소란해졌다. 마당 한복판에서 나는 다시 기세를 올리는 아이들의 아우성과 정면으로 맞닥뜨렸다. 우선 눈에 뜨이는 것이 저마다 입을 크게 벌리고 있는 한 떼의 조무래기패였다. 그들의 손엔 돌멩이 아니면 기다란 나뭇개비 같은 것들이 골고루 들려 있었다. 우리 집 대문 안으로 짓쳐들어오는 걸 잠시 망설이는 동안 아이들은 무기를 든 손을 흔들면서 거푸 기세만 올렸다. 그중의 한 아이가 힘껏 돌팔매질을 했다. 돌멩이가 날아와 푹 꽂히는 땅바닥에서 나는 끝내 못 볼 것을 보고야 말았다. 꿈틀꿈틀 기어오는 기다란 것이 거기에 있었다. 눈어림으로만도 사람 키보다 훨씬 큰 한 마리의 구렁이였다. 꿈틀거림에 따라 누런 비늘가죽이 이러저리 번들거리는 그 끔찍스러운 몸뚱어리를 보고는 순간, 그것의 울음소리를 듣던 간밤의 기억이 얼핏 되살아나면서 오금쟁이가 대번에 뻣뻣이 굳어져버렸다. 그러나 나는 별수 없는 어린애였다. 한순간의 공포를 견디고 나서 나는 고함을 지르며 돌팔매질을 해대는 패거리들과 조금도 다를 바 없는 하나의 어린애로 재빨리 되돌아왔다. 모든 꿈틀거리는 것들에 대해서 소년들이 거의 본능적으로 품는 적의와 파괴욕을 주체할 수가 없었다. 나는 잽싸게 헛간으로 달려갔다. 지게 작대기를 양손으로 힘껏 거머쥐었다. 내 쪽으로 가까이 오기만 하면 단매에 요절을 낼 요량으로 작대기를 쥔 양쪽 팔을 높이 들었다. 그러자 억센 힘으로 내 팔을 움켜잡는 누군가의 손이 있었다. 돌아다보니 외할머니였다. 동시에 째지는 듯한 비명이 등 뒤에서 들렸다.

"아악!"

외마디 비명을 지르면서 마치 헌 옷가지가 구겨져 흘러내리듯 그렇게 마루 위로 고꾸라지는 할머니의 모습을 나는 목격했다. 외할머니가 내 손에서 작대기를 빼앗아버렸다. 말은 없어도 외할머니의 부릅뜬 두 눈이 나한테 엄한 꾸지람을 던지고 있었다.

난데없는 구렁이의 출현으로 말미암아 우리 집은 삽시에 엉망진창이 되어버렸다. 무엇보다 큰 걱정이 할머니의 졸도였다. 식구들이 모두 안방에만 매달려 수족을 주무르고 얼굴에 찬물을 뿜어대는 등 야단법석을 떨어가며 할머니가 어서 깨어나기를 빌었다. 그 바람에 일단 물러갔던 동네 사람들이 재차 모여들기 시작했고, 제멋대로 떼뭉쳐서 떠들어대는 소리 때문에 혼란은 더욱 가중되었다. 모두가 제정신이 아닌 그 북새 속에서도 끝까지 냉정을 잃지 않는 사람은 해오라지 외할머니 혼자뿐이었다. 미리 정해 놓은 순서라도 밟듯 외할머니는 놀라우리만큼 침착한 태도로 하나씩 하나씩 혼란을 수습해 나갔다. 맨 먼저 사람들을 몰아내는 일부터 서둘러 했다. 외할머니는 구장어른과 진구네 아버지 등의 도움을 받아 집 안에 들어온 사람들을 모조리 밖으로 내쫓은 다음 대문을 단단히 걸어잠갔다. 대문 밖에 내쫓긴 아이들과 어른들이 감나무가 있는 울바자 쪽으로 우르르 몰려갔다. 고비에 다다른 혼란의 사이를 틈탄 구렁이는 아욱과 상추가 자라고 있는 텃밭 이랑을 지나 어느새 감나무에 올라앉아 있었다. 감나무 가지에 누런 몸뚱이를 둘둘 감고서는 철사처럼 가늘고 긴 혓바닥을 내고 날름거렸다. 무엇에 되알지게 얻어맞아 꼬리부분이 거지 반동강 날 정도로 상해서 몸뚱이의 움직임과는 겉놀고 있었다. 아이들의 극성이 감나무에까지 따라와 아직도 돌멩이나 나뭇개비들이 날아들고 있었다.

"돌멩이를 땡기는 게 어떤 놈이냐!"

외할머니의 고함은 서릿발 같았다. 팔매질이 뚝 멎었다. 그러자 외할머니는 천천히 감나무 아래로 걸어가기 시작했다. 외할머니의 몸이 구렁이가 친친 감긴 늙은 감나무 바로 밑에 똑바로 서 있는데도 아무 일도 일어나지 않자, 그때까지 숨을 죽여가며 지켜보던 많은 사람들 입에서 저절로 한숨이 새어나왔다. 바로 머리 위에서 불티처럼 박힌 앙증스러운 눈깔을 요모조모로 빛내면서 자꾸 대가리를 숙여 꺼뜩꺼뜩 위협을 주는 커다란 구렁이를 보고도 외할머니는 조금도 두려워하지 않았다. 외할머니는 두 손을 천천히 가슴 앞으로 모아 합장했다.

"에구 이 사람아, 집안 일이 못 잊어서 이렇게 먼 질을 찾어왔 능가?"

꼭 울어보채는 아이한테 자장가라도 불러주는 투로 조용히 속삭이는 그 말을 듣고 누군가가 큰 소리로 웃는 사람이 있었다. 그러자 외할머니는 눈이 단박에 세모꼴로 변했다.

"어떤 창사구 빠진 잡놈이 그렇게 히득거리고 섰냐. 누구냐, 어서 이리 썩 나오니라. 주리댈 놈!"

외할머니의 대갈호령에 사람들은 쥐죽은 소리도 못했다. 외할머니는 몸을 돌려 다시 구렁이를 상대로 했다.

"자네 보다시피 노친께서는 기력이 여전허시고 따른 식구덜도 모다덜 잘 지내고 있네. 그러니께 집안일일랑 아모 염려 말고 어서 어서 자네 가야 헐 디로 가소."

구렁이는 움쩍도 하지 않았다. 철사도막 같은 혓바닥을 날름거리면서 대가리만 두어 번 들었다 놓았다 했다.

"가야 헐 디가 보통 먼 질이 아닌디 여그서 이러고 충그리고만 있어서야 되겄능가. 자꼬 이러면은 못쓰네, 못써. 자네 심정은 내 짐작을 허겄네만 집안 식구덜 생각도 혀야지. 자네 노친양반께서 자네가 이러고 있는 꼴을 보면 얼매나 가슴이 미어지겄능가."

외할머니는 꼭 산 사람을 대하듯 위를 올려다보면서 조용조용히 말을 건네고 있었다. 하지만 아무리 간곡한 말씨로 거듭 타일러봐도 구렁이는 좀처럼 움직일 기척을 안 보였다. 이때 울바자 너머에서 어떤 아낙네가 뱀을 쫓는 묘방을 일러주었다. 모습은 안 보이고 목소리만 들리는 그 여자는 머리카락을 태워 냄새를 피우면 된다고 소리쳤다. 외할머니의 지시에 따라 나는 할머니의 머리카락을 얻으러 안방으로 달려갔다.

할머니는 거의 시체나 다름이 없는 뻣뻣한 자세로 자리에 누워 있었다. 숨은 겨우 쉬고 있다 해도 아직도 의식을 되찾지 못한 채였다. 할머니의 주변을 둘러싸고 속수무책으로 앉아서 사색이 다 되어 그저 의원이 도착하기만을 기다리는 식구들을 향해 나는 다급한 소리로 봉건을 발했다. 누구에게랄 것 없이 아무한테나 던진 내 말이 무척 엉뚱한 소리로 들렸던 모양이다. 할머니의 머리카락이 이런 때 도대체 어디에 소용될 것인지를 이해가 가도록 설명하기엔 꽤 시간이 걸렸다. 그리고 고모가 인사불성이 된 할머니의 머리를 참빗으로 빗기는 덴 더 많은 시간이 걸렸다. 빗질을 여러 차례 거듭해서 얻어진 한 줌의 흰 머리카락이 내 손에 쥐어졌다. 언제 그렇게 준비를 해왔는지 외할머니는 도래소반 위에다 간단한 음식 몇 가지를 차리는 중이었다. 호박전과 고사리나물이 보이고 대접에 그득 담긴 냉수도 있었다. 내가 건네주는 머리카락을 받아 땅에 내려놓은 다음 외할머니는 천천히 고개를 들어 늙은 감나무를 올려다보았다.

"자네 오면 줄라고 노친께서 여러 날 들여 장만헌 것일세. 먹지는 못헐망정 눈요구라도 허고 가소. 다아 자네 노친 정성 아닌가. 내가 자네를 쫓을라고 이러는 건 아니네. 그것만은 자네도 알어야 되네. 냄새가 나드라도 너무 섭섭타 생각 말고, 집안일일랑 아모 걱정 말고 머언 걸음 부데 펜안히 가소."

이야기를 다 마치고 외할머니는 불씨가 담긴 그릇을 헤집었다. 그 위에 할머니의 흰 머리를 올려놓자 지글지글 끓는 소리를 내면서 타오르기 시작했다. 단백질을 태우는 노린내가 멀리까지 진동했다. 그러자 눈앞에서 벌어지는 그야말로 희한한 광경에 놀라 사람들은 저마다 탄성을 올렸다. 외할머니가 아무리 타일러도 그때까지 움쩍도 하지 않고 그토록 오랜 시간을 버티던 그것이 서서히 움직이기 시작한 것이다. 감나무 가지를 친친 감았던 몸뚱이가 스르르 풀리면서 구렁이는 땅바닥으로 툭 떨어졌다. 떨어진 자리에서 잠시 머뭇거린 다음 구렁이는 꿈틀꿈틀 기어 외할머니 앞으로 다가왔다. 외할머니가 한쪽으로 비켜서면서 길을 터주었다. 이리저리 움직이는 대로 뒤를 따라가며 외할머니는 연신 소리를 질렀다. 새막에서 참새떼를 쫓을 때처럼 "쉬이! 쉬이!" 하고 소리를 지르면서 손뼉까지 쳤다. 누런 비늘가죽을 번들번들 뒤틀면서 그것은 소리없이 땅바닥을 기었다. 안방에 있던 식구들도 마루로 몰려나와 마당 한복판을 가로질러 오는 기다란 그것을 모두 질린 표정으로 내려다보고 있었다. 꼬리를 잔뜩 사려 가랑이 사이에 감춘 워리란 놈이 그래도 꼴값을 하느라고 마루 밑에서 다 죽어가는 소리로 짖어대고 있었다. 몸뚱이의 움직임과는 여전히 따로 노는 꼬리 부분을 왼쪽으로 삐딱하게 흔들거리면서 그것은 방향을 바꾸어 헛간과 부엌 사이 공지를 천천히 지나갔다.

"쉬이! 쉬어이!"

외할머니의 쉰 목청을 뒤로 받으며 그것은 우물 곁을 거쳐 넓은 뒤란을 어느덧 완전히 통과했다. 다음은 숲이 우거진 대밭이었다.

"고맙네, 이 사람! 집안일은 죄다 성님한티 맬기고 자네 혼잣 몸떵이나 지발 성혀서 먼 걸음 펜안히 가소. 뒷일은 아모 염려 말고 그저 펜안히 가소. 증말 고맙네, 이 사람아."

장마철에 무성히 돋아난 죽순과 대나무 사이로 모습을 완전히 감추기까지 외할머니는 우물 곁에 서서 마지막 당부의 말로 구렁이를 배웅하고 있었다.

이웃 마을 용상리까지 가서 진구네 아버지가 의원을 모시고 왔다. 졸도한 지 서너 시간 만에야 겨우 할머니는 의식을 회복할 수 있었다. 그 서너 시간이 무의식의 세계에서는 서너 달에 해당되는 먼 여행이었던 듯 할머니는 방 안을 휘이 둘러보면서 정말 오래간만에 집에 돌아온 사람 같은 표정을 지었다.

"갔냐?"

이것이 맑은 정신을 되찾고 나서 맨 처음 할머니가 꺼낸 말이었다. 고모가 말뜻을 재빨리 알아듣고 고개를 끄덕거렸다. 인제는 안심했나는 듯이 할머니는 눈을 지그시 내리깔았다. 할머니가 까부러친 후에 일어났던 일들을 고모가 조용히 설명해 주었다. 할머니의 머리카락을 태워 감나무에서 내려오게 한 이야기, 대밭 속으로 사라질 때까지 시종일관 행동을 같이하면서 바래다준 이야기……. 간혹 가다 한 대목씩 빠지거나 약간 모자란다 싶은 이야기는 어머니가 옆에서 상세히 설명을 보충해 놓았다. 할머니는 소리없이 울고 있었다. 두 눈에서 하염없이 솟는 눈물방울이 홀쭉한 볼고랑을 타고 베갯잇으로 줄줄 흘러내렸다. 이야기를 다 듣고 나서 할머니는 사돈을 큰방으로 모셔오도록 아버지한테 분부했다. 사랑채에서 쉬고 있던 외할머니가 아버지 뒤를 따라 큰방으로 건너왔다. 외할머니로서는 벌써 오래전에 할머니하고 한 다래끼 단단히 벌인 이후로 처음 있는 큰방 출입이었다.

"고맙소."

정기가 꺼진 우묵한 눈을 치켜 간신히 외할머니를 올려다보면서 할머니는 목이 꽉 메었다.

"사분도 별시런 말씀을 다……."

외할머니도 말끝을 마무르지 못했다.

"야한티서 이애기는 다 들었소. 내가 당혀야 헐 일을 사분이 대신 맡었구랴. 그 험헌 일을 다 치르노라고 얼매나 수고시렀으꼬."

"인자는 다 지나간 일이닝게 그런 말씀 고만두시고 어서어서 맘이나 잘 추시리기라우."

"고맙소, 참말로 고맙구랴."

할머니가 손을 내밀었다. 외할머니가 그 손을 잡았다. 손을 맞잡은 채 두 할머니는 한동안 말을 잇지 못했다. 그러다가 할머니 쪽에서 먼저 입을 열어 아직도 남아 있는 근심을 털어놓았다.

"탈없이 잘 가기나 혔는지 몰라라우."

"염려 마시랑게요. 지금쯤 어디 가서 펜안히 거처험시나 사분댁 터주 노릇을 퇵퇵이 하고 있을 것이요."

그만한 이야기를 나누는 데도 대번에 기운이 까라져 할머니는 가쁜숨을 몰아쉬었다. 가까스로 할머니가 잠들기를 기다려 구완을 맡은 고모만을 남기고 모두들 큰방을 물러나왔다.

그날 저녁에 할머니는 또 까무러쳤다. 의식이 없는 중에도 댓 숟갈 흘려넣은 미음과 탕약을 입 밖으로 죄다 토해 버렸다. 그리고 이튿날부터는 마치 육체의 운동장에서 정신이란 이름의 장난꾸러기가 들어왔다 나갔다 숨바꼭질하기를 수없이 되풀이하는 것 같은 고통의 시간의 연속이었다. 대소변을 일일이 받아내는 고역을 치러가면서 할머니는 꼬박 한 주일을 더 버티었다. 안에 있는 아들보다 밖에 있는 아들을 언제나 더 생각했던 할머니는 마지막 날 밤에 다 타버린 촛불이 스러지듯 그렇게 눈을 감았다. 할머니의 긴 일생 가운데서, 어떻게 생각하면, 잠도 안 자고 먹지고 않고 그러고도 놀라운 기력으로 며칠 동안이나 식구들을 들볶아대면서 삼촌을 기다리던 그 짤막한 기간이 사실은 꺼지기 직전에 마지막 한순간을 확 타오르는 촛불의 찬란함과 맞먹는, 할머니에겐 가장 자랑스럽고 행복에 넘치던 시간이었나 보다. 임종의 자리에서 할머니는 내 손을 잡고 내 지난날을 모두 용서해 주었다. 나도 마음속으로 할머니의 모든 걸 용서했다.

정말 지루한 장마였다.

양(羊)

"그 웬수녀르 것 아직도 안 뒈졌다냐?"

윤봉이를 두고 하는 말이었다. 외출했다 돌아오면 어머니는 늘 이런 식으로 막내의 안부를 묻곤 했다. 윤봉이는 홍역을 앓고 있었다. 어머니의 이런 소리를 들을 때마다 나는 가슴 한쪽이 뜨끔했다. 그러면서 우리 집안이 그래도 행복했던 시절에 일찌감치 그 몹쓸 병을 앓아둔 것에 감사했다. 하기야 따지고 보면 그것은 괜한 걱정이었다. 윤봉이와 나와는 엄연히 입장이 달랐다. 때문에 칠 년 전으로 거슬러 오르면서까지 내게 쏟아졌을지도 모를 구박을 상상할 필요는 조금도 없었다. 오히려 나는 그럴수록 자신을 가지고 어머니의 심정에 공감하는 편이었다. 어머니와 완전히 한통속이 되어 막내의 투병이 제발 비극으로 끝나기를 소망하고 있었다. 할 수만 있다면 내 손으로 죽이고도 싶었다. 차마 그럴 수는 없으니까 스스로 알아서 죽어주기를 바라는 것이었고, 역신(疫神)에 기대를 거는 점에 있어선 어머니 쪽이 훨씬 더 성급했다. 네 살짜리 꼬마 악마. 그는 채 네 돌을 맞기 전에 죽는 것이 너무도 당연했다. 이미 집안에 없는 사람이 된 아버지를 제외한 우리 식구 모두는 윤봉이가 하루 속히 죽어 없어지기를 노골적으로 고대하고 있었다. 그리고 우선은 윤봉이가 기대를 배반해 가면서 끈질기게 버티고 있지만 끝내는 바라는 대로 되고야 말리란 걸 아버지를 제외한 우리 식구 모두는 철석같이 믿고 있었다. 날로 악화의 길을 치닫는 여러 징후가 우리의 믿음을 실감나게 밑받침해 주고 있었다.

우리가 이해 못할 어떤 잘못이 있어 아버지를 번번이 곤경에 빠뜨려 왔다. 그리고 그 곤경은 언제나 아버지 혼자 몸에서 끝나지 않았다. 아버지에 딸린 하나하나의 목구멍들인데 우리라고 무사할 리 없었다. 불행은 항상 아버지의 신상에 어떤 위해를 가하는 방식으로 우리 집 대문을 똑똑 두들기는 것이었다. 밤중에 술을 잔뜩 마시고 시비를 벌인 끝에 아버지는 당시 목숨만큼이나 소중하다는 양민증을 압수당했다. 그런 지 며칠 안 되어 가두 불심검문에서 그만 된통으로 걸러버렸다. 어머니의 푸념대로 하자면, 돈도 없고 빽도 없고, 없는 돈빽만큼이나 재수도 없는 비슷한 처지의 다른 사내들과 함께 아버지는 시내 복판에 있는 심란스러운 창고 속에 수용되었다. 일선으로 노무자를 실어나를 수송열차편을 기다리기 위해서였다.

아버지가 돌아오지 않게 된 날부터 우리들이 맞는 밤은 유난히도 길었다. 낮 동안도 물론 그랬지만 특히 밤이 되면 고통의 편편들이 더한층 견딜 수 없는 무게로 우리를, 특히 나를 무섭게 억누르는 것이었다. 낮이 소유하지 못한 그 무엇을 그때 분명히 밤은 지니고 있었다. 뭐랄까, 그것은 보리밭에서 내 간을 노리며 부는 문둥이의 피리소리와 같았고, 때로는 선잠에서 깨어 변소를 향하다가 달빛 아래 딱 마주친 하얀 빨래에서 느끼는 전율과도 같은 성질의 것이었다. 아버지 일 때문에 아침밥을 지어놓기 무섭게 어머니는 밖으로 나돌아야만 했다. 대문을 나서기 전에 언제나 내 몫이라고 어머니가 손에 쥐여주는 한 움큼의 한숨이 있었다. 그걸 나는 한나절의 시간 위에다 데굴데굴 굴리면서 아무쪼록 어머니가 좋은 소식을 가지고 돌아오시기만을 기다렸다. 그러나 밤이 늦는데도 어머니는 기척이 없었다. 내 몫의 한숨은 야금야금 어둠을 빨아들여 언덕을 굴러 내리는 눈뭉치처럼 부풀기 시작했다. 어느새 그것은 아픔으로 심각한 두려움으로 변해서 조만간에 내 몸뚱어리마저 먹어치울 거라는 환상으로부터 좀처럼 벗어나기 어려웠다. 이럴 적에 내가 바라는 건 오직 등에 업혀 울어보채는 막내가 바위에 제동이 걸린 눈뭉치처럼 산산조각으로 부서져버리는 일이었다. 고통과 두려움을 쫓기 위해 나는 고래고래 소리를 지르거나 아니면 터무니없이 큰 소리로 울었다. 그러다가 지칠 대로 지쳐 모르는 사이에 어렴풋이 잠이 들었다. 밖에서 돌아온 어머니가 이런 말로 깨울 때까지 내게 머물던 평안은 너무 짧았다.

"그 웬수녀르 것 아직도 안 됐다냐?"

네 살짜리 악마. 언제부터인가 묘한 미신이 우리를 지배하기 시작했다. 그런 식 말고는 연거푸 닥치는 숱한 불행들을 달리 해석할 도리가 없었다. 우리를 혹심한 가난과 낙담 속으로 몰아넣은 아버지의 시련——거기에는 반드시 윤봉이가 깊은 관련을 맺고 있었다. 녀석이 항상 유령의 그림자처럼 배후에 도사리고 앉아 한톨 한톨 놀부의 박씨를 물어다 떨어뜨리는 것이었다. 가정 전체를 파멸로 이끌도록 악마가 시켜서 보낸 우리 윤봉이. 그의 백치다운 허여멀건 얼굴과 천진스럽기 그지없는 웃음 저편에서 우리는 똑똑히 검은 날개를 볼 수 있었다. 더듬거리는 그의 연설 흉내와 군가 재롱 속에서 널름거리는 비수의 혓바닥을 찾아내는 건 그리 어렵지 않았다. 네 살짜리 꼬마 악마, 우리 윤봉이.

아버지 자신은 그걸 처음부터 부인했다. 단순한 부인에만 그치지 않고 윤봉이를 겨냥해서 일제히 퍼부어지는 냉대와 구박의 과녁 역할을 자신이 직접 감당하려 했다. 하지만 일삼아 벌이는 노력에도 불구하고 윤봉이에 대한 주위의 평판은 조금도 개선될 기미가 안 보였다. 콩 심은 데서 팥을 거둘 수는 없는 법이었다. 우선 아버지의 직장 문제만도 그랬다. 오랫동안 별다른 사고 없이 근무해 온 군청에서 납득할 만한 이유도 없이 별안간 감원대상에 오른 것이다. 출처 불명의 얼토당토않은 소문들이 꼬리를 물어 능욕하듯 아버지의 고지식에 가까운 성실성을 형편없이 유린해 놓았다. 이를테면, 공금횡령의 혐의가 덮씌워지거나 인공 치하에서의 행적이 불투명했다는 오해로 은근한 내사를 받거나, 무능하다는 등으로 아버지를 요모조모로 괴롭혀온 갖가지 불순한 혐의들은 군청을 완전히 그만두는 날까지 진드기처럼 붙어다녔다. 그런 다음 취중의 귀갓길에서 빼앗긴 양민증으로 아버지는 이미 초주검을 당한 꼴이 되었던 것이다. 이 모든 것을 아버지는 그저 자신의 부덕한 소치로 돌리면서 지지리도 운이 없음을 한탄만 했다. 그렇지만 우리 보기에 적당한 간격을 두고 순서 정연히 진행된 이와 같은 일들의 연속을 우연임이 명백한 양 체념하고 넘기기엔 뭔가 억울한 느낌이었다. 틀림없었다. 그것은 일사불란한 한 개의 끈에 의해서 조종된 계획적인 범죄행위나 마찬가지였다. 그리고 그 끈의 한쪽을 단단히 붙잡고 있는 사람이 바로 윤봉이었다. 판단을 내림에 있어 우리는 결코 원족이라도 떠나는 기분으로 경솔하게 굴지는 않았다. 철부지 어린것의 행동이 곧바로 한 가정을 곤궁 속에 몰아넣은 불행의 사단이었다고 확신하기까지엔 대개 한 번쯤들 말로 못할 고통을 겪어야만 했다. 한참의 주저와 죄책감이 없이는 대뜸 윤봉이 녀석을 지목할 수가 없었던 것이다. 그러나 어쩌랴. 전후사정이나 눈에 보이는 증거들이 전부 우리 윤봉이 쪽에 불리한 것들뿐이고, 또 어머니를 비롯해서 그 애보다 나이 한 살이라도 더 먹은 우리 형제들이 모두 무언의 합의하에 내린 그것은 소위 양심의 절차를 충분히 밟은 후에 도달한 움직일 수 없는 필연인 것을 어쩌랴.

애가 본시 좀 모자라는 편에 속했다. 생긴 모양은 제법 멀쩡해서 공들여 찾아보면 한두 군데 귀여운 구석도 없지 않았다. 그러나 잠시만 주의 깊게 살펴볼라치면 게게 풀린 눈동자에서 그 애의 타고난 바보를 손쉽게 잡아낼 수 있었다. 두 돌이 가깝도록 겨우 한다는 소리가 아무 때나 분수없이 졸라대는 그놈의 '맘마' 정도였다. 걸음마를 시작한 것도 겨우 그 무렵이어서 아무튼 변변한 사람 구실하긴 아예 일찌감치 떡쪄먹었다는 게 이웃의 중론이었다. 가슴 아픈 일이긴 해도 아버지 어머니 역시 그걸 시인하고 있었다. 마음대로 안 되는 일은 막무가내 울음으로 다 해결하려 하고, 한번 울음을 터뜨렸다 하면 도대체 끝이 없고, 욕구가 어느 정도 충족되어 가까스로 울음을 그치고 나면 이번엔 언제까지나 잠만 퍼자는 그 애를 대할 적마다 어른들은 수심에 잠겼다. 모자라는 게 분명해진 이후로 그 애는 숫제 가족들의 동정 속에서만 자랐다. 그러다가 남달리 드센 고집이 나타나고부터는 그 동정마저 차츰 잃어갔다. 손도 댈 수 없는 고집통이로 머리 쓰다듬어 주는 사람 아무도 없는 속에서 저 혼자 그래도 꼼지락꼼지락 자라는 모습이 죄로 갈 말로, 가관이었다. 그러자 전쟁이 일어났고, 인민군이 내려와 마을에 주둔하기 시작했다.

소년티를 채 벗지 못한 인민군 병사 하나가 있었다. 그의 거동이나 맡은 임무가 상당히 독특한 것이어서 오자마자 우리들 눈에 금방 띄었다. 마을 안팎을 어정어정 돌아다니며 하루종일 우리 같은 조무래기들이나 상대하는 게 일이었다. 총 대신 그는 때묻은 목판을 허리 높이로 안고 다녔다. 그리고 목판 위엔 목에 쇠줄을 맨 앙증스러운 짐승 한 마리가 대뚝 올라앉아 있었다. 그것이 예리한 발톱으로 판자를 닥닥 긁어대며 적의를 품은 눈으로 아무나 잔뜩 노려보는 꼴을 보려고 애들이 그 소년병사의 뒤를 쫄래쫄래 따라다녔다. 애들을 모으기 위한 수단이었다면 그는 첫날부터 벌써 목적을 충분히 달성한 셈이었다. 그러나 그가 하는 말을 우리는 여간해서 믿으려 하지 않았다. 고양이 크기의 그것이 산에서 잡아온 호랑이 새끼라고 설명할 때마다 우리는 절반만 믿고 절반은 그냥 웃어넘겼다. 평야부에서 나고 자란 우리에게 새끼 호랑이와 어미 고양이의 구별은 쉬운 일이 아니었다. 아이들의 의심을 풀어주기 위하여 어느 날 그는 일을 꾸몄다. 우리는 그가 시키는 대로 움직였다. 목판 위의 그것보다 몸집이 약간 큰 강아지를 끌어다가 승찬이네 닭장 안에 가두었다. 준비가 진행되는 동안 멀찍한 곳에 잠시 피해 있던 그가 예의 그 짐승을 안은 채 느린 걸음으로 나타났다. 그러자 우리들 눈앞에서 기묘한 일이 벌어지기 시작했다. 벌떼처럼 모여든 아이들의 아우성에 오금이 굳어 닭장 구석에서 옴쭉도 못하던 강아지가 갑자기 낑낑거리는 것이었다. 주둥이를 땅에 박고 냄새를 맡다가 점점 다가서는 그를 보더니 마침내 강아지는 미쳐날뛰기 시작했다. 그는 쇠줄을 느슨히 쥔 다음 짐승을 닭장 앞으로 던져놓았다. 주인의 손을 떠난 그것은 단 한차례의 눈부신 도약으로 훌쩍 닭장 철망 앞에 섰다. 쇠줄을 팽팽히 당기면서 낮게 으르렁거린 다음 앞발로 땅을 파헤쳐 보얗게 흙먼지를 일으켰다. 앙증스러운 몸집에 비해 얼룩이 줄무늬를 뒤틀며 이리저리 내닫는 품이 상상 이상으로 사납고 재빨랐다. 닭장 안을 노리는 두 개의 눈망울에서 내뿜는 살기로 대낮의 일광이 오히려 무색할 지경이었다. 위협에 질려 중심을 못 잡고 갈팡질팡하던 불쌍한 강아지는 저보다 덩치가 작은 적이 재차 도약해서 철망에 달라붙는 순간 덩달아 한 차례 저도 폴짝 뛰더니 처참한 부르짖음을 마지막으로 땅바닥에 고꾸라져 그대로 까무러치고 말았다. 여름날 백주의 야만행위는 뙤약볕이 쏟아지는 송천이네 마당 한모퉁이에서 순식간에 끝나버렸다. 이제 그것은 의심의 여지가 전연 없는 완전무결한 한 마리의 맹수였다. 한바탕 불량을 떨고 나서 호랑이 새끼는 도로 주인의 품에 안겼다. 눈 깜짝할 사이에 한 마리의 맹수에서 어느새 어미 고양이와 별반 다를 게 없는 앙증스러운 모습으로 둔갑하여 더럽힌 발바닥을 혀로 깨끗이 소제하고 있었다. 그러나 우리는 아무도 그것에 속지 않았다. 생김새는 제법 깔끔한 척 저래도 마음만 먹으면 아무 때든지 상대를 습격해서 목줄기를 물고 늘어질 수 있다는 걸 분명히 보았기 때문에 아무도 입을 열지 않았다. 설불리 입을 놀릴 수가 없었다. 간담이 서늘해지던 광경의 장면 하나하나를 머릿속에 자꾸만 되새기면서 잠자코 침묵을 지켰다. 한낮의 불볕 아래 땀을 흘리며 우리는 꼼짝도 않고 서 있었다. 이때 우리는 갑작스레 터져나오는 경망스러운 웃음소리를 들었다. 내 겨드랑이 밑에서 나는 웃음소리였다. 그 소리가 아니었다면 내 겨드랑이에 거의 매달리다시피 윤봉이가 붙어 있다는 걸 나는 까맣게 잊었을지도 모른다. 윤봉이는 인민군병사의 품에 안긴 새끼 호랑이를 정신없이 올려다보고 있었다. 그러면서 벌린 입으로 연신 히히 하고 웃는 그 바보스러운 웃음이었다. 난생처음 본 광경의 충격이 여태껏 잠만 자고 있던 윤봉이의 무딘 공명판을 힘껏 난타했을 것이다. 그래서 다소 뒤늦은 느낌이나마 깜냥엔 반응을 보인다는 게 그 모양일 것이었다. 그러나 내가 듣기에 그것은 엄숙이 날로 씨로 달여 짜낸 칙칙한 휘장 같은 분위기를 서슴없이 찢는 방자한 웃음이었고, 인민군병사와 새끼 호랑이의 권위에 대한 모독이었다. 일제히 윤봉이 쪽으로 쏠리는 시선들을 느끼며 공연히 불안해졌다. 녀석이 저지른 실수 탓에 애먼 사람까지 화를 당하지 않을까 걱정이었다. 그런데 아무 일도 일어나지 않았다. 호랑이는 윤봉이의 목덜미를 물어찢지 않았고, 인민군의 입에서 떨어지는 호통도 없었다. 예상을 뒤엎고 되레 그 소년병은 윤봉이를 향해 관대한 웃음을 지었다. 득의의 실험에 맨 먼저 반응을 나타낸 웬 바보에 대해 우정을 보내는 눈치였다. 막내의 실수는 그것 한 가지로 그치지 않았다. 우리 조무래기들을 상대로 그 소년병사는 드디어 벼르고 별러 온 연설을 시작했다. 그는 자기네의 수령을 호랑이에 비유해서 동화 식으로 이야기를 꾸몄다. "영용하신 수령동지께서……." 하고 그는 주먹을 부르쥐며 힘차게 외쳤다. 그러자 윤봉이 녀석이 제꺼덕 끼어들어 "엉닝하신 수령동지께서……."라고 흉내내는 것이었다. 어눌한 흉내가 주는 희극적인 효과 때문에 웃지 않을 수가 없었다. 아이들은 간지럼이라도 타는 듯 까르르 웃음판을 벌였다. 점점 우쭐해진 윤봉이는 연설이 고조되는 대목만 나오면 어김없이 흉내를 내는 것이었고, 그럴 때마다 연사인 소년병 자신도 어쩔 수 없이 사람 좋게 웃어 보였다. 번번이 윤봉이가 중동을 자르고 덤비는 바람에 청중을 휘어잡을 수가 없는 탓인지는 몰라도 어째 썩 잘하는 연설 같지가 않았다. 아무튼 되풀이되는 방해 속에서 그래도 가까스로 연설을 끝낸 그가 우리 윤봉이 앞으로 뚜벅뚜벅 걸어왔다. 그는 새끼 호랑이 대신 윤봉이를 번쩍 안아올렸다. 윤봉이의 볼에 맨숭맨숭한 턱을 비비대는 나어린 인민군을 보고 우리는 환성을 울렸다. 지천꾸러기로만 자란 우리 윤봉이로서는 그야말로 찬란한 날의 시작이었다. 제가 화제의 주인공이 되어 난생처음 사람들로부터 주목을 받던 날의 찬란한 기억을 아마도 우리 윤봉이는 죽는 그날까지 잊을 수가 없었을 것이다.

돌아오지도 않을 아버지를 생각해서 행여나 하고 아래쪽 이부자리 밑에 묻어둔 잡곡밥 한 그릇이 있었다. 이제 그걸 처분해야 할 시간이 다가오고 있었다. 동생애들은 시계 이상 가는 비상한 육감으로 결정적인 순간의 도래를 거의 깔축없이 알아맞히는 것이었다. 아니나 다를까, 언덕 너머 남바웃동네 모퉁이 후미진 철길을 지나는 야간열차의 기적이 길게 울렸다. 그 기적소리가 동생애들의 눈에 번쩍 불을 달아놓았다. 나하고 두 살 터울인 윤석이와 하나뿐인 계집애 동생 성자가 눈에 그렇게 불을 켜고 앉아서 내 눈치를 살폈다. 으레 어머니는 기적의 여운이 사라지는 무렵 마침내 결심했다는 듯 무겁게 고개를 끄덕이는 것으로 우리에게 자비의 신호를 베풀곤 했었다. 아버지의 귀가가 늦은 이유는 대개 억척으로 마시는 술 때문이었다. 그리고 술에 취해 밤늦게 돌아온 날은 저녁을 뜨지 않은 채 그냥 잠자리에 들기가 예사였다. 아버지가 자주 취해서 되도록 비틀걸음으로 들어오기를 바라는 건 다아 그만한 속셈이 있어서였다. 밤도 어지간히 깊은 때였다. 노무자로 잡혀 수용소에 갇힌 아버지가 이런 시간에 다시 돌아올 가망은 거의 없었다. 그 애들의 눈에 붙은 불을 꺼줄 사람은 어머니가 아니고 나였다. 어머니가 그랬듯이 어머니를 대리하여 나는 마침내 자비의 고갯짓으로 허락을 내렸다. 아버지가 노무자로 잡혔다는 소식도 윤봉이의 숨 다급한 생떼거리 울음도 그것들의 식욕을 꺾지 못했다. 전쟁의 꼬리에 묻어 찾아온 흉년의 계속이 아이들을 자꾸 탐욕의 덩어리로 만들고 있었다. 야속스럽게도 그것들은 잡곡밥 한 그릇을 순식간에 먹어치웠다. 배고픔에 시달리는 사람이 저희들뿐만이 아닌데도 그것들은 밥풀 하나 남기지 않았다.

"종국이가 그러는디 노모자덜은 날마다 쌀밥만 먹는디야."

소맷부리로 입언저리를 썩썩 문지르고 나서 윤석이가 다소 멋쩍은 듯 엉뚱한 소리를 했다. 나는 대꾸하지 않았다.

"울아버지도 그럼 오널 쌀밥 먹었겠네?"

성자년이 방정맞게 툭 차고 나섰다. 아까부터 내가 잔뜩 부어 있다는 걸 그것들이 알아주기 바라면서 나는 부러 그것들의 입가심소리에 끼어들지 않았다.

"그럴 거여. 울아버지도 아매 쌀밥 먹었을 거여."

"그럼 니알 아침도 쌀밥이겠네?"

"그럴 거여. 쌀밥일 거여."

"즘심도 쌀밥? 저녁도 쌀밥?"

"그려. 끄니때마닥 쌀밥이여."

그것들은 아주 진지했다. 그것들은 '쌀밥'이란 말에 유난히 힘을 주어 무슨 그리운 사람의 이름이거나 놓으면 깨지는 물건인 양 소중스럽게 부르고 있었다. 윤봉이야 울어보채건 말건 그렇게 태평스러운 잡담으로 언제까지고 노닥거릴 작정들인 것 같았다. 그러나 그것들은 식곤증에 졸음까지 겹쳐 머리를 두어 번 꾸벅이다가 금세 쓰러져버렸다. 다 하지 못한 쌀밥얘기를 꿈속에서 마저 나누려는 것처럼 마주보는 자세로 누워 어느새 콜콜 잠이 들었다. 나는 띠를 대어 등에 업은 윤봉이를 어르면서 좁은 방 안을 사람 없는 자리로 골라 디디며 이리저리 서성거렸다. 윤봉이는 눈 하나 제대로 못 떴다. 눈은 딱 감은 채로 입만 간신히 살아 아직도 죽지 않은 값을 톡톡히 해내느라고 무섭게 칭얼거렸다. 아침 무렵만 해도 안면부위에만 머물러 있던 열꽃이 점차 아래쪽으로 번지더니 인제는 불티를 뒤집어쓴 듯 숫제 전신이 빨긋빨긋했다. 처음 시작할 때만 해도 환절기에 흔히 나도는 감기쯤이려니 하고 모두들 예사로 여겼었다. 그런 일에 경험이 많은 어머니마저 깔밋잖은 게 무슨 고뿔이냐며 손쓸 마음조차 안 먹었다. 그러던 것이 사나흘 고열에 시달리면서 심상찮은 조짐을 보이기 시작하자 뒤늦게 홍역이란 걸 알았다. 한

약방에 갈 약값은 고사하고 미음 쑬 쌀 한 주먹 구할 돈도 없었다. 병치레를 하는 것이 윤봉이 아닌 다른 사람이었다면 좀 더 나은 치료법을 썼을지도 모른다. 그런데 불행이 엎치고 덮쳐 가래가 찢어지게 어려운 저지인데다 대상이 다름 아닌 우리 집 지천꾸러기 막내였던 것이다. 잠시의 궁리 끝에 민간요법을 택하면서 어머니는 그런 따위들이 우리 형편에 쓸 수 있는 최선의 방책이라고 분명히 못을 박았다. 어머니는 살아 꿈틀거리는 가재를 한 종발이나 되게 어디서 구해 왔다. 그걸 확 속에 넣어 찧고 갈아 생즙을 짜서 먹였다. 그래도 열이 안 내리니까 이번에는 댓잎에 무슨 넌출인가를 섞어 달여먹여도 보았다. 가재와 댓잎 덕분인지는 모르지만 아무튼 어느 정도 차도가 보이는 듯했다. 그러나 그런 효험도 잠시뿐, 겨우 하루를 빤히 넘기고 나서 한풀 꺾이는 것 같던 신열이 어느새 다시 치솟고 있었다. 고장난 육감으로나마 저도 뭔가를 눈치챈 것 같았다. 유일하게 저를 역성들어 주던 아버지가 미구에 전쟁터로 끌려가게 된 것을 용히 알아차린 모양이었다. 손발을 쉴 새 없이 꼬물거리며 줄창 보채는 소리였고, 그럴 적마다 꽁꽁 동여맨 띠 속에서 몸뚱이 전체가 아래로 자꾸만 흘러내리려 했다. 어머니는 아직껏 돌아오지 않고 있었다. 예상이 빗나갈 경우 나중에 올 커다란 실망에 대비하느라고 나름대로 어머니가 돌아옴직한 시간을 내 쪽에 훨씬 불리하게 점쳐놓았는데도 매번 그것은 무참히 어겨졌다. 윤봉이 녀석보다 외려 내가 먼저 죽을 것만 같은 갑갑하고 지루한 시간의 단위를 나는 자꾸만 흘러내리는 몸뚱이를 다시 고쳐업는 동작으로 내내 헤아려왔다. 또 속은 셈치고 더 양보를 해서 앞으로 열 차례 띠를 고쳐 맬 때까지만 기다리기로 마음을 질기게 가졌다. 그 열을 세는 동안에 어느덧 통금시간이 넘어버렸다. 윤봉이를 추스를 기운은 고사하고 이젠 내 몸 하나 지탱할 수도 없게 흠씬 지쳐버렸다. 아무렇게나 방바닥에 픽픽 쓰러져 세상모르게 잠든 것들을 내려다보면서 느끼는 분노와 졸음과 무릎이 금방 절반으로 접힐 듯한 피로 때문에 소리내어 울고 싶은 심정이었다. 그럴수록 막내녀석은 이리저리 보채는 가운데 점점 몸이 부풀어 쌀가마만해졌고 두엄더미만해졌고 노적가리만해졌고 나중에는 아예 집채만해졌다. 집채에나 견줄 만큼 엄청난 무게로 등덜미를 타누르는 것이었다. 굶고 주려 언제나 비리비리한 형제들 중에서 산송장이나 매한가지인 막내를 업을 만한 기력을 가진 건 그래도 나 혼자였다. 더구나 그 일을 감당할 사람이 우리 집안에 더는 없다는 사실을 자각할 줄 아는 유일한 인물 또한 나였다. 그래서 어머니가 집을 비우는 동안 윤봉이 녀석을 도맡아 숨통을 서서히 졸라매는 일은 죽으나 사나 내 소관으로 남아 있었던 것이다. 누워 있는 것들이 밟히지 않도록 애써 빈자리를 골라 디뎌가며 나는 잠시도 멈추지 않고 서성거렸다. 그렇게 서성거리면서 이 오밤중에 어머니가 어디서 뭘 하는지를 곰곰 생각해 보았다. 도덕적인 의혹이 슬그머니 머리를 디민 것은 바로 이때부터였다. 나는 어머니를 부쩍 의심하기 시작했다. 우리를 내팽개치고 멀리 달아나버릴지도 모른다. 아니 벌써 달아났을지도 모른다. 여태까지 돌아오지 않는 걸 보면 그게 틀림없다. 전에 승찬이네 어머니도 그랬다. 승찬이네 아버지가 노무자로 붙잡혀 떠난 다음 며칠간은 보퉁이를 머리에 이고 행상을 다니는 척하다가 영영 돌아오지 않고 말았다. 그날 저녁 승찬이는 젖을 갓 뗀 승복이를 등에 업고 캄캄한 고샅길을 동네가 떠나가도록 울면서 밤새껏 헤매고 다녔다. 그때 애들이 불쌍타며 남의 일 같잖게 도망친 여자를 욕하던 우리 어머니가 똑같이 그런 짓을 하다니. 그러고 보니 내일 당장 승찬이를 만날 일이 꿈만 같았다. 녀석은 내 비아냥거림에 대한 보복으로 그때보다 훨씬 더 많은 애들 앞에서 내가 주었던 것보다 몇 배나

더한 비아냥거림을 마치 퉤퉤 침이라도 뱉듯 내 면전에 되돌려줄
것임이 너무도 뻔했다. 그런 수모를 당하기보다는 차라리 일찍 죽
어버리는 게 나았다. 차라리 나는 죽어버리고 싶었다. 죽고 싶다는
생각이 속에서 자꾸만 울음으로 바뀌어 목구멍을 치받쳐오르고 있
었다. 누군가 우리 집 대문을 두들기고 있었다. 누군가 내 이름을
큰 소리로, 한 번도 아니고 몇 번씩이나 아까부터 계속해서 부르고
있었다. 달아났던 우리 어머니였다. 우리를 버리고 달아난 줄만 알
았던 어머니가 어서 문을 열라고 성질 사납게 재촉하는 소리였다.

"그 웬수녀르 것 아직도 안 뒈졌다냐?"

문턱을 넘어서면서 어머니가 피곤에 지친 소리로 짜증스럽게 물
었다. 그 말에 나는 대꾸하지 않았다. 그것보다 먼저 어머니와 나
사이에 분명히 해둬야 할 일이 있었다. 무슨 수를 써서든 확실한 언
질을 받아내고 싶었다. 늦게나마 돌아와 준 데 대한 감사의 정과 아
직도 말끔히 가시지 않은 의혹이 나를 퍽 조급하게 만들었다.

"아버지 만나봤어?"

"만나봤다."

"아버지 말고 따른 사람 아무도 안 만났어?"

"노무자 가는 디서 빼내돌라고 예배당 장노님도 만나고 느 애빈
가 뭣인가 허는 사람 친구덜도 여럿 만나고 오는 질이다."

"그러고 또 따른 디는 안 댕겼어?"

다잡아 족치듯 묻는 서슬이 아무래도 좀 지나쳤던 모양이다. 윤
봉이를 받아들던 어머니의 눈이 별안간 완연한 세모꼴로 바뀌었다.
그러나 아직도 많이 참는 눈치였다.

"내가 만날 사람이 이 밤중에 누가 또 있겠냐."

"증말?"

"아아니, 이 오구라질 연석이!"

눈앞이 갑자기 캄캄해졌다. 그동안 참고 참았던 짜증과 부아가 어머니의 주먹 끝으로 몰려 내 등으로 머리통 위로 방망이질하듯 사정없이 떨어지고 있었다. 눈에서 불이 번쩍 일도록 귀쌈을 갈겨 준 어머니에게 진정으로 감사하고 감사하다가 간신히 잠이 들었다.

호랑이 사건 이후부터 윤봉이에겐 커다란 변화가 생겼다. 연설 흉내만이 아니라 군가를 부르는 데도 그 특이한 재주를 발휘하여 잠깐 사이에 우리 마을의 명물로 등장했다. 어른 아이 할 것 없이 마을 어디를 가나 윤봉이의 인기가 대단한 것에 가족들인 우리까지 놀라지 않을 수 없었다. 아주 내놓은 바보로 이제까지 거들떠도 안 보던 사람들이 우리 윤봉이를 구경하기 위해 일부러 마을 정자 마당에 들르는 것이었고 길을 가다가도 꼭꼭 불러세우곤 했다. 그러나 솔직히 얘기해서 이처럼 엄청난 인기에 값할 만큼 윤봉이의 재간이 하루아침에 눈부시게 급성장해 버린 건 아니었다. 발음은 여전히 어눌했고, 중간중간을 잘 까먹어 수없이 더듬거렸다. 더구나 노래 도중에 헤프게 흘리는 멀건 웃음과 굼뜬 몸놀림은 그가 여전히 어쩌지 못할 바보의 상태로 머물러 있음을 증명하고도 남았다. 그럼에도 불구하고 사람들의 극성이 윤봉이의 꽁무니에 졸졸 매달려다닌다는 건 대뜸 이해가 안 가는 일이었다. 결국 그 점에 관해선 아버지의 견해가 옳은지도 몰랐다. 윤봉이가 근심될 때마다 아버지는 곰을 이야기했다: 본디 우매한 동물이기 때문에 사람들이 곰에게는 기대는 늘 최저의 수준에서 시작되었다. 훈련에 의해 그 최저의 수준을 한 치라도 넘어선 행동을 보일 때 사람들은 그것을 굉장한 재주로 여기고 곡마단의 곰에게 박수를 보내게 된다. 윤봉이는 한 마리의 곰이었다. 곰이 되어가는 윤봉이를 슬퍼하는 사람은 아버지 혼자였다. 아버지는 슬픔을 넘어 분개하고 있었다. 동네 사람들의 극성 뒤에 감추어진 불순한 저의를 개탄하고 있었다. 철부지

어린애를 방패막이로 삼아 자기네들이 인민군을 환영하고 공산당에 적극 동조한다는 사실을 은근히 드러내는 데 이용하려 한다는 것이었다. 아버지가 가진 남모를 괴로움은 어머니에 의해 번번이 무시낭하곤 했다. 마침 살 된 일이지 뭐유, 하면서 오히려 어머니는 윤봉이를 대견한 눈으로 바라보는 것이었다. 아버지의 고민을 알 리 없는 윤봉이는 사람들이 보내는 박수를 먹으며 마냥 신명이 났다. 인민학교가 끝나면 나는 항상 윤봉이 손을 잡고 마을 정자 마당으로 향했다. 나어린 인민군병사의 지휘에 맞추어 우리는 여름 한철을 매미처럼 내내 노래만 부르며 보냈다. 그리고 그 소년병이 숙련된 조련사처럼 우리 윤봉이를 맹훈련시키는 걸 곁에서 성의껏 도우면서 나는 보람을 느꼈다. 가사를 틀리지 않게 외도록 만드는 일방 발음도 정확에 가깝게 조금씩 수정해 나갔다. 웬만한 열의가 아니고는 해내기 힘든 작업이었다. 맨손으로 물잠자리를 잡는 것에나 비길 인내심이 필요했다. 그 결과, 비겁한 놈아 갈 테면 가라 어쩌고 하는 마지막 구절까지 제법 그럴듯하게 뽑을 만큼 솜씨가 표나게 향상되었다. 한 곡조가 끝날 때마다 사람들은 어제의 바보를 찬탄의 눈으로 보면서 박수를 아끼지 않았다. 소년병은 우리 막내가 귀엽고 대견해 죽겠다는 표정으로 무동을 태운 채 정자 둘레를 한 바퀴씩 돌곤 했다. 어느 누구도 감히 우리 형제를 괄시하지 못했다. 남들이 모두 알아주는 동생을 가졌다는 건 바꾸어 말해서 웬만큼 거들먹거려봐도 별로 흠잡힐 일이 안 되는 거나 마찬가지였다. 윤봉이는 유혹에 약했다. 사람들은 마음만 먹으면 언제든지 윤봉이를 움직일 수 있었다. 몇 마디 칭찬의 말로 태엽을 감아주기만 하면 되었다. 같은 연설, 같은 군가를 몇 번이고 되풀이하는 품이 흡사 구조는 단순하나 어지간히 뒹굴려서는 고장도 안 나는 튼튼한 축음기와 같았다.

"이것이 마지막이다. 인자는 더 잽혀먹을 옷나부랭이도 없다."

아버지가 노무자로 잡힌 지 사흘째 되는 날, 시집올 때 가져왔다는 낡은 고리짝 뚜껑을 닫으며 어머니는 자못 처량한 낯빛으로 이렇게 말했다. 우리더러 들으라고 하는 소리였다. 우리들의 왕성한 식욕에 대한 뼈아픈 비난이면서 동시에 협박이었다. 어머니의 떨리는 두 손 위에 무늬도 고운 뉴똥 한복감 한 벌이 제단에 바쳐지는 산 짐승처럼 애처롭게 들려 있었다. 아버지가 실직한 후로 돈줄이 끊어져 정 다급한 지경에 다다르면 어머니는 낡은 고리짝을 뒤졌다. 우리를 모조리 밖으로 몰아낸 다음 방 안에 혼자 남아 비장의 옷감을 하나씩 꺼내는 것이었다. 그리고 애들이 함부로 손댈 수 없게 고리짝을 잘 건사해 놓은 다음에야 우리를 다시 불러들이는 것이었다. 어머니는 눈물자국을 보이지 않으려고 고개를 외로 숙이면서 꺼낸 옷감을 보자기에 쌌다. 그러면서 "이것이 마지막이다."라고 선언하는 걸 매번 잊지 않았다. 그러나 다른 애들은 몰라도 나만은 알고 있었다. 마지막 다음에도 다른 마지막이 언제까지 계속되리라고 나는 믿고 있었다. 내 눈으로 직접 바닥을 보지 않는 한 그 속에서 얼마든지 숙고사도 만들어낼 수 있고 모본단도 만들어낼 수 있는, 말하자면 그것은 동화로 들은 알라딘의 등잔처럼 요술을 부리는 보물단지였다. 그런데 그날 어머니는 우리가 보는 앞에서 처음이자 마지막으로 고리짝을 속까지 활짝 열어 보였던 것이다. 어머니가 말한 그대로 바닥이 드러나 있었다.

옷감과 맞바꾼 돈으로 어머니는 모처럼 솜씨를 부려 음식을 푸지게 장만했다. 현금이나 마찬가지인 우리 집 마지막 재산이 그런 식으로 녹아버리는 걸 나는 처음부터 원치 않았다. 그것은 분명히 낭비였다. 우리 형편을 생각할 때 그것은 분에 넘치는 호강이었다. 그리고 오랜만에, 정말 오래간만에 대해 본 그 먹음직스러운 음식 모두가 온전히 아버지 한 사람만을 위하여, 아버지에게 차입될 사식으로 마련되었다는 건 견디기 어려운 슬픔이었다. 그러나 내게는 차라리 그 편이 나았다. 윤봉이를 업고 진종일 부대껴야 하는 고역에서 풀려날 수만 있다면 그보다 더한 일도 참을 수 있었다. 나는 어머니의 심부름에 응하기로 작정했다. 음식이 그득 담긴 대바구니를 들고 집을 나섰다. 노무자 수용소까지는 굉장히 먼 길이었다. 타박타박 옮기는 걸음에 맞추어 바구니를 덮은 보자기 밑에서 포개놓은 그릇들이 서로 맞부딪쳐 달그락거리는 소리가 끊임없이 울렸다. 어머니가 신신당부하던 말을 되새기면서 들길을 지났다. 산도 넘었다. 일껏 심부름을 맡겨놓고도 어머니는 나를 끝내 못 미더워했다. 절대로 보재기를 열어봐서는 안 된다. 만약 짐치 쪼가리 하나라도 손대는 날이면 입주딩이를 짝짝 찢어놀라니께 그리 알어라. 내가 방금 뭐라도 집어먹는 걸 봤다는 듯이 문밖까지 뒤쫓아나오며 어머니는 험악한 얼굴로 똑같은 말을 수없이 되뇌고 있었다. 무덤과 묘비가 많은 숲 언덕에 이르렀다. 인공 치하에서 거의 씨를 말리다시피 화를 당한 우리 마을 곰배 정씨네 선산이었다. 누렇게 시들긴 했어도 키를 넘을 듯 무성하던 여름의 흔적이 아직 그대로인 잡초와 소나무 등치 사이로 언덕 아래 풍경이 내려다보였다. 어떤 가뭄에도 물이 마른 적이 없었다는 정씨네 충계논에서 분명히 정씨 아닌 마을 부녀자들이 어울려 가을걷이를 하고 있었다. 쉴 참의 샛밥 대용인 듯 그네들은 벼를 베다 말고 낫으로 무엇인가를 깎아먹었다. 밭에서 방금 뽑아왔는지 빨간 황토가 묻은 왜무를 우적우적 씹어먹는 모습들이 눈에 띄자 갑자기 머릿속이 어지러워졌다. 면도날로 도려내는 것 같은 공복감이 허리 이쪽저쪽을 관통하고 지나갔다. 애당초 집을 나설 때 보자기를 벗겨볼 생각 같은 건 아예 먹지도 않았었다. 그런데도 어머니는 지레 못 미더워 하지 않아도 될 말, 해서는 안 될 말들을 가리지 않고 쏟았었다. 미리 무슨 일이 벌어지도록 암시해 준 거나 다를 바 없는 태도였다. 앞으로 무슨 일이 생긴다 해도 그건 결코 내 책임이 아니었다. 짐치 쪼가리 하나라도 손대는 날이면 입주딩을 짝짝 찢어놓을라니께 그리 알어라. 어머니의 당부 아닌 당부를 마음으로 되새기면서 나는 바구니 위에 덮씌운 보자기를 벗겼다. 처음에는 그저 무엇무엇이 들었는가만 확인해 보고 도로 덮어둘 작정이었다. 그리고 맛보기로 조금 뗀 달걀부침의 둥근 갓 이상은 절대로 축내지 않을 작정이었다. 내 책임이 아니었다. 밥은 더욱 그랬다. 사발 위로 수북이 솟은 부분만 한 꺼풀 걷어낸 다음 입을 씻으려 했다. 그런데 본래대로 감쪽같이 수습해 놓으려던 게 어느새 절반 가량이나 빈자리가 생겨버렸다. 결코 내 책임이 아니었다. 육미붙이나 누름적들의 맛이 무짠지 따위와 같을 수 없었다. 더구나 우리의 주식이 되다시피 한 지게미죽과 밀기울개떡, 그리고 때로는 그것도 궁해서 뚝새풀 이삭을 빻아 뜬 수제비들이 감히 혀끝에서 기름처럼 녹는 햅쌀밥과 비교될 수는 없었다. 어머니도 그쯤은 미리 생각하고 다른 조처를 취했어야 옳았다. 처음부터 무조건 열어보지 말라고만 윽박지를 일이 아니었다. 결코 내 책임이 아니었다. 그러나 달걀부침을 담았던 빈 접시를 보았을 때 아버지가 지을 착잡한 표정이 얼핏 떠오르자 나는 갑자기 뒤라도 마려운 듯한 당황을 느꼈다. 순간적인 충동에 못 이겨 나는 엉겁결에 그만 접시를 집어던지고 말았다. 곰배 정씨네 선산 비석에 맞아 접시는 쨍그렁 소리도 요란하게 산산조각으로 깨져버렸다. 이제 증거가 없어졌으니 아버지도 섭섭히 생각할 건덕지가 없을 것이었다. 그러자 어머니의 얼굴이 떠올랐다. 쨍그렁 소리의 여운이 채 사라지기도 전에 나는 벌써 후회하기 시작했다. 내가 한 짓이 얼마나 어리석은 행동인가를 깨달았다. 접시를 어쨌느냐고 추궁하면 뭐라고 대답할 것인가. 차라리 잡초더미 속에 묻어두었다가 돌아오는 길에 슬그머니 도로 담아가는 게 훨씬 나을 뻔했다. 그러나저러나 이미 엎질러진 물이었다. 산에서 많이 지체했으므로 나중에 가외로 더 혼나지 않으려면 점심시간에 늦지 않게 내어 가야 했고, 그러려면 급히 서둘러야만 했다. 발걸음을 빨리했다. 가랑이에서 불이 일 정도로 부지런히 걸었어도 집을 나선 지 근 한 시간이나 되어서야 겨우 시내에 들어설 수 있었고, 곧 시내 복판에 있는 그 심란스러운 창고에 도착했다. 창고 앞마당에 몰려서서 웅성거리는 사람들 사이를 뚫고 들어가면서 나는 주위에 감도는 어쩐지 긴박한 분위기를 피부로 느꼈다. 아버지가 진짜 노무자가 되어 진짜로 일선으로 떠날 시간이 임박했음을 비로소 실감할 수 있었다. 때마침 점심시간이었다. 넓은 마당에 말뚝을 박고 새끼줄을 쳐 노무자로 끌려갈 사람과 면회온 가족 사이를 갈라놓았고, 그 둘레를 총을 든 헌병들이 사방에서 지키고 있었다. 인파 틈에 끼여 새끼줄 밖에서 아버지를 찾았다. 돈도 없고 빽도 없고, 없는 돈빽만큼이나 재수도 없는 수많은 사람들이 길게 줄을 서서 보리가 많이 섞인 주먹밥 한 덩이씩을 탈 차례를 기다리고 있었다. 그들은 수염이 까칠하고 옷차림이 한결같이 추저분한 것 말고도 우선 눈에 띄는 공통점으로 아랫도리가 흘러내릴까봐 앉으나 서나 괴춤을 단단히 쥐어잡고들 있었다. 도망가지 못하게시리 허리띠를 모조리 압수한 모양이었다. 모두들 그 사람이 그 사람 같아 쩔쩔매는 판인데 줄에 선 아버지가 먼저 알아보고 한쪽 손을 높이 들어 보였다. 차례가 되어 주먹밥을 타던 아버지가 새끼줄 있는 데로 다가왔다. 새끼줄 너머로 건네주는 바구니를 받아들면서 아버지는 어설프기 짝이 없게 피식 웃었다. 보자기를 벗기는 순간 맨 처음 보일 반응을 놓치지 않으려고 나는 필요 이상으로 긴장한 채 하회를 기다렸다. 모든 것이 짐작했던 대로였다.

무심코 밥사발 뚜껑을 열어보던 아버지가 문을 위흥그렇게 썼다. 아버지는 바구니 속에서 못 볼 것이라도 본 듯이 황급히 보자기를 되덮어버렸다. 그러고는 타가지고 온 주먹밥 한 쪽을 맨손으로 뚝 떼어 입에 넣었다. 주먹밥 한 덩이가 죄 없어지기까지 아버지는 아무 말도 없이 그저 여물 새기는 소처럼 느릿느릿 입을 놀렸다. 한옆으로 밀어놓은 바구니엔 두 번 다시 눈을 돌리지 않았다. 내내 아버지 얼굴에서 떠나지 않은 비참한 표정 때문에 고개를 바로할 수가 없었다. 공복감보다 더 아픈 포만감이 뭉친 주먹이 되어 부른 뱃속을 제멋대로 이사다니는 바람에 자꾸만 뒤가 마려워 변소로 달려가고 싶었다.

"너 시장허쟈?"

아버지가 말했다. 아버지는 웃으면서 말했다. 뜻밖의 그 웃음이 내게는 어쩐지 비굴한 것으로, 자칫하면 나 같은 것한테 던지는 일종의 아첨이라고 오해될 만큼 파격적으로 느껴져 나는 몹시 당황해버렸다.

"가져오니라고 욕봤다만, 나는 더 생각이 없다. 기왕 가져온 거니께 너나 먹거라."

바구니것에 조금도 미련이 없음을 보이려고 나는 강하게 도리질을 했다. 아버지는 다시 시무룩한 표정으로 돌아가 시선을 떨구었다. 아버지의 시선이 오래 머무는 곳에서 나는 파란 가을하늘이 내려앉을 정도로 번쩍번쩍 광이 나는 헌병의 구둣발을 보았다. 그리고 바로 그 옆에 방금 피우다 버린 담배꽁초가 실낱 같은 연기를 뽑아올리고 있었다. 아버지가 원하는 것이 무엇인지를 나는 알았다. 나는 아버지의 소원을 풀어주었다.

"너더러 누가 이런 것 줏어달랬냐!"

아버지는 상당히 노여운 음성으로 이렇게 책망하듯 말했다. 그러나 책망에 앞서 아버지의 눈에서 순간적으로 번쩍인 감사의 빛이 내게 이미 전달된 뒤였다. 그것으로 나는 충분했다. 나한테서 느꼈던 실망이나 불신이 그것으로 말끔히 스러졌기를 바라면서 가슴 깊숙이 연기를 뻘어들이는 모습을 지켜보았다.

"윤봉이는 지금도 잘 있냐?"

나는 그렇다고 대답했다.

"아직도 무사허다니 다행이다. 느 에미한테도 누차 당부혔다만, 좋지 않은 일이 일어나지 않게 너도 니 심껏 윤봉이를 위혀야 된다."

아버지는 숨도 안 쉬고 뻐끔뻐끔 담배를 빨아댔다. 그리고 일껏 달디달게 빨아들인 연기를 한꺼번에 모아 아주 쓰디쓰게 내뿜는 것이었다.

"너도 아다시피 그 어린것한티 무신 죄가 있겄냐. 죄가 있다면 애비 잘못 만난 것배끼 더 있냐? 털끝만침도 허물이 없는 윤봉이다가 당최 함부로 혀서는 못쓴다. 내 말 알어들었냐?"

내 입에서 대답소리가 나올 때까지 아버지는 내 눈을 똑바로 응시했다. 그리고 나서 시선을 땅바닥에 떨구었다. 이때 점심시간이 끝났음을 알리는 호루라기소리가 울리고 여기저기서 감때 사납게 지르는 헌병들의 고함이 들렸다. 흩어져 있던 사람들이 한군데로 모이기 시작했다. 말을 마치려고 아버지는 몹시 서둘렀다.

"수용소가 꽉 들어찬 걸 보니께 아배 떠날 날도 머잖은 모양이더라. 느 에미가 아모리 줄을 놔봐도 인자는 다아 틀린 일이다. 어째피 나는 떠나야 헐 몸이다. 집에 가걸랑 에미보고 씨잘디 없이 여그저그 싸댕길라 말고 집에 들앉어서 윤봉이 구완이나 잘 허라고 허드라고 단단히 일러라."

마지막 한 모금을 길게 빨아들인 다음 아버지는 잡을 자리도 없게 짧아진 꽁초를 땅에 던졌다. 흘러내리는 바지춤을 붙잡고 어기적걸음으로 멀어져가는 아버지의 뒷모습을 보자니까 자꾸 눈물이 쏟아지려 했다. 어떤 보이지 않는 커다란 손이 우리 집을 보호하고 있어 다른 사람 다 노무자로 끌려가도 우리 아버지만은 요행수로 빠질 거라는 여태까지의 막연한 믿음이 여지없이 무너지는 순간이었다. 모두가 윤봉이 탓이었다. 아버지 앞에서는 어쩔 도리 없이 머리를 끄덕였지만 새끼줄 바깥에 나 혼자 서 있는 지금 생각하는 우리 집안의 불행은 죄다 윤봉이 녀석이 악마하고 손을 잡은 데서 비롯되는 재앙이었다.

수복이 되어 인민군이 쫓겨가고, 쫓겨간 그 자리의 공백을 메운 경찰이 기능을 되찾아 완전히 치안을 확보하기까지 우리 마을도 예외없이 격심한 북새를 치렀다. 어른들이 많이 피를 흘리고 상처를 입었다. 자고 일어나서 아직 자기가 무사한 것에 감사할 줄 모르는 사람이 있다면 그건 우리 어린애들뿐이었다. 잡아가도 도망치고 죽임을 당하는 험악한 소동은 언제나 어른들 선에서 그쳤다. 우리들 세계에까지 어떤 직접적인 피해가 미쳤다는 얘긴 들은 적이 없다. 그런데도 우리는 스스로 제 앞자락을 조심할 줄을 알았다. 입 한번 잘못 벙긋하는 날이면 어떤 꼴이 된다는 걸 어른들의 경우에서 간접으로 체험했기 때문이다. 그러나 관성의 법칙이란 무서운 것이어서 그렇게 조심하는 가운데도 때로는 머리끝이 쭈뼛해지는 수가 많았다. 혼자서 고샅길을 걷거나 애들끼리 모여놀 때 저도 모르게 흘러나오는 것이 이미 뇌리에 박혀버린 그놈의 인민군가였다. 그걸 부르다가 퍼뜩 제정신이 들어 본능적으로 주위를 살핀 것이 여러 번이지만, 누구보다 기겁을 하는 사람이 우리 어머니였다. 큰일날 짓을 한다면서 무섭게 책망하는 것이었다. 어머니가 말하는 큰일은 곧바로 죽음을 의미했다. 다시는 내 입에서 그런 노래가 못 나오도록 어머니는 악몽보다 더 끔찍스러운 광경을 상기해 주려고 애를 썼다. 사실은 그럴 필요가 별로 없는 새삼스러운 노력이었다. 나는 꼭 그만한 길이의 뱀이 되어 무릎을 꺾인 영구네 큰아버지의 맨등허리에 철썩철썩 휘감겨서 연방 살껍질을 벗겨내던 기다란 자전거 체인을 기억하고 있었다. 심야의 마을을 뒤흔들던 즉결처분의 총소리와 비명도 생생히 기억하고 있었다. 새끼 호랑이를 다루는 소년 병사가 흰 것을 검다고 혹은 검은 것을 희다고 뇌리 저 밑바닥에 깔아놓은 혼돈을 완전히 제거하기까지엔 상당한 시간이 걸렸다. 몇 고비를 넘긴 다음에야 비로소 우리는 인민군가 대신 학교에서 배운 새 노래로, 화랑담배 연기 속에 사라진 전우를 소리높여 부를 수 있게끔 되었다. 그런데 문제는 윤봉이었다. 세상이 완전히 뒤바뀌었음을 그 애한테 이해시키기란 참말이지 장대로 보름달을 따는 것보다 더 불가능한 일이었다. 녀석은 저를 그토록 귀애해 주던 나어린 인민군병사가 왜 갑자기 떠나버렸는지를 이해하지 못했다. 그리고 제 노래에 박수와 칭찬을 아끼지 않던 마을 사람들이 약속이라도 한 듯이 하루아침에 마음을 바꾸어 바보 윤봉이로 통하던 당시처럼 다시 거들떠도 안 보게 되었는지 그 까닭을 전연 몰랐다. 하기야 녀석 입장에서 본다면 구태여 그걸 알고 이해할 필요가 없는 노릇이었다. 녀석의 머릿속에서는 여전히 축음기판이 돌아가고 있었다. 마음이 내킬 때마다 그걸 틀기만 하면 되었다. 그걸 틀고만 있으면 빛나던 시절 화려한 기억이 저한테서 떠나지 않고 머무는 줄로 알았다. 딱한 일이긴 해도 시간이 지나면 자연히 고쳐지는 병이려니 생각하고 크게 신경들을 안 썼다. 다만, 인제는 내놓을 만한 게 못 되는 그 버릇이 아무 데서나 불쑥 튀어나올까봐 되도록이면 집 안에서만 놀도록 배려를 했다. 그러나 어림도 없는 일이었다. 시간이 흐를수록 우리의 예상이 자꾸만 빗나감을 느끼고 당황하기 시작했다. 달래도 보고 혼뜨검도 내보았지만 다아 소용없는 짓이었다. 녀석은 누구로부터 칭찬받고 싶은 욕구가 동할 때마다 때와 곳을 가리지 않고 인민군가를 기운차게 부르는 것이었다. 그걸 들을 때마다 온몸에 소름이 돋았다. 그것은 피를 부르는 소리였다. 뺨 한 대 얻어맞은 과거를 찌르면 등 쪽까지 꿰뚫리는 죽창으로 앙갚음하는 세상이었다. 비단 인공 치하에서 거의 씨를 말리다시피 된 곰배 정 씨네뿐만이 아니라 여차하면 당장이라도 쫓아올 성싶은 사람이 마을 안에 여럿 있었다. 그들 앞에서 눈곱만치라도 공산당에 관계된 흔적을 내보이지 않으려고 마을 사람 누구나 혀를 호주머니 속에 넣고 다니듯 하는 판국이었다. 집에 자주 놀러 오던 어머니 연배의 마을 아낙네들도 한두 번 윤봉이의 연설 흉내와 군가를 들은 뒤로는 녀석과 마주치는 걸 꺼리는 눈치가 완연해졌다. 지금이 어떤 세상인데, 하면서 그네들은 어머니한테 넌지시 충고까지 하는 것이었다. 결코 무리가 아니었다. 누가 듣겠다 싶으면 어머니는 윤봉이 입을 손바닥으로 틀어막곤 했다. 하지만 아무리 수단을 다해 봐도 녀석의 고집을 꺾을 수는 없었다. 말리면 말릴수록 더욱더 기를 써가며 이미 물거품이 돼버린 지난날의 명성을 놓치지 않으려고 안간힘을 다하는 것이었다. 난생처음 수많은 사람들로부터 관심의 대상이 되던 날의 찬란한 기억을 몰아내고 대신 다른 것으로 채워줄 적당한 선물이 우리에겐 없었다. 끼니때가 되면 밥을 달라는 뜻으로 목청껏 군가를 부름으로써 어머니가 저를 주목해 주기 바랄 정도였다. 결국 어머니 입에서, 이 웬수녀르 것아, 라는 말이 빈번히 쏟아져 나오기 시작했다. 그리고 동네 안에 차츰 소문이 번져 전번과는 전혀 다른 각도에서 윤봉이는 재차 유명해졌다. 위태위태한 명물이 된 아들에게 아버지는 놀랍게도 아주 관대했다. 철부지 어린애 장난인데 그걸 가지고 시비할 사람이 누가 있겠냐면서. 사실 아버지 주장대로 아직은 윤봉이를 탈잡아 자전거체인이나 죽창을 꼬나쥔 채 우리 집에 나타난 사람이 아무도 없긴 했다. 그러나 아직 안 나타났다는 것과 언제 나타날지 모른다는 것과는 엄연히 뜻이 통하는 말이었다. 어느 때부터인가 불행이 아버지 신상에 슬금슬금 어떤 위해를 가하는 방식으로 우리 집 대문을 넘보기 시작했다. 그리하여 불행을 불러들인 흉물로 우리는 마침내 윤봉이를 지목하기에 이르렀다.

아버지의 당부를 어긴 채 어머니는 또 외출을 했다. 다 죽어가는 윤봉이는 갈 데 없이 또 내 손에 맡겨졌다. 어머니가 찾아다니는 사람은 교회 장로일 것이 뻔했다. 그 사람이라면 널리 알려진 지방유지니까 아버지를 빼내는 데 힘이 될 수도 있을 것이었다. 어머니가 한때 지성으로 교회에 다닌 적이 있었다. 외국 자선단체에서 보내오는 구호물자가 심심찮게 나오던 무렵이었다. 무슨 이유에선지 어머니는 그토록 신심 깊게 나가던 교회를 갑자기 그만두고 조금의 미련도 없다는 눈치로 매주 일요일을 집에서 하는 일 없이 지내왔다. 이제 다급해진 마당에 뻔질나게 김 장로님을 찾아다니는 건 만일 일이 뜻대로 잘될 경우 구호물자에 구애됨이 없이 다시 교회에 출석하겠다고 결심을 굳혔음이 분명했다. 간밤에 귀띔해 준 얘기로는 김 장로님의 활약에 어느 정도 가능성이 비쳐 어머니는 거기에 전적으로 기대를 걸고 있는 모양이었다. 어머니는 거의 절박한 상태에 다다른 윤봉이의 병세를 살피고 나갔다. 윤봉이는 숨결이 고르지 못했다. 그리고 끓는 물주전자처럼 후끈후끈 단 김을 입으로 불규칙하게 내뿜었다. 숫제 아무것도 입에 대지 않은 지 이미 오래여서 손으로 받쳐들면 증발해 버린 만큼의 체중을 쉽게 가늠할 수 있었다. 버찌나 오디를 게걸스럽게 먹은 입처럼 파랗게 질린 입술이 가늘게 떨렸고, 입술에서 시작된 경련은 곧 전신으로 퍼져 간단없이 수족을 푸들거렸다. 어머니가 속수무책이었듯이 나 역시 어찌

할 도리가 없었다. 나는 윤봉이를 등에 업고 하루해를 꼬빡 보냈다. 윤봉이가 깨어 보챌 때는 다독거리기 바빴고, 다시 잠이 들어 잠잠해지면 흐트러진 생각들을 나름으로 정리하기 바빴다. 나는 줄곧 두 가지 경우를 놓고 그 가능성을 저울질해 보았다. 우리 집안의 불행이 앞으로 더 계속되고 더 확대되는 경우, 그리고 전쟁이 일어나기 전처럼 우리가 다시 행복한 시절로 돌아가는 경우. 그런데 우세하리라고 예상되는 건 항상 불행한 쪽이었다. 나는 아무런 대책도 세울 수 없는 암담한 시점에서 그저 무턱대고 만일의 경우만을 생각하며 혼자 몸서리를 쳤다. 만일 아버지가 그대로 끌려간다면, 만일 아버지가 전쟁터에서 죽는다면, 만일 어머니가 우리를 버리고 도망치는 일이 생긴다면, 만일 우리가, 만일, 만일, 만일…… 승찬이 말을 믿는다면, 노무자라 해서 꼭 위험한 것만은 아니었다. 뒷전에서 탄약통이나 나르다가 전투가 끝나면 부상병과 시체를 치우는 작업이니까 다 죽으란 법은 없었다. 때가 되면 소련군처럼 어깻죽지서부터 팔목에까지 시계를 주렁주렁 차고 부자가 되어 돌아온다며 승찬이는 끝내 고독한 주장을 고집했다. 믿어지기는커녕 비웃음사기 똑 알맞은 허세로 몰려 애들로부터 번번이 지청구를 먹곤 했다. 그런데 내일이나 모레쯤이면 그와 꼭 같은 주장을 하는 아이가 마을에 하나 더 생길 판이었다. 설마 우리 아버지가 노무자로 붙잡혀갈 줄 누가 짐작이나 했겠는가. 그걸 미리 알았더라면 승찬이한테 그렇게 함부로는 절대로 대하지 않았을 것이다.

어둡기 시작하면서 윤봉이는 상태가 아주 나빠졌다. 간헐적으로 잠깐씩 찾아오던 혼수상태의 빈도가 점차로 잦아지고 시간도 따라서 길어졌다. 그렇게 혼수상태에 빠져 사그라지는 소리로 뭔가를 자꾸 중얼거렸다. 거의 알아들을 수도 없는 헛소리였다. 그러나 주의 깊게 들어보면 거기엔 수상쩍은 운율과 일정한 강약의 흐름이

묻어 있었다. 맞다. 나는 그것이 무엇을 의미하는 건지 쉽사리 짐작
이 갔다. 그것은 군가였다. 맞다. 그것은 피를 부르는 노래였다. 그
것은 그를, 녀석을 한때 빛나게 하고, 한때 자랑스럽게 만들던 군
가, 인민군가였다. 그것은 그로부터, 녀석으로부터 그 자랑스러움
과 빛남을 송두리째 거두어 타고난 바보, 손댈 수 없는 고집통이로
재빨리 되돌려놓고, 다시 엄청난 불행 속으로 고삐를 끌어 지금 와
서 파멸 직전에 놓이게 만든 노래, 피를 부르는 노래였다. 기진한
상태에서 그래도 본능을 다하여 누군가 전처럼 다시 저를 주목해
주기 바라며 부르는, 또는 제정신이 아니게 토해 내는 그것임이 틀
림없었다. 그러는 윤봉이를 차마 내려놓을 수가 없어 그대로 업고
있었다. 업고 서성거릴 때는 그래도 좀 다소곳한 듯하다가 방바닥
에 내려놓는 기미만 보이면 어떻게 그리 알아차리는지 꼼지락거리
며 보채는 품이 용하기도 했다. 다른 동생애들은 저녁을 먹기 무섭
게 벌써들 쓰러져 잠이 들었다. 내가 짊어진 피곤과 고통에서 나를
구해 줄 오직 한 사람은 지금 집에 없는 어머니였다. 나는 어머니가
어서 속히 돌아오기를 싹싹 빌었다. 그러나 어머니는 또 귀가가 형
편없이 늦어지고 있었다. 야간열차가 길게 기적을 깔아놓으며 남바
웃동네 후미진 철길을 지나갔다. 그 속에 시방 아버지가 타고 있을
지도 모른다는 생각이 얼핏 머리를 스쳤다. 그러자 일껏 사라지려
던 기적 소리가 확 낚이어 귓바퀴에 던져진 듯 별안간 쟁쟁히 되살
아나 언제까지고 머무르려 했다. 밤이 깊을수록 고래귀신이 잡아끄
는 다리가 점점 뻣뻣이 굳어 장작개비처럼 말을 제대로 안 들었다.
한 차례씩 윤봉이가 몸을 뒤척일 때마다 등으로 전달되는 무게가
자꾸 달라졌다. 그렇게 몸이 부풀어 윤봉이는 잠깐 사이에 쌀가마
만해졌고 두엄더미만해졌는가 하면 어느새 노적가리만해졌고 또
나중에는 집채만해져서 엄청난 기세로 잔등을 짜부러뜨리려 했다.

주체스럽게 대고 밑으로 흘러내리는 몸뚱이를 추슬러 고쳐업으면서 그것을 낱낱이 숫자로 헤아렸다. 예상되는 어머니의 귀가 시간에다 고쳐업는 동작의 숫자를 포개어 천천히 세어나갔다. 속는 셈 치고 양보를 해서 몇 번씩 그 짓을 되풀이해 봤으나 어머니는 여전히 돌아올 기척도 안 보였다. 어느덧 통행금지에 가까운 시간이었다. 나는 문득 옛날이야기를 기억해 내었다. 나하고 비슷한 처지의 한 소년이 주인공으로 등장하는데, 그가 사용한 방법이 내 것보다 훨씬 현명했음을 깨달았다. 묵은 이야기 속에서 소년도 나처럼 자꾸 울어보채는 동생을 달래며 애타게 어머니를 기다리고 있었다. 건넛마을 잔칫집에 일봐주러 간 어머니가 밤이 이슥하도록 돌아오지 않고 있었다. 소년은 동생을 타일렀다. 지금쯤 어머니는 잔칫집 대문 밖을 나섰을 거라고, 일해 주고 얻은 떡과 과일을 함지에 그득 담아 돌아올 거라고 속삭였다. 그렇다. 우리 어머니도 지금쯤 시내 변두리를 다 벗어나 시골길을 바람같이 달려오고 있을 것이었다. 그러자 내게도 실오라기만한 희망이 비치기 시작했다. 한참 후에 소년은 또 속삭였다. 어머니가 지금 마악 고개턱을 넘어서는 중이라고 동생을 다독거렸다. 해방(海防) 바람에 맞아 중동이 부러진 왕소나무 밑을 지나 어머니는 곧장 곰배 정씨네 선산 경계에 접어들고 있었다. 한참 후에 소년은, 어머니가 동구 밖 공동샘을 지났다고 속삭였다. 어머니는 마을 바로 앞 실개천 징검다리를 한달음에 건너뛰었다. 이제 조금만 있으면 똑똑 소리 나게 문을 두드릴 차례였다. 그러나 어머니는 아직도 모습을 나타내지 않았다. 소년은 울어보채는 동생을 연방 달래가면서 잔칫집 대문서부터 새로 시작했다. 나도 시내 어떤 집 추녀 밑에서부터 다시 시작했다. 반복할 때마다 징검다리 근처까지는 오기가 수월한데 그 이후로는 언제나 감감무소식이었다. 그러다가 소년네 오두막에서는 마침내 문 두드리는 소리가 났다. 그런데 소년이 문을 열어주자 뛰어든 것은 고갯마루에서 어머니를 잡아먹고 어머니 옷으로 변장한 호랑이였다. 나는 순간적으로 빠져든 의심의 늪에서 좀처럼 헤어날 수가 없었다. 여태까지 안 오는 걸 보면 우리를 팽개치고 멀리 달아났음이 분명했다. 전에 승찬이네 어머니도 그랬다. 그러지 않으려 했는데 속에 맺힌 설움이 소리에 풀려 자꾸만 눈물로 비어져나오고 있었다. 한바탕 시들어지게 울고 나자 속이 웬만큼 가라앉는 듯했다. 그리고 곧이어 졸음이 밀려왔다. 꿈결인 듯 생시인 듯 나른한 속에서 무엇이 쿵쿵 벽에 부딪치는 소리를 이따금 들었다. 끙끙 앓는 신음소리도 들었다. 화들짝 놀라 정신을 차리고 보면 나는 한쪽 어깨를 벽에 의지해 버티고 서 있었고, 동체에서 겉노는 윤봉이의 머리가 포대기 밖으로 축 처져 까불거리는 것이었다. 간신히 윤봉이를 추스르고 나서 강력한 수면욕(睡眠慾) 앞에 솜처럼 지친 나를 송두리째 내맡겨 버렸다. 그렇게 옹색스러운 자세로 얼마나 졸았을까. 대문을 두들기며 부르는 소리에 퍼뜩 정신이 들었다.

"그 웬수녀르 것 아직도 안 뒈졌다냐?"

만사가 다 귀찮다는 듯 착 까라진 음색에서 나는 이미 글러먹은 일임을 직감했다. 어머니는 방바닥에 퍼석 주저앉으며 문풍지가 떨리게 한숨을 쉬었다.

"밤차로 떠났다." 저고리를 벗어던지며 어머니가 중얼거렸다. "느이 애빈가 뭣인가 허는 사람 아까막시 밤차로 떠나버렸다." 어머니는 치마마저 훨훨 벗어던지며 이렇게 중얼거렸다. "밤차로 떠나는 걸 눈 번히 뜨고 보다가 오는 질이다."

어머니는 쉬엄쉬엄 언성을 높여갔다. 어머니는 헌병을 저주했다. 경비가 허술한 틈을 노려 내빼는 건 눈감아 준다는 조건으로 돈을 암만이나 처먹고도 약속을 안 지킨 헌병에게 저주를 퍼부었다.

그리고 친구를 구해 내는 일에 쩨쩨하게 군 아버지의 친구분 모두를 저주했다. 그리고 아버지한테도 무서운 저주를 퍼부었다. 아울러 돈 없고 빽 없어 전쟁마당에 끌려가거나 하는 못난 사내들, 처자식 딸린 세상의 모든 얼간이 남편들을 저주했다. 마지막으로 어머니는 무심한 하느님에게 저주의 말을 쏟다가는 허겁지겁 물을 찾았다. 찬물 한 대접을 죄 비우고 나서야 겨우 좀 진정이 되는 모양이었다. 비로소 생각이 윤봉이한테 미친 듯 내 등 쪽을 보는 눈이 도로 시들해졌다.

"어따 그 작것 어서 인내라."

어머니가 돌아왔는데도 아까부터 꼼짝도 하지 않는 것이 그저 깊은 잠에 빠진 탓이거니 생각하고 있었다. 그런데 윤봉이를 받아 들던 어머니의 손이 별안간 주춤했다.

"아아니, 이게 무슨 재변이랴!"

포대기에 싸인 윤봉이를 와락 끌어당겨 어머니는 한참이나 눈여겨보았다. 나 역시 놀라지 않을 수 없었다. 눈은 꼭 감고 입은 맥없이 벌린 채 윤봉이는 잿빛이다 못해 시꺼맸다. 그와 같은 얼굴은 전에 여러 번 본 적이 있었다. 그것은 무수히 죽창에 찔려 밭둑에 함부로 나뒹굴던 사람의 얼굴이었다. 그것은 사지를 포박당한 채 구덩이 속에 절반쯤 파묻혀 있던 사람의 얼굴이었다. 어머니가 나 있는 쪽으로 천천히 고개를 돌렸다. 삼킬 듯이 노려보는 얼굴이 더욱더 험악하게 일그러졌다. 어머니가 보인 뜻밖의 반응은 실로 나를 당황하도록 만들었다. 칭찬 같은 건 기대하지 않았었다. 그러나 입 때까지의 입버릇으로 보아 그것은 비록 모르는 사이에 밤도둑처럼 찾아온 죽음이어서 잠시 놀라긴 했을망정 당연한 순서로, 어쩌면 어렵게 이룬 소망으로 다소곳이 받아들일 줄만 알았다. 그런데 그게 아니었다. 어머니가 덜미를 움켜 동댕이치는 바람에 나는 방구석에 넉장거리로 끌어박혔다. 헐떡거리는 숨결이 얼굴을 덮었다.

"웬수야, 이것아!" 어머니는 닥치는대로 꼬집고 할퀴었다. "어쩌자고 동상놈 숨넘는 종도 모르고 업고만 있었냐!" 어머니는 남정 같은 억센 주먹으로 아무 데나 쥐어박았다. "누구 숨수라고 니 봉상 삶아먹었냐, 이 웬수녀르 것아!" 어머니는 마침내 통곡하기 시작했다.

동생애들이 잠에서 깨어 아직은 무슨 영문인지도 모르면서 일제히 울음을 터뜨렸다. 잠시 후에는 울음소리를 듣고 바로 이웃집 아주머니가 속곳 바람으로 달려왔다. 가까운 데 사는 아낙네들이 하나둘 우리 집 마당으로 모여들었다. 새로운 사람이 나타날 때마다 어머니는 꼭 나를 손가락질하면서 울었다.

"저 웬수가 윤봉이를 잡아먹었다네. 시상에 이럴 수도 있당가. 우리 윤봉이를 잡아먹었다네."

"내가 안 쥑였어!" 억울해서 견딜 수가 없었다. 가만있다가는 살인의 누명을 뒤집어쓸 판이었다. 나는 항의를 되풀이했다.

"내가 쥑인 게 아니란 말여!"

"니놈이 안 쥑였으면 누가 쥑였냐? 우리 윤봉이를 쥑인 게 누구란 말이냐, 이놈아!"

어머니는 내 입에서 항의가 나올 때마다 달려들어 한바탕씩 두들겨패곤 했다. 나는 결코 윤봉이를 죽인 적이 없다. 그러나 누가 죽였느냐고 묻는 데는 달리 대답할 말이 없었다. 나는 결국 입을 다물고 말았다. 동네 사람들이 나를 쳐다보며 혀를 끌끌 찼다.

"낭중에라도 우리 집 양반이 살어서 돌아오면 뭐라고 대답헌디야. 뭐라고 둘러댄디야."

방바닥을 때려가면서 어머니는 몹시 서럽게 울었다. 울음 반 넋두리 반으로 어머니는 그 밤을 꼬박 밝혔다.

물속에서 허위적거리는 사람이 지푸라기라도 붙잡는 심정 그대로였다. 헌병이 남기고 간 마지막 말에 어머니는 일부의 희망을 걸고 있었다. 대전 못 미처 어떤 고개를 느릿느릿 넘을 때 소피를 보겠다고 아버지가 사정을 한다. 헌병 아저씨는 못 이기는 척하면서 출입구를 약간만 열어준다. 그러면 아버지는 달리는 화물열차에서 잽싸게 뛰어내리고 뒤에서 헌병이 공포를 쏜다. 이런 식으로 무슨 활극영화의 한 장면 같은 약속이 되어 있는 모양이었다. 천행으로 아버지가 돌아올 것에 대비해서 어머니는 하룻밤 더 윤봉이를 집안에 두었다. 그러나 기다릴 만큼 기다려봐도 아버지는 돌아오지 않았다. 돌아오지 않을 것이 십중팔구 확실해지자 어머니는 마을에서 삯꾼을 두 사람 얻었다. 거적때기에 덮여 지게로 실려나가는 윤봉이 뒤를 따라가지 못하도록 어머니가 한사코 말렸다. 뺨에 와닿는 가을바람이 한층 신산하게 느껴지는 밤이었다. 집 모퉁이를 돌아가면 마을 뒷산은 바로 지척이었다. 해마다 복날만 되면 개를 매달아 불에 그을리던 솔숲이 어둠 속에서 어렴풋이 가늠되었다. 그곳에서 화톳불이 활활 타오르는 광경을 나는 그저 멀거니 바라보고 있었다. 치솟는 화광 위를 우리 윤봉이는 제 몸을 살라 제가 지녔던 바보와 고집으로 뒷산을 채우고 들을 가득 채우고 그게 모자라 나중에는 하늘마저 빼곡 채우려 하고 있었다. 그 대신 불이 우리 윤봉이한테 덤벼들어 손과 발을, 동체와 머리를 그리고 언제나 엉터리로만 세상을 바라보던 두 눈과, 군가를 흉내내던 어눌한 입을 남김없이 아귀아귀 삼키고 있었다. 그러자 나는 속으로 무엇이 울컥 치밀어오름을 느꼈다. 심한 욕지기와 함께 나도 모르는 사이에 눈물이 쏟아져나왔다. 입에 손가락을 넣어 먹은 걸 꾸역꾸역 토해 내면서 나는 드디어 울음을 터뜨리고 말았다. 동생을 죽였다는 누명이 아무래도 분하고 억울해서 나는 불이 다 사그라져 다시 어둠 속에 온전히 휩싸인 마을 뒷산을 앞에 두고 소리내어 울었다.

제식훈련 변천약사

하오의 운동장 안에서 우리 말고 달리 또 움직이는 것이라곤 아무것도 없었다. 우리 역시 좋아서 하는 노릇은 결코 아니었다. 우리들 수강생 일동은 구령에 맞추어 마지못해 수족을 놀리고 있었다.

낡은 헝겊 쪼가리처럼 풀기 없이 늘어진 넓은 잎들을 주체스럽게 매단 채 플라타너스의 긴 행렬이 운동장 가에서 마냥 힘겨워하고 있었다. 축구장 골문 근처를 휘덮은 바랭이 잎과 수작하는 실바람 한 점 느낄 수 없는 날씨였다. 오직 누리에 무성한 것은 햇볕, 그리고 또 햇볕일 뿐⋯⋯.

"오(伍)와 열(列)! 오와 열!"

특히 그것은 우리를 담당한 체육과주임 강 교수가 쓰고 있는 하얀 운동모의 비닐챙 위에서 한껏 위세를 떨치고 있었다. 구령에 장단을 넣기 위해 그가 고개를 꺼떡거릴 적마다 파란색의 그 비닐챙은 위로부터 쏟아지는 무더기 햇볕을 덥석 받아 곧바로 우리들 시야 속에 획 뿌리고 또 획 뿌리는 그 노릇을 쉬임 없이 반복하는 것이었다.

눈농보 자체가 너무 깊숙이 눌러씌워진 탓도 있긴 했다. 하지만 그보다도 우리들 쪽에서 강명록 교수의 유명한 세모꼴 눈매를 역력히 볼 수 없는 진정한 이유는 그 비닐챙이 이루는 짙은 그늘에 있는 셈이었다. 이렇게 강 교수는 자기 시선이 어디를 향하는지를 눈치채지 못하도록 계속 유리한 위치를 고수해 가며 어느 누구의 태만이나 실수도 허용하지 않았다.

"하나, 하나! 왼발, 왼발! 오와 열, 오와 열!"

그늘의 맨 가장자리가 만드는 날카로운 선 때문에 우리 강 교수의 코는 중동이 싹뚝 잘린 듯했고, 그래서 두루뭉수리 그 콧잔등 부위가 제 근본을 멋대로 벗어나 저 혼자 허공에 날름 떠 있는 듯했고, 또 거기만 특별히 밝은 조명을 받고 있는 것처럼 보였다. 오전에 이어 오후에도 내처 옥외 강습의 강행이었는데, 그러면서도 그는 얼굴 구석에 얼쩍지근한 땀기 하나 내비치지 않았다. 어느덧 장년의 나이인 그에 비길 때 우리들 수강생 일동은 빛나는 그 젊음에도 불구하고 너나없는 물렁이었다. 모두들 땀독에 빠져 있었다. 소금을 뒤집어쓴 듯이 눈알이 쓰리고 먼지투성이 위아래 트레이닝은 자꾸만 등덜미와 허벅지에 감겨들었다.

"걸음 바꿔이 갓!"

사실 행진 중에 걸음(보조)을 바꾼다는 건 그다지 어려운 동작이 아니었다. 그런데 이미 더위를 먹을 대로 먹어버린 우리의 지각(知覺)은 일단 받아들인 명령을 다리에까지 전달하는 일에 몹시 게으르고 불성실했다. 보나마나 결과는 엉망이었다. 일제동작이 되질 못하고 저마다 뒤죽박죽이어서 그것 때문에 또 한 번 고참교수의 분노를 사고 말았다. 간격을 넓혀간다든가, 분대별로 방향을 바꿔 일단 흩어졌다가 원위치로 차례차례 되돌아와 다시 대오를 정비하는 등, 어느 정도 기계적 정확성 아니면 순발력을 필요로 하는 복잡한 동작일 경우에는 가뜩이나 그러했다. 그래서 강명록 교수는 영 가망없이 자주 틀리는 몇 사람을 따로 불러내어 실내 체육관 앞 백화나무를 구보로 돌아오는 선착순을 시키곤 했다.

"제군들은 빅었다!"

적당한 사이를 두고 연방 불호령이 떨어졌다.

"그 썩어빠진 정신머리를 가지고 어떻게 이세들의 앞날을 올바로 인도할 것인가. 본인은 그저 한심스럴 뿐이다!"

그것은 실로 부당한 대우였다. 그와 같은 파격의 책벌을 우리가 달게 견뎌야 할 이유라곤 전혀 없었다. 거기는 논산이 아니었고, 우리는 소집영장을 받고 온 신병이 아니었다. 지금의 처지가 아무리 피교육자 신분이라곤 하지만 어디까지나 우리는 사회인이었다. 다만, 방학기간을 이용해서 1정(1급 정교사) 강습을 받으러 온 도내 중고교 체육교사들이기 때문에 1정을 따느냐 못 따느냐의 문제가 있을 뿐인데, 강 교수는 그와 같은 약점을 십분 활용하여 우리에게 시종 몰풍스럽게 굴고 있었다. 우리는 입때껏 똑 부러진 항변 한마디 못 건넨 채 질질 끌려만 나온 참이었다. 거개의 수강생들이 과거의 사제지간이란 끈으로 강 교수와 질기게 맺어져 있어서 항변해 봤자 아무 소용 없는 강 교수의 고집불통을 익히 알고 있었던 것이다.

"하낫 둘, 하낫 둘, 간격 좁혀이 갓! 오와 열, 오와 열! 소대원간 간격 십 센치! 기준분대 너무 빠르잖나!"

교수의 주문에 응해서 우리는 제꺼덕 몸을 놀렸다. 동령에 맞추어 기준분대는 반걸음만 전진하고, 나머지 분대는 반우향우하여 옆사람과의 어깨 사이가 더도 덜도 아닌 십 센티가 되도록 곁눈질을 해가며 용의주도하게 간격을 좁힌 다음, 기준분대와 마침내 평행이 이루어지는 순간 슬그머니 반 걸음 전진해 나갔다. 소대 전체가 한 덩어리로 오밀조밀 뭉쳐지자 정식간격에서는 맡을 수 없던, 분명히 자기 것 아닌 남의 땀냄새가 사방에서 역하게 뭉겨져왔다.

　성의껏 하느라고 그렇게 애를 썼는데도 교수의 입에서는 대고 잔소리가 튀어나왔다. 마치 간격이 십 센티를 벗어나거나 오와 열이 행여 삐딱하게 되는 날이면 당장 자기 봉급이 절반으로 깎이기라도 하는 것처럼 그는 무정하게 구는 것이었다.

　그의 음성에는 언제나 위엄이 서려 있었다. 턱을 거의 움직이지 않는 것 같으면서도 큰 목청을 낼 줄 알았다. 반평생을 연병장 아니면 운동장에서 보낸 사나이답게 그는 별로 힘도 안 들이고 군중을 휘어잡는 재간을 터득하여 비상금처럼 휴대하고 다녔다. 더군다나 악조건의 기후마저 그의 위엄을 배가시키는 데 상당한 역할을 하고 있었다. 걸음을 옮길 적마다 두껍게 생고무를 댄 농구화 밑창을 통해서 후끈거리는 지열이 고스란히 발바닥에 느껴졌다. 앞사람, 그리고 옆사람들의 발부리에서 이는 먼지가 뽀얗게 오르는 속을 겨우 뚫고 넘고 나면 어느새 또 그다음 먼지구름이 제 차례를 기다리고 있는 것이었다. 그리고 운동장의 모래는 사금가루라도 달꽉 쏟아부은 듯 저마다 하나씩들 쬐꼬만 태양이 되어 무수히 반짝이면서 까끌까끌 유난히도 시선에 밟혔다.

　우리의 마지막 불평마저 그놈의 더위가 앗아가버린 지 이미 오래였다. 당최 아무짝에도 소용없는 불평들인 데다가 또 그런다고 사정 봐줘 가며 놓아먹일 강 교수도 당최 아니었다. 우리에겐 다만 복종이 있을 뿐이었다. 오직 구령에 맞추어 몸을 움직이는 시늉이나마 해 보일 따름이었다. 하기야 우락부락한 체격에 성깔마저 한 가락씩들 지닌 친구들이면서 좋게 얘기해서 소위 그 체육인 간의 의리란 것, 엄격한 선후배관념이란 것 때문에 설령 강 교수가 우리 은사가 아니라 해도 어쩔 수 없는 노릇이긴 했다. 먹혀들지 않을 불평보다는 차라리 요지부동의 그 위엄 앞에 몸을 송두리째 내던지는 편이 어떤 의미에선 아주 마음 편했다. 그리고 그것이 더위를 견디는 하나의 방편이 될 수도 있었다.

적막에 가깝던 교정 분위기의 모서리 한쪽이 갑자기 허물어지면서 한 떼의 웃고 떠드는 소리가 운동장을 벌컥 기로질러 있다. 그리고 곧이어 소리의 임자들이 모습을 드러내기 시작했다. 방학중이라서 거의 빈집이나 매한가지이던 모교의 교정이 비로소 활기를 띠었다. 멀리 언덕 중간에 자리잡은 문리대 동사에서 쏟아져나오는 서생들 패거리였다. 그치들 역시 우리와 똑같은 수강생 신분인데, 매 강좌마다 시간을 앞당겨 미리감치 끝내고 나오는 바람에 우리의 피곤은 한층 실감이 더했다. 어제의 그 일만 해도 사실은 그치들 때문에 일어난 셈이었다. 상대가 이문택이란 놈만 아니었어도 우리는 감히 오후강좌를 내리 까먹을 생각 같은 건 엄두도 못 냈을 터이었다.

드디어 오후강좌가 막 끝나려는 마지막 순간이었다. 강명록 교수는 우리에게 '편히 쉬어'를 명한 다음 출석부를 꺼내들고 점호를 시작했다. 호명이 진행되는 동안 나는 열 중에 섞여 있는 내 친구들을 눈으로 더듬었다. 별일 있을 게 뭐냐고 큰소릴 쳤으면서도 그들은 누구도 다 속으로 편찮게 여기고 있음이 분명했다.

"안종복!"

안종복이는 나하고 동기동창이자 어제 오후에 행동을 같이한 친구였다. 안종복을 바라보는 강 교수의 눈에서 아침에 전해 들은 얘기가 단순한 공갈만이 아님을 얼핏 읽을 수 있었다.

"서창원!"

서창원이 역시 똑같은 입장이었다. 더러는 귀에 익은 이름, 또 더러는 전혀 귀에 선 이름들이 주욱 꼬리를 물다가 종내에는 내 차례가 되었다.

"윤성철!"

나는 짤막하게 대답을 했다. 나 자신도 놀랄 만큼 그것은 생판 모르는 사람의 목소리처럼 들리는 목쉰 대답이었다. 모든 소리들이 한결같이 염천에 녹아 엿가락 같은 길고 끈끈한 형상으로 운동장바닥을 꼬물꼬물 헤엄치는 모양이 눈에 어른거리는 듯했다. 그게 싫었다. 제식훈련도 싫고 출석점호도 싫고 호봉이 오르는 1정 자격도 다 싫었다. 어떤 한 분위기 속에 휘말려 그 분위기와 똑같은 형상으로 마냥 엿가락처럼 늘어져가는 나 자신의 모습에 치를 떨면서 나는 호명이 끝나는 순간만을 고대하고 있었다. 그것은 성명(姓名)의 고리에서 또 다른 성명의 고리로 끝없이 이어지는 사슬이었고, 그것이 내 몸뚱어리를 열두 바퀴 반이나 감고 돌다가는 어느 순간에 갑자기 탁 풀려나갔다.

"윤성철, 서창원, 안종복 이상 세 사람은 해산하는 즉시 내 방으로 올 것!"

출석부를 소리나게 덮으면서 교수가 말했다. 내 수업 중에 내가 같은 종류의 은혜 아닌 은혜를 베풀었을 때 내 학생들이 늘 그러했듯이 체육과 수강생 일동은 해산의 구령이 떨어지기 무섭게 우우 기성을 올리면서 한나절 동안 꽁꽁 뭉치고 다져져 웬만한 파괴력 가지고는 쉽게 망가뜨리지 못할 것 같던 4열 횡대의 틀을 간단히 쪼개면서 산지사방으로 흩어져 달아났다. 피교육자 신분으로 돌아오면 누구나 나이 네댓 살씩은 젊어지는 법인 모양이었다.

호출당한 우리만이 행댕그렁한 운동장 복판에 버려져 있었다.

"즉시 오라는데 뭘 꾸물대는 거야, 이놈들아!"

우리들 등 뒤에서 누군가 호통을 쳤다. 어느새 다가왔는지 이문택이 거기에 서 있었다. 우리를 곤경에 몰아넣은 장본인이면서도 녀석은 무슨 살판이나 난 듯이 혼자 좋고 혼자 재미있었다.

"저거 잡아가는 귀신 없나……."

서창원이 우울하게 중얼거렸다. 체육과가 속해 있는 사대 교수실은 운동장에서 한참 거리였다. 불청객인 이문택이를 꽁무니에 덤으로 달고 우리는 별수 없이 강 교수 방으로 향했다.

어제 또한 오늘 못잖이 지독하게 무더운 날씨였다. 아침나절에 벌써 녹초가 되어 훈련을 받는다기보다는 당장 운동장에 주저앉고 싶은 충동과 힘겹게 겨루는 상태로 오전 일과를 보내고 있었다. 그리고 오전 일과가 끝날 무렵쯤 해서는 강의가 일찍 파한 서생패들에게 둘러싸여 완연한 구경물 신세가 되었다. 구경하는 사람 틈에 공교롭게 고등학교 동창녀석이 끼어 있는 줄은 나중에야 알았다.

오랜만에 고교동창 이문택이와 어울려 학교 근처 술집과 식당을 겸한 싸구려 음식점에서 점심을 먹게 되었다. 이런저런 얘기 끝에 문택이가 노천에서 직사하게 고생하는 우리를 슬슬 구슬러 충동질하기 시작했다.

"너들 도대체 무신 충성이라고 오뉴월 이 염천에 그 따위 강습을 꼬박꼬박 받고 있나. 거 왜 적당히, 라는 것 있잖어. 적당히. 눈치 봐가며 적당히 빠져버려라, 적당히."

"제발 그랬으면 얼마나 좋겠나."

"그 교순가 교관인가 하는 친구 되게 깡깡거리더군. 도대체 뭣 때문에 오뉴월 이 염천에 새삼스럽게 제식교련 따위를 들고 나오는 거야, 들고 나오길. 몰라서 가르치나? 다 잊어먹었을까봐서 가르치나? 까짓것 말야, 국어선생인 이 이문택이도 훤히 꿰는 걸 가지고, 더더구나 군대까지 갔다 온 놈들을 붙잡고 말야, 공자님 앞에서 문자 쓰는 격으로 저 혼자 아는 것처럼 깡깡거려, 깡깡거리길."

"동작이 많이 개편됐대."

"개편 좋아허네. 까짓것 지가 개편되면 도대체 얼마나 개편됐다는 거야. 아까 보니까 전에 내가 배운 것하고 똑같던데."

"문외한 눈에는 똑같은 것 같아도 전문가들 보기엔 천양지차가 있지."

"야야, 울리지 마라, 울리지 마. 까짓것 앞으로 가라면 앞으로 가고 뒤로 돌라면 돌고 밤송이 까라면 까는 것으로 끝나는 거지. 그 알량한 학과에 도대체 무신 개편되고 마잘 건덕지가 있다고……."

국어과 강의실에만 들어앉아 1정 강습을 받고 있는 문택이로서는 우리나라의 제식훈련(또는 제식교련)의 형태가 부분적으로 많이 수정되었음을 전혀 이해하지 못했다. 또 이해해 줄 용의가 전혀 안 갖춰져 있기 때문에 우리가 하는 말이나 강 교수의 무리한 교육방식 자체에 심한 거역 반응을 나타내고 있었다. 그래서 평소부터 체육을 전공했다는 사실에 항상 열등감을 표시해 온 안종복이 갑자기 열을 올리며 경례동작 한 가지를 예로 들어 변명 겸 두둔 비슷하게 설명을 늘어놓았다.

"잘 봐. 똑똑히 봐두란 말야. 학교 다닐 때나 군대시절에 우리가 배운 경례동작은 이랬었지. 차렷자세에서 하의 봉합선상에 붙어 있던 오른손을 곧장 올려가지고 최소의 시간에 최단거리로 인지와 중지 부분을 오른쪽 눈썹 우단 부분에 갖다 붙이면 그걸로 충분했단 말야."

"그랬었지. 오른손을 오른쪽 불알에 갖다대면 그건 경례가 아닐 테니까."

"그랬는데 지금은 그게 아냐. 요즘 개편된 제식훈련에 따른다면……."

"요즘에는 오른손을 왼쪽 눈썹에 세운단 말인가?"

"언어터지기 전에 잠자코 들어! 요즘은 최단거리를 유지하지 않고 오른손이 이렇게 바깥쪽을 돌아서 올라붙는단 말야."

"오른손이 그렇게 장거리여행을 해야 할 이유가 뭐야?"

"시대가 달라졌기 때문이야. 지금까지 우린 미국아이들 걸 그대로 답습해서 사용해 왔는데, 우리 실정에 안 맞기 때문에 시대의 요청에 부응하는 방향으로 절도있게 개편해 놓은 거야."

나중 말은 강 교수의 솜씨를 앵무새처럼 그대로 옮긴 것에 불과했다. 그리고 처음 것은 교련교범에 적힌 내용을 적당히 표절한 것이었다. 그런데도 그만한 정도의 설명에 이문택은 색다른 변화를 보이기 시작했다. 내내 이죽거리고만 있던 문택이의 표정 가운데 느닷없이 진지한 구석이 떠오른 것이다.

"뭔가 심상찮은 것 같은데. 분명히 뭔가 심상찮어."

도수 높은 안경 저편에서 실제보다 비정상에 가깝게 불룩 솟아 보이는 눈알을 서너 번 신경질적으로 끔벅이고 나더니 이문택은 이윽고 제 얼굴에서 거추장스러운 이물을 철거해 버렸다. 안경을 벗음은 곧, 이제부터 단단히 흥분할 작정이니 그리 알라는 신호나 매일반이었다. 그는 땀에 젖어 이마 복판에 찰싹 늘어붙은 긴 머리카락을 손가락으로 추어올린 다음 안경을 걸쳤을 때보다 훨씬 작아진 눈알을 한껏 부릅떠 좌중을 거만하게 둘러보는 것이었다.

"경례 말고 다른 동작들도 모두 그런 식으로 변했나? 말하자면 최소의 에너지 소비나 최단거리, 최단시간의 원칙 같은 게 무시되고 오로지 절도 위주의 방향으로?"

"뭐, 꼭 다 그렇다는 건 아니지만 대충은……."

"그래 너들은 절도 위주, 질서 위주의 그런 변화에 대해서 어떻게들 생각하지?"

"어떻게 생각하긴, 인마. 싫어도 배우는 거고, 배운 담엔 돌아가서 애들한테 다시 풀어먹는 거지 별수 있어."

"이 먹통들아!"

주먹을 들어 꽝 하고 식탁을 치는 바람에 우리는 하마터면 웃을 뻔했다. 약골이 흥분했을 때의 모습은 아무래도 사랑스러워 보이는 법이다. 그런데 우리는 웃으려다 말았다. 웃을 수만 없는 분위기를 이문택이 우리에게 강제하고 있었기 때문이다.

"거듭 말하지만 이 먹통들아, 그건 빙산의 일각이야. 진짜로 중대한 변화는 그게 아냐. 다른 데 있어. 그런데 여지껏 그것도 눈치 못 채고 오른손이 어떻고 봉합선이 어떻고 한가한 소리나 씨월거리고들 있다니, 역시 철봉대에나 매달리고 자란 놈들은 별수 없단 말야. 이봐! 여기 술 좀 가져와!"

이렇게 해서 우리는 점심에 곁들여 생각지도 않던 낮술까지 얻어마시게 되었다. 애당초는 얼굴이 표나지 않을 만큼 냉막걸리 한두 잔 정도로 갈증이나 풀 생각이었는데, 술잔이 거듭될수록 턱없이 고조되는 이문택의 변설에 알게 모르게 말려들다 보니 어느덧 오후강좌가 시작된 줄도 까맣게 잊어먹었다.

이문택은 지겹도록 그놈의 제식훈련을 물고 죽살이를 쳐댔다. 그의 시종여일한 주장에 따를 것 같으면 요컨대 그것은 대기 중의 산소 함량이 일정 수준 이하로 떨어지는 현상에 비견할 만한 변화였다. 그만한 얘기에도 뭔가 턱 심장에 와서 쨍그렁하고 부딪치는 게 있다는 것이었다. 그리고 또한, 말하자면 그것은 해방 후 이 땅에 이식해 놓은 프래그머티즘이나 합리주의 사고의 효용가치를 전면 재평가하려는 의미이며 되도록 불필요한 절차 따위를 매사에서 제거함으로써 우리들 인체에 가해지는 무리를 최소한으로 덜어주려는 인본사상에 가해지는 일대 수정작업이며, 동시에 그것은 오늘과는 달리 우리 모두의 내일이 오래 분해소제 않은 시계처럼 빡빡히 돌아가게 될 것임을 타전해 주는 일종의 모스부호라는 것이었다. 거기에 덧붙여 이문택은 이렇게 선언해 버렸다.

"돌대가리들이야 이렇게 손에다 쥐여줘도 모르겠지. 모르는 게 당연할 테지. 허지만 말야, 난 달라. 나는 다르단 말야. 체내의 모든 감각기관이 온통 그쪽을 향해서 열려 있거든. 그 얘길 들었을 때 난 대뜸 그것이 보내는 무전을 해독해 낼 수 있었어. 너들 인제 두고 봐라, 내 말이 맞는가 틀리는가……."

문택이는 층계를 한꺼번에 서너 단씩 성급히도 건너뛰고 있었다. 기회 있을 적마다 제놈 입으로 형이하학 전공이라고 의식적으로 한수 접어 깔아보는 우리들 체육선생 듣기에도 천장 모르게 비약적인 논리를 그는 끝없이 펼쳐내고 있었다.

점심 겸 낮술을 엔간히 끝낸 다음 우리는 곧장 시내로 진출하여 번화가의 다방에 자리를 잡았다. 그때까지 우리는 오후강좌를 내리까먹은 걸 아무도 후회하지 않았다. 술김이긴 하지만, 앞으로도 기회만 닿는다면 얼마든지 더 까먹어도 좋다는 배짱들이었다. 이렇게 입으로는 연신 흰소리를 하면서도, 그러나 기실은 모두들 우울했다. 이문택의 성급함은 십분 인정하지만, 일단 그런 얘길 듣고 난 우리는 아무래도 예사스러운 심정일 수가 없었다. 우리에겐 충분히 우울해해야 할 이유가 있었던 것이다. 이문택의 예감이 장차 맞고 안 맞고는 둘째치고 우선 그런 얘길 서로간에 입 밖에 내고 귀에 담았다는 그 사실 하나만으로도 젊은 우리는 벌써 겁탈을 당해 버린 기분이었다. 솔직히 말해서 이문택의 그 변설은 그만큼 우리에게 충격적이었다.

다방 안에 유행가가 흐르고 있었다. 샹송에 가까운 번역가요풍의 노래였다. 굵고 낮고, 그리고 약간 쉰 듯한 음색의 여자목소리가 밋밋한 음정으로, 사랑한다고 말해 달라고 거듭거듭 호소하고 있었다.

"언제 들어도 그래, 루비나 노래는 발가락으로 들어봐도 재치 이상의 뭔가가 분명히 있단 말야."

엉뚱하게도 이번에는 대중가요였다. 언제 제식훈련 따위를 들먹거렸더냐는 듯이 천연덕스러운 태도였다. 이문택은 유행가에 관해서도 아는 체를 많이 해가며, 외국에 오래 나가 있다가 얼마 전에야 귀국했다는 가수를 이야기했다.

"그녀의 노래는 영혼의 저쪽의 그 저쪽을 손톱으로 북북 할퀴는 것 같은 느낌이 들거든."

문택이를 제외한 우리는 그저 잠자코 듣고만 있었다.

사랑한다고오 말해 주우
사랑한다고 말해 주우

그러자 루비나의 나지막한 슬픔이 내게로 서서히 전이(轉移)되어 오는 듯한 기분에 사로잡히게 되었다.

사랑한다고 말해 주우
사랑한다고 말해 주우

그 노래가 계속되는 동안 나는 앞으로 필요 이상의 장거리여행을 거쳐 오른손을 오른 눈썹 우단(右端)에 갖다 붙이지 않으면 안되게시리 된 우리의 처지를 어느새 슬퍼하고 있었다.

"자넨 무슨 용무지?"

고회전하는 선풍기 앞에서 강명록 교수는 대뜸 이렇게 따지는 투로 물었다. 우리 꽁무니에 묻어와 뒷전에 버티고 서 있는 이문택이가 아까부터 신경쓰였던 모양인지 그는 더 이상 참지를 못했다.

"가르침을 받을까 해서 친구들을 따라왔습니다."

"자네는 우리 체육과 출신이 아니지?"

"아닙니다. 허지만 운동이라면 뭐든 조금씩은 다⋯⋯."

"좋아, 자네 입으로 스포츠맨이 아니라니까 무례를 용서해 주지."

그것으로 강 교수는 이문택과의 대화를 간단히 끝내 버렸다. 더이상 상대할 의사가 없다는 눈치였다. 그는 교수실에 와서 갈아입은 하얀 모시저고리 앞자락을 열어 알통으로 뭉친 그들먹한 가슴에 선풍기바람을 잡아넣었다. 사람인지라 강 교수 역시 덥긴 더운 모양이었다.

"아무리 그래 봤자 소용없어. 좋게 얘기할 때 어서들 돌아가!"

강 교수는 우리를 향해 재삼 못을 박아 자신의 결의가 얼마나 굳은가를 강조했다. 그러거니 말거니, 우리는 숫제 멍청한 척하고 눌러 버티었다.

"개강 첫 시간에 내 분명히 말했었지, 한 시간이라도 결강하는 사람은 수료증 다 받은 줄 알라고. 내일부터는 너희들 강의 안 받아도 좋아. 재수강 외에는 어차피 수료 못하는 거니까 더 이상 나올 필요 없어."

비닐챙의 그늘에 가려 운동장에서는 눈여겨볼 수 없던 강 교수의 눈매가 전보다 더욱 세모꼴이 되어 있었다.

"그렇습니다, 교수님. 이번 기회에 혼 좀 단단히 내주십시오. 아 글쎄, 강의시간에 대낮부터 술들을 퍼마시질 않나, 이것들 아주 형편 무인지경이더군요."

오직 이문택이란 놈만이 겁없이 방자하게 굴었다. 대척은 안 해도 강 교수는 노골히 불쾌한 기색을 얼굴에 나타내었다. 운동장에서 혼자 따돌려보낼 걸 공연히 달고 왔지 싶었다. 나는 이문택의 옆구리를 찔벅거려가지고 서둘러 밖으로 데리고 나와버렸다.

"사관학교 출신 너희 교수님께서 재수강을 선언하셨으니까 너희들 내년 이맘때 여기서 다시 상봉하겠구나."

교수회관 층계를 끌려내려오면서 문택이가 이기죽거리는 소리였다. 바로 뒤쫓아나오던 서창원이 따귀라도 갈길 기세인 걸 겨우 뜯어말렸다.

"재수강 말고도 방법이 있겠지. 지금부터 내가 하라는 대로만 하면 돼."

말만이라도 안종복은 자신있게 했다. 재수강이라니, 천만의 말씀이었다. 1정 자격 취득이 일 년 후로 미뤄지는 데서 오는 갖가지 손해는 그만두고 어차피 맞을 매를 내년까지 묵혀가며 키운다는 건 생각만 해도 소름 끼치는 노릇이었다. 그리고 이제 와서 포기하기엔 그간 불볕 속에서 공을 들인 며칠간의 수고가 눈물이 나도록 아까운 생각이 들었다. 곤경을 모면할 수 있는 유일한 길은 용천뱅이 떼쓰듯 물고늘어지는 외에 달리 도리가 없다고 안종복이 힘주어 말했다. 그런 식으로 해서 학점도 따고 졸업도 한 사례가 재학중에 더러 있음을 저는 잘 안다는 것이었다. 결국 우리는 종복이의 그 방법에 따르기로 방침을 굳혀버렸다.

자기 집 응접실 푹신한 소파에 앉아 쉬는 두 시간 남짓 동안에 강명록 교수는 모두 해서 담배를 일곱 개비 태우고 화장실에 두 차례 다녀오고 냉장고에서 꺼내온 얼음 냉수를 자기 혼자서만 두 컵이나 마시고 석간신문 한 장을 앞뒤로 골골샅샅 죄 훑어읽고 밖에서 걸려온 전화를 세 번 받았다. 교수의 말투로 미루어 통화의 상대는 매번 동일인인 듯 짐작이 갔다. 응접실 바닥에 나란히 책상다리를 하고 앉아 버티는 우리 일행 가운데서 이문택이 혼자만이 태도가 당당했다. 그는 도수 높은 안경 너머로 교수의 동작 하나하나를 체크하는 자세를 취하면서 꿀릴 하등의 이유가 없음을 은연중 과시하고 있었다. 같이 가야만 한다고 부득부득 우기는 바람에 근신할 것을 단단히 다짐받고 또 데리고 온 것인데, 와서는 별로 근신하는 기색이 안 보였다. 푹신한 소파에서 쉬는 두 시간 남짓 동안에 강 교수가 우리에게 말을 건넨 것은 딱 한 번이었다.

"아무리 그래 봐야 나한테는 안 통한다는 걸 잘 알잖나. 괜히 시간낭비 말고 집에 가서 편히들 쉬거나 해."

그리고 네 번째 전화를 받고 외출복으로 갈아입으면서 강 교수는 이렇게 막말을 쏟았다.

"예서 더 버티면서 농성을 하든지 데몰 하든지 너희들 하고 싶은 대로 다 해!"

강명록 교수가 밖에서 사람을 만나지 않을 수 없게 된 것은 우리에겐 차라리 잘된 일이었다. 그는 자기 집에서 그리 멀지 않은 다방에서 그와 동년배로 보이는 어떤 풍채좋은 신사를 만나 악수를 나누고 차를 마시고 잠시 담소를 했다. 고맙게도 그 신사는 바로 옆자리의 우리를 이내 의식해 주었다. 신사는 강 교수와 우리를 번갈아 보고 나서 배시시 미소를 지어 보였다.

"제자들인가?"

"무슨 소리, 난 저런 제자를 둔 적 없어!"

여전히 우리들 쪽은 거들떠도 안 보면서 강 교수는 정나미 확 물러앉는 대꾸를 했다.

"그래! 그렇다면 내가 잘못 본 게로군. 하지만 자네가 날 한사코 밖에서만 만나겠다고 고집부린 이유를 이제야 알 것 같구먼. 자네 설마 마누라 도둑맞을까봐서 날 집 안에 끌어들이지 않은 건 아니겠지? 허허허허……."

실없는 농담 끝에 신사는 호걸풍의 너털웃음을 했다. 언행에서 풍기는 체취 같은 걸로 미루어 안정된 기업체를 가진 수완좋은 사업가의 틀이었다. 그는 넥타이까지 단정히 매고 철두철미 정장을 갖춘 차림이면서도 말씨나 행동거지 모두가 시원시원해서 조금도 갑갑해 보이지 않았다. 거기에 비하면 우리는 덥고 피곤해서 거의 미칠 지경이었다. 낮 동안에 땀과 먼지로 몇 꺼풀 도배를 해버린 몸 뚱어리에 더러운 속옷을 그대로 걸친 채였고, 세수조차 제대로 못 하고 나왔기 때문에 스스로 느끼는 불결감을 견디기가 여간만 고통 스러운 게 아니었다. 에어컨이 가동되고 있다고는 하지만 아직도 드넓은 다방 안에 깝북 잠긴 초저녁 잔염(殘炎)을 쫓기엔 아무래도 힘이 부치는 모양이었다.

"모처럼 만났는데 형님 대접을 안 받을 수 있나. 자아, 그만 나 가지."

신사가 먼저 자리에서 일어섰다. 그러자 우리들 쪽을 한 번 힐끗 보고 나더니 강 교수도 따라일어났다. 별로 내키지 않는다는 듯 몸 짓이 매우 굼떴다.

물론 우리는 애초의 결심대로 술집까지도 줄레줄레 따라들어갔다. 화장실까지도 뒤쫓아다니는 판인데 더구나 명분이 번듯한 출입을 사양할 리 만무했다. 생맥주집 홀에서 우리는 강 교수의 손님인 그 신사와 비로소 수인사를 할 수가 있었다. 옆자리가 선참의 다른 주객들로 꽉 들어찼기 때문에 마땅한 앉을 자리를 발견 못한 채 통로를 어정쩡히 막아선 꼴들이 딱하게 보였음인지 그 신사가 큰 소리로 우리를 부른 것이다. 그의 입에서 합석하는 게 어떠냐는 제의가 떨어지기 무섭게 강 교수 쪽에서 끙짜를 놓고 마잘 겨를을 주지 않고 잽싸게 합석을 단행해 버렸던 것이다.

처음에 실업가쯤 될 거라고 예상했던 것과는 전연 딴판으로 그는 교육자였다. 최 교수는 마치 자기 학생들을 상대할 때처럼 다짜고짜 말을 턱 놓으며 지방대학에서 강의를 맡고 있노라고 자기를 소개하는 것이었다.

"재학 중으로 보기엔 너무들 늙은 사람 같고…… 강 교수하고는 덮어놓고 그냥 사제지간 정도로 알면 무방하겠나?"

최 교수가 이렇게 묻자, 정작 사세지간인 우리는 말을 아끼는 참인데 뭣도 아니고 뭣도 아닌 문택이란 놈이 제꺼덕 대답을 가로채고 나섰다.

"네, 사제지간입니다. 그렇지만 약간 복잡한 사정이 낀 사제지간인 셈이죠."

낮부터 이문택과 감정이 나빠져버린 서창원이 내 귀에다 대고, 저 새끼 이담에 죽으면 틀림없이 주둥이부터 썩을 거라고 악담할 정도로 아닌 게 아니라 문택이놈은 잠시의 근신을 깨고 나더니 차후의 대화를 혼자서 도맡을 심산이 분명했다.

"호오, 그래? 그 복잡하다는 사정이 뭔지 궁금하군."

"반대로 제가 교수님께 묻고 싶습니다. 최 교수님도 추수지도(追隨指導)의 학점 나부랭일 가지고 제자들한테 쩨쩨하게 구신 적이 있으십니까?"

"뭔가 단단히 오해한 것 같은데, 그건, 그건…… 이군이라고 했지? 이군이 아직도 인간을 몰라서 그래. 나처럼 겉으론 서털구털해 보이는 사람이 일반적으로 학점도 후할 것 같지만, 천만에 말씀! 사실은 무지한 인색한이지. 마찬가지로, 강 교수 같은 사람은 찔러도 피 한 방울 안 나올 듯이 행동하지만, 만만에 말씀! 속새로는 마음이 여릴 대로 여려서 허물 하나만 벗고 나면 자기 살이라도 깎아먹일 사람이란 말야. 애로사항이 있는 모양인데, 이따가 내 강 교수의 아킬레스건이 어딘지 일러줄 테니까 잘들 공략해 봐."

이문택이 아무렇게나 뱉어낸 말의 여운이 우리를 한참이나 침묵시켰다. 강 교수는 방금 마시기 시작한 맥주 맛이 유례없이 쓰다는 듯이 오만상을 하고 있었다. 최 교수는 강 교수와 우리를 한눈에 관찰할 수 있는 자세를 취하고는 이쪽저쪽을 번갈아보아 가며 연방 싱글벙글해하고 있었다. 술집은 초만원이었다. 젊은이도 많고, 늙은이도 많고, 개중에는 시건방지게 계집애들의 모습까지 간간이 눈에 띄었다. 낮의 더위에 비례하여 그만큼 갈증을 풀러 오는 사람들도 더 많은 성싶었다. 그러나 아무리 둘러다 봐야 우리 강 교수처럼 술을 멍청하고 살벌하게 마시는 사람은 하나도 안 보였다. 술로 웬수라도 갚을 작정인 듯 조금도 쉴 새 없이 고래로 퍼마시는 것이었다. 잠깐 동안에 강 교수 앞에는 빈 조끼가 즐비해졌다. 주인공이 그 모양이니 우리 역시 잔을 비우는 속도가 자연 빨라지지 않을 수 없었다.

누군가 여름술은 독약처럼 몸에 퍼진다고 말한 적이 있다. 잘도 못하는 술을 벌컥벌컥 몇 잔 거푸 들이켜고 나서 나는 볼품없이 남들보다 앞질러 취해 버렸다.

"그런데 자네들의 애로사항이란 도대체 뭐지?"

최 교수가 이문택에게 넌지시 묻고 있었다.

"사실은 말입니다, 이 친구들이 강 교수님 밑에서 1정 강습을 받고 있는 중인데요, 어제 저를 만나가지고 제가 유혹하는 바람에 오후강좌를 사보타주했거든요. 그래서 그만 교수님의 노여움을 사가지고 이 시간 현재 협박을 당하고 있는 중입니다. 내년에 재수강을 받기 전엔 수료증을 줄 수 없다 이 말입니다."

이문택이 우리를 대변하고 있었다. 문택이 역시 벌써 꽤 취해 있는 말씨였다. 녀석은 저 나름대로 지금 한창 즐기고 있는 중이었다. 우리가 그토록 어려워하는 강 교수를 상대로 겁도 없이 계속 용용거리는 데는 뭔가 목적이 있기 때문일 것이었다. 분위기를 이대로 방치했다가는 뭔가 틀림없이 불상사가 생기지 싶었다.

"우리가 강좌를 빼먹은 건 사실입니다. 하지만 우리는 그 시간에 매우 유익한 토론을 했습니다. 단순히 놀고 싶은 욕심으로 결강한 것만은 아닙니다."

그때시 나는 갑사기 소조하게 꿀기 시작했다. 낭시의 나는 확실히 취해 있었다. 걷잡을 수 없는 취기가 평상시엔 없던 말을 반죽좋게 시키고 있었다. 애당초 내가 하려는 얘기의 골자는 그게 아니었던 것으로 기억한다. 그런데 나는 어느새 교수 앞에서 무진장 아첨을 떨고 있었던 것이다. 나는 강 교수가 지닌 저 탁월한 통솔력과 위엄에 관해서 자주 언급한 것 같다. 강 교수의 그 가부장적 위엄과 맨 처음 조우하는 순간에 느끼는 일말의 반발심이나 저항감, 그리고 오래지 않아 그것들을 딛고 군림하는 피치자(被治者)로서의 우리의 복속의지(服屬意志) 같은 것에 관해서 변설이 매우 장황했던 것 같다. 그러다가 끝판에 가서 버릇없는 국어선생놈한테 느닷없이 따귀를 얻어맞은 기억이 얼얼하다. 그때 나는, 개인이기를 포기해 버린 채 가부장의 슬하에 뛰어드는 순간에 느끼는 감정이 그 얼마나 살갑고 평안한 것인가를 한참 이야기하던 참이었다.

"네놈은 개다! 윤성철이는 개새끼다!"

문택이란 놈이 그 알량한 주먹을 들어 나를 또 치려 하면서 길길이 날뛰기 시작했다. 홀 안의 손님들이 우리를 일제히 주목하게 된 것은 아마 이 소동으로 말미암음이었을 것이다. 최 교수를 위시해서 여러 사람이 한꺼번에 사이에 들어 말리는 바람에 소동은 그런 정도에서 곧 가라앉았다. 그런데 한 가지 이해 못할 변화는, 소동이후부터 이문택을 보는 강 교수의 눈에 어딘지 모르게 따뜻함이 어리기 시작했다는 사실이다.

마침내 우리 강명록 교수는 천근 같은 입을 열어 그러잖아도 이미 묵사발이 된 내 체면에 마지막 일격을 가해 버렸다.

기왕 말이 나온 심에 이 사리에서 흉금을 모두 털어놓는 게 좋겠군. 모두들 내가 너무 심하다고 그러지만, 따지고 보면 나로 하여금 그렇게 심하게 굴도록 유도하는 건 자네들이야. 나와 자네들 사이는 일종의 줄당기기야. 줄당기기에서 번번이 지기 때문에 자네들은 자꾸만 마조히스트가 되어가고, 나는 또 반대로 번번이 이기기 때문에 결국 원치 않는 사디스트가 되고 마는 셈이지. 처음에야 물론 불평을 억눌러 가며 질서와 단결이 생명인 집체훈련을 강행할 수밖에 없는 나 자신이지만, 그러다가도 억누름을 서로 주고받는 그 과정에 맛을 들이다 보면 차츰 목적하고 수단이 전도되어서 종당에는 가르치기 위해서 억누르는 게 아니라 억누르기 위해서 가르치는 형국이 된단 말야. 내 말 알아듣겠나?"

대충 이런 뜻의 얘길 강 교수는 했다.

그리고 자기 얘기를 더욱 실감나게 뒷받침하기 위하여 그는 시골 할머니들이 곧잘 하는 옛날얘기를 덧붙이는 것이었다.

——옛날 어느 산골에 사는 아낙네가 건넛마을 잔칫집에서 떡을 얻어 머리에 이고 밤늦게 고개를 넘다가 호랑이를 덜컥 만났다. 떡을 내놓으면 살려주마고 호랑이가 말을 했다. 아낙네가 내주는 떡을 맛있게 먹은 호랑이는 이번엔 아낙네의 오른팔을 요구했다. 그것만 떼어주면 목숨만은 살려준다는 조건이었다. 그 말을 믿고 아낙네가 자기 팔 하나를 뚝 떼어 던지자 그걸 덥석 받아먹고 난 호랑이는 또다시 왼팔마저 요구하고 나섰다. 그리하여 다음은 오른다리, 그리고 그다음은 왼다리……. 이런 순서로 아낙네는 자기 몸조각을 시나브로 하나씩 빼앗기다가 결국 마지막에는 송두리째 잡아먹히고 말았다…….

"이야기가 점입가경이군, 점입가경이야. 자아, 그런 의미에서 또 한잔!"

최 교수는 까닭 없이 마냥 즐거워했고,

"이제까지의 소생의 무례를 용서하시기 바랍니다. 솔직하게 말씀드리자면 이 녀석들로부터 제식훈련의 변천에 관한 얘길 듣고, 이거 예삿일이 아니구나 싶어서 강 교수님한테서 직접 자세한 얘길 듣고 싶어서 이렇게 따라온 겁니다. 어떻습니까, 교수님만 좋으시다면 소생은 기꺼이 경청해 드리겠습니다만."

문택이란 놈은 이렇게 엉뚱한 소리로 강 교수를 구슬리는 것이었다.

"그게 좋겠군요."

"선생님, 이 배워먹지 못한 놈한테 따귀 한 대 때리는 셈치고 그 얘기나 들려주시죠."

기를 못 펴고 있던 종복이와 창원이까지 덩달아 나서서 부추김을 하고,

"뭘, 술좌석에서 그런 얘길 다⋯⋯."

쑥스럽다는 듯이 강 교수는 자세를 고쳐 잡으며 갑자기 점잖은 표정을 했다.

모두들 맑은 정신들이 아니었다. 서먹거리던 분위기가 껑충 한 바퀴 재주를 넘는가 싶더니 화제를 점점 이상한 방향으로 몰아들어가고 있었다. 아무 영문을 모르는 최 교수는 거의 안달하다시피 심한 재촉을 했다.

"무슨 얘긴데 그래? 오른팔을 내놓으라곤 안 그럴 테니까 염려 말고 얘기해 봐. 어서!"

그놈의 술이 유죄였다. 평소에 그토록 엄격하기만 하던 강명록 교수였다.

그러던 그가 웬일로 두꺼운 갑옷을 훌훌 벗어던지면서 정말 파격적인 분위기 속에 간단히 투신해 들어오고 있었다.

'이군은 역시 영리한 사람이야. 내 상의를 들은 석이 없어도 내 지론이 뭘 의미하는지를 거의 정확히 간파하고 있거든. 좋아, 내 이군을 위해서 제식훈련 변천사를 약식으로 강의해 주지."

조끼 바닥에 잠긴 생맥주를 마저 비우고 나서 우리의 강 교수는 본격적으로 강의 폼을 잡았다.

"입론의 기초를 나는 어떤 한 단위사회가 처해 있는 시대상황을 가장 첨예하게 반영하는 것이 바로 그 사회가 실시하는 제식훈련이라는 전제 위에 둔다. 왜냐하면 제식훈련이란 것이 본래 개인과는 거리가 먼 것이며 그것만으로도 훌륭하게 하나의 소사회를 구성할 뿐만 아니라 그보다 더 높은 상위개념의 사회와 직접적으로 연결되는, 다시 말해서 제식훈련 그 자체가 벌써 하나의 완벽한 집단행위, 즉 사회적 활동이기 때문이다. 구체적인 예를 들어보자. 우리는 과거에 제국주의의 일본 군대의 제식훈련을 경험했다. 그네들은 국민적 단결과 전투력 배양을 도모한다는 구실 아래 거의 인체가 감당할 수 있는 한계치를 무시하는 선으로까지 각개동작이 기계적이고 정도 이상으로 행동반경이 크고 넓은 형태의 제식훈련을 무모하게 강행해 왔다. 일제와 똑같은 예로 나찌 독일을 들 수 있다. 전쟁영화 같은 걸 봐서 제군들도 잘 알겠지만 나찌 군대는 경례 동작을 할 때 이렇게……."

그 순간, 말만 가지고는 턱없이 미흡하다 생각했음인지 그는 몸을 벌떡 일으켜세우며 실연까지 해보였다.

"오른발을 들어 뻗장다리로 이렇게 한 바퀴 원을 그려서 왼발 뒤꿈치에 꽝 하고 소리나게 갖다 붙인다. 그러고도 모자라서 나찌아이들은 오른손을 번쩍 세워 히틀러에 바치는 충성을 매번의 경례때마다 목이 터져라고 서약하는 것이다. 여기에 비하면 미국아이들은 똑같은 전쟁 상황하에서도 훈련의 제식이 흐르는 물같이 유연하고 또 자연스럽다. 그네들은 결코 인체에 무리를 강요하는 법이 없고, 따라서 동작 모두를 최단의 시간에 수행함으로써 최소의 에너지를 소비하여 최대의 성과를 올리는 경제적인 방법을 쓴다. 바로 이것이 가유 민주체계에 희일게에 시시에 존재하는 엄청난 긴극인 것이다."

"그래서요?"

"그리고 제군들은 화보나 기록영화 같은 걸 통해서 이북아이들이 분열을 벌이는 광경을 더러 봤을 것이다. 행진이나 정지간의 제반동작이 크고 거창하기로 북괴는 가히 세계적이다. 북괴아이들은 행진할 때 무릎을 굽히지 않고 거의 수평으로 세워서 번쩍 차올림과 동시에 팔의 전후 행동반경이 앞으로 구십도……."

이때 강 교수가 주먹 쥔 팔을 전방으로 구십도 힘차게 내뻗는 바람에 오백 씨씨짜리 조끼 하나가 시멘트바닥에 굴러떨어져 요란한 소리를 내면서 박살이 났다. 주위의 테이블에서 손님들이 일제히 일어서고 웨이터가 둘씩이나 달려오는 법석이 있었지만 그 북새도 아랑곳없이 강 교수는 강의를 단호히 계속했다.

"앞으로 구십도, 뒤로 사십오도, 도합 일백삼십도가 넘는 요란한 호(弧)를 그리면서 흔들어댄다. 우리가 느끼기엔 너무 지나칠 정도로 야단스럽고 꼴불견이고 힘들어 보이지만 북괴아이들은 그것으로 즈이네들의 왕성한 사기, 철석 같은 기강을 과시하는 것이다."

"그래서요?"

"그럼 우리 한국의 제식훈련 실태는 어떠한가. 아까도 잠시 언급했지만 우리나라는 왜정 때 일제 군국체제의 제식훈련에 오래 젖어왔었다. 그러다가 해방이 되자 이번엔 미국아이들 걸 그대로 받아들여 병영이나 학교에서 두루 활용해 나왔는데, 그 후 급변하는 국제정세나 제반 국내 여건에 대처하기엔 미흡하다는 판단 아래 미식 제식훈련을 한국 실정에 맞게 수정하기에 이른 것이다. 우선 간단한 예를 들어, 경례동작만 해도 전에는 이렇던(실제로 강 교수는 구식, 다시 말해서 미식 경례를 멋지게 올려붙이는 것이었다.) 것이 지금은 이렇게(그는 이번엔 신식, 다시 말해서 한국식 경례를 해보였다.) 바뀌었고, 차렷자세나 행진 및 정지간에 있어서의 주먹도 전엔 달걀을 쥐듯 자연스럽게 쥐던 것이 오늘날은 엄지가 집게손가락 둘째마디를 꽉 누르도록 힘차게 쥐지 않으면 안 된다. 뿐만 아니라 행진간의 양팔 동작도 앞으로 사십오도, 뒤로 십오도 흔들던 미식을 고쳐 진폭을 크게 넓혀놓았고, 또 팔을 흔들 때는 손등이 반드시 위를 향하도록 하지 않으면 안 된다. 그리고 무릎 각도도 매일반인데, 특히 행진간에 방향전환을 할 때는 제일보를 무릎을 굽히지 않은 채 사십오도 위로 올려 힘차게——이 말에 주의하기 바란다——내디뎌야만 한다. 예를 들자면 한이 없는데, 무엇보다 중요한 것은 이와 같이 제식의 변화가 무얼 의미하느냐 하면 우리 실정이 개인보다는 확실히……."

"이봐, 선생!"

별안간 감때사납게 울리는 웬 목소리가 일사천리로 달리던 강 교수의 말허리를 중도에서 뚝 꺾어놓았다. 이때 우리는 홀 안쪽 테이블에서 이쪽을 향해 거의 뜀걸음으로 다가오는 건장한 체격의 청년을 볼 수 있었다.

"뭐가 어쩌구 어째?"

우리의 숨구멍을 틀어막듯 통로에 버티고 서며 청년은 대뜸 시비를 걸어왔다.

"술집에 왔으면 곱게 술이나 처마시고 갈 일이지, 뭐 나치아이들이 어떻구 이북아이들이 어떻다구?"

"당신 뭐야! 누군데 감히 뛰어들어서 학구적인 분위길 훼방놓는 거지?"

이문택이 안경을 벗어 남방 윗주머니에 찌르면서 오는 시비를 맞받았다.

"쪼무래긴 잠자쿠 있어! 다아 그럴 만한 사람이니까 뛰어드는 거야! 선생, 실례지만 신분증 좀 봅시다!"

일껏 마신 그 술이 다 어디로 숨었는지 나는 어느새 맨숭맨숭한 정신으로 돌아와 있었다. 아직도 뭐가 뭔지 어리둥절해서 서 있는 강 교수를 턱으로 가리키며 최 교수가 내게 눈짓을 했다. 나는 그 뜻을 얼른 알아차리고 기회를 살폈다.

최 교수가 청년 앞으로 다가서며 예의 그 호걸풍의 너털웃음부터 터뜨렸다.

"자기 전공분야에 대해서 잠시 소견을 말한 것뿐인데 뭘 그걸 가지고…… 우리 이럴 게 아니라 앉아서 차근차근 얘기합시다."

그러나 사태는 전연 예기치 못한 방향으로 진전되고 있었다. 작 달막한 체구의 이문택이 불시에 몸을 솟구치더니 청년의 면상에 정통으로 박치기를 놓아버린 것이다. 문택이는 취중의 흥분으로 강 교수더러 신분증을 제시하라는 청년의 뒷말을 제대로 듣지 못했음이 분명했다.

안쪽 테이블에 앉았던 청년의 일행이 한꺼번에 우우 덮치는 걸 보는 순간 나는 강 교수의 허리를 끼고 밖으로 뛰어나와 재빨리 지나가는 택시를 잡았다.

이상하게도 일진이 사나운 날이었다. 차라리 일찌감치 집구석에 들어박혀 발가락 사이에 한 번 더 무좀약을 바르고 앉았느니만 백번 못한 결과였다. 달리는 택시 안에서 강 교수는 내내 눈을 질끈 감고 앉아 있었다. 그 역시 취기가 이미 말끔히 가신 듯 하얗게 질린 얼굴로 시종 말이 없었다. 그는 방금 전 술자리에서 벌인 즉흥강의에 대해서 심히 후회를 느끼는 눈치가 여실했다. 그렇지 않고서야 어떻게 그 듬직한 체구에 걸맞지 않게시리 제자 보는 데서 솔선해서 먼저 그렇게 벌벌 떨 수 있단 말인가.

"뒤에 남은 사람들 어떻게 될까요?"

내가 먼저 이렇게 말을 걸자 강 교수는 고개를 절레절레 흔들었다.

"별일 없을 거야. 최 교수가 그만한 일은 능히 처리할 위인이니까."

그러나 강 교수의 그 말투 속에는 반드시 별일 없을 것만 같지는 않은 낌새가 엿보였다. 아마 별일 없기만을 간절히 기도하고 싶은 심정일 것이었다.

한참 후에 강 교수는 또 이렇게 중얼거렸다.

"자네도 내가 실수했다고 생각하겠지?"

"뭐 별로……."

나는 우선 이렇게 얼버무려두는 수밖에 없었다.

"그저 과음 끝에 주사가 약간 지나쳤을 뿐이야. 내 말에 다른 뜻은 전연 없었어. 나 좀 내려주게. 걸으면서 머릴 좀 식히고 싶어."

더 이상 강 교수를 붙잡고 말리고 싶지 않았다. 그래서 지체없이 나는 차를 세우도록 했다. 강 교수가 내리자 기사 양반이 백미러 속으로 나를 유심히 쏘아보며 행선지를 댈 것을 재촉했다.

"어디루 모실까요, 손님?"

저만큼 앞으로 다가오는 네거리 하나가 얼핏 눈에 띄었다. 그 네거리에 다다르기 전에 행선지를 결정해야만 할 것 같았다. 나는 순간적으로 내가 저지르고 관여한 만큼의 몫은 내 어깨로 감당하고 싶은 심정이 되었다. 그래서 잠시 생각한 끝에 기사양반의 그 쏘아보는 눈에 차를 뒤로 돌리도록 부탁했다.

"아까 탔던 자리로 되돌아갑시다."

몰매

내용물보다 그걸 담는 그릇 쪽이 외려 더 행세하고 우대받는 경우를 요즘 들어 왕왕 본다. 그래서 사람들에 우선하여 먼저 문제의 그 건물부터 설명해 둘 필요를 느낀다. 따지고 보면, 실로 그곳의 종업원들은, 그리고 그곳을 단골로 이용하는 손님들은 신분의 귀천이나 연령의 고하에 관계없이, 연놈 구별도 없이 모두 다 그 건물의 부속물 아니면 기껏해야 장식물 푼수에 지나지 않는 것이다.

알 만한 사람은 엊그제 이미 죄 알고 있는 얘기다. 우리의 그것은 시(市)의 복판도 아니고 그렇다고 변죽도 아닌, 참 어정뜬 곳에 자릴 잡고 있다. 도시의 미관을 잡친다는 이유로 시당국이 세 차례에 걸쳐 시한부 개수를 명령할 만큼 아주 낡을 대로 낡은 건물인데 낡아 보이는 그만큼 역사가 오래라는 사실은 시민뿐만이 아니라 시당국에서도 넌덜나게 인정해 오는 터이다.

장구하다고 얘기해도 거의 무방할 긴긴 세월을 그동안 용케도 버티어왔다. 그 자신을 향해 항상 적대적인 별의별 인간들 틈서리에서 내내 그것은 별의별 시련을 다 겪어야만 했다. 또한 그것은 제 몸체를 밑뿌리부터 야금야금 먹어들어오는 자연과 끊임없이 겨루지 않으면 안 되었다. 그런데 신세의 고단함은 그것만으로 끝나지 않아 지금도 소송에 계류 중이다. 세 번째의 개수시한도 그냥 넘겨버리자 이번엔 철거명령으로써 시당국이 관의 위엄을 보였고, 거기에 맞서 시비가 법정에까지 번지기에 이른 것이다.

시청의 강제는 사실 많이 정당성을 띤 것이긴 했다. 그러나 기왕 정당할 바에는 좀 더 철저히 정당했더라면 시민들에게 훨씬 생광스러울 뻔했다. 해쳐지는 도시의 미관보다 아흔아홉 배 더 무서운 것이 혹 건물이 도괴할 경우에 있을지도 모르는 인명의 손상이고, 그렇기 때문에 개수나 철거를 명령하지 않을 수 없다는 식으로 말이다.

망루에 높이 앉아 사타귀나 득득 긁는 것으로 한여름 오후의 무료를 달래는 젊은 소방관의 모습이 똑똑히 보일 정도니까 바로 지척이다.

길 건너 저만큼에 소방서가 자리하고 있다. 그 소방서 망루와 키재기라도 하듯 임립한 몇 채의 고층건물들 사이를 지나노라면 농기구 제작소 하나가 눈에 띄는데, 순연히 인간의 어깨와 팔뚝심만으로 우격다짐하다시피 철판을 두들겨 분무기 등속을 만들어내는 그 영세성이 심히 측은해 보일 거다. 농기구 제작소와 바로 이웃해 있는 목조건물의 아래층은 싸구려 여인숙이다. 얼마 전만 해도 여인숙 다음은 왜식을 전문으로 하는 대중식당이었으나 지금은 그 자리에 신축 양옥이 들어서서 인근 김외과병원의 안집으로 사용되고 있다.

병원 안집 대문 앞을 지나쳐가다가 사람들은 뭔가 개운찮은 기분에 이끌려 대개들 한 번쯤 뒤돌아보게 된다. 그리고 그 순간, 거개의 사람들은 자기를 방금 수고스럽게 만든 것의 정체를 고대 알아차리게 된다. 아랫도리 부분의 여인숙이 무리를 해가며 떠받치고 선 목조건물 윗도리 부분의 꼴불견은 장님조차도 쉽게 알아볼 수 있는 정도다. 더구나 시력이 좋은 사람일 것 같으면 이내 간판도 찾아 읽을 수 있게 된다.

아무리 고가라지만 명색이 그래도 집인데, 사면 벽이 없을 수 없다. 애당초는 묽은 반죽이 흘러내리다 굳어버린 형태의 투실 무늬에 분홍색 페인트를 올려 한껏 모양을 부린 회벽이었다. 그러나 세월이란 것이 그동안 멋대로 조지고 제겨놓아 지금은 석회는 석회대로 페인트는 또 페인트로 퇴색하고 변색해서 그 겉노는 모양이 흡사 늦잠에서 깬 논다니의 화장기 도망간 낯바닥마냥 민주주의로 생겨먹었다. 특히 우리가 주목하지 않으면 안 되는 것은 도로 쪽으로 둘린 벽면이다. 거기에 손바닥만한 창문 하나가 한 줄기 숨통처럼 아슬아슬하게 뚫려 있기 때문이다. 아무려면 손바닥만이야 할까마는 하여튼지 옹색하기 그지없는 네 쪽의 유리창이 위아래 각각 둘씩 양편으로 어울려 유일한 창문 구실을 한다.

뿐만 아니라 그 유리창 칸칸마다 푸른빛 선팅을 하고 그 위에 다시 금박으로 '산' '호' '다' '방' 넉 자를 공평하게 배치해 넣었다. 이것이 바로 시당국으로부터 잇달아 개수 명령을 받아가며 최근에 손을 본 유일한 자리이자 집채를 통틀어 가장 때깔이 훤한 부분이다.

그것은 그것의 개폐 여부나 여닫는 방식의 차이에 따라 본래의 창문 구실 혹은 그에 버금가는 간판 역할을 번차례로 수행하곤 한다. 창문이 외출할 때면 간판이 보초서고, 마찬가지로 간판이 외출나갈 경우엔 창문이 보초서는 꼴이다. 그런데 특별한 일이 없는 한 창문은 대개의 경우 꼭꼭 처닫힌 상태로 있다. 어쩌다 그것이 열리기라도 하는 날이면 사람들은 '산다'와 '호방' 두 절름발이 가운데서 어느 한쪽만을 구경하는 것으로 그치고 만다.

찻집임을 알리는 신호라곤 그런 따위가 전부임에도 불구하고,

그러나 우리 시의 시민들은 여간해서 착각이나 혼동을 일으키는 법이 없다. 이왕 내친 걸음이니까 우리의 산호다방 내부도 마저 보아주기 바란다.

입구로 들어설 때는 되도록이면 오른쪽은 외면한 채 빠른 걸음으로 지나치는 것이 이롭다. 여인숙과 함께 쓰는 남녀공용의 화장실은 그것이 닫혔건 열렸건 상관없이 언제나 마수부터 비위를 상하게 만들기 십상이다.

곧바로 층계가 눈에 띈다. 정확히 스물일곱 단의 높이를 가진, 목조계단인데, 기울기가 워낙 가파른 데다가 중간에서 잠시 쉬어 꼬부라지는 층계참조차 베풂이 없이 단숨에 곧장 치올려세운 구조의 그 멍청스러움 덕분에 만약 여자라도 동반했을 경우 당신은 엉큼한 마음 없이도 기사도정신을 발휘할 수 있게 되는지 모른다.

더구나 목조의 수명까지 다 된 상태여서 위태롭기조차 한 것이다. 맨 아랫단에서 위쪽으로 오를수록 밟힘을 당한 층계가 지르는 신음이 점점 고조된다. 그 기분 나쁜 소리는, 밝은 세상에 다시 나갈 수 있을지 어떨지를 점치면서 수술실로 들어서는 중환자만큼이나 초행의 당신을 불안스럽게 만들 것이다.

층계의 마지막 단을 딛고 서면, 거기에 영락없는 또 하나의 다른 당신이 미리감치 도착해 있어 뒤미처 허덕이며 올라오는 당신을 환영하고 있을 것이다. 비록 다른 당신이 실제의 당신의 모습에 비길 때 크고 살찌고 약간은 한쪽으로 이지러져 보이고, 그리고 한꺼풀 망사천 너머로 흘겨보듯 망측스러운 추남으로 비친다 해도 그리 신경쓸 필요 없다. 등신비(等身比)의 대형거울의 장난인 것이다. 거울의 상단에는

祝 發 展

그리고 하단에는

永生高女第七回달맞이會員一同

이라는 글씨가 각각 새겨져 있다. 원래 고르지 못한 표면에다 뒷면의 수은 가루마저 군데군데 벗겨져서 기능의 일부를 착실히 얌질하고 있다. 그 점이 외려 더 분위기에 착 들러붙는다. 삐걱거리는 계단을 숨 가빠 올라서는 회사원이면 회사원, 절도범이면 절도범들의 면면을 곧이곧 극명하게 되쏘지 않는 것만도 여간만 다행이 아닐 수 없다.

이제는 다 됐다. 거울을 한옆으로 비끼면서 출입구 손잡이를 잡아당기는 그런 정도의 수고로 당신은 인제부터 산호의 한 식구가 되는 것이다. 먼저 굴속 같은 어둠이 당신의 전신을 휩싼다. 그 어둠 속에서 사금파리처럼 하얗게 웃으며 섰는 가지런한 치아가 우선 눈에 띈다. 그 웃음 한번에 당신의 망설임은 순간적으로 녹고, 그리고 그 웃음 바로 그것이 당신으로 하여금 선뜻 어둠 속으로 빨려들어가게 만들 것이다.

1

여느 날과 똑같았다. 시골 국민학교 교사 김시철을 입구에서 반긴 것은 하얀 이빨 하얀 웃음의 손 마담이었다. 카운터 옆에서 마담을 상대로 판에 박힌 인사를 건네고 어쩌고 하는 사이에 장벽처럼 막아서던 실내의 어둠도 서서히 물러갔다. 어둠을 대신하여 어느새 좌석들의 행렬이 서서히 공간을 차지해 나가고 있었다. 마음만 먹으면 언제든지 상문을 열고 소방서 망루를 바라볼 수 있는 오른쪽 끝에서 두 번째 자리는 역시 비어 있었다. 저절로 비어 있다기보다 실은 마담의 배려로 일부러 비워놓은 자리였다. 김시철은 제 단골 좌석에 가서 아무렇게나 몸뚱이를 부렸다.

"그래, 오늘도 사표를 품에 넣고 출근하셨었나요?"

뒤따라온 손 마담이 맞은편에 앉으면서 이렇게 말을 걸었다. 오십 고개를 저만큼 앞에 둔, 그 나이에 흔히 보는 비만형 몸집인데도 퍽 곱고 정갈하게 늙는 인상이었다. 그래서 사람들은 그녀의 그런 면을 보고 미륵보살이라 부르는 것이었다.

"그거야 물어보나마나죠, 뭐."

귀찮다는 내색을 구태여 감출 필요 없이 김시철은 퉁명스럽게 대꾸했다. 구식의 목제의자라서 궁둥이를 붙이면 앉은키가 형편없이 낮아지는 반면 팔받이의 위치는 또 턱없이 높아진다. 그래서 사용하기에 다소 불편한 점이 없지 않지만 그 대신 단골 자리에 정좌했을 때의 김시철에겐 바로 그 의자의 기이한 구조 덕분에 선천적으로 없던 위엄이 혹처럼 갑자기 붙으면서 시골 국민학교 교사치고는 좀 과람스럽지 싶은 거만한 앉음새를 본의아니게 취하게 되는 것이었다. 적어도 산호다방 안에서, 더구나 상대가 손 마담이라면 웬만한 무례는 다반사로 통하는 줄을 김시철은 익히 아는 터였다.

"적당한 기회가 없었던 모양이군요?"

"훈장자리 하나 내놓는 데 어찌 기회가 없었겠어요. 눈 딱 감고 내던지는 그때가 바로 기회죠. 사람이 모자란 탓입니다. 사표를 내던질 만큼 변변한 위인이 못 된다는 걸 마담은 처음부터 아셨을 텐데요."

"참는 김에 더 참고 견디셔야죠. 요즘 들으니까 교사들 봉급이 많이 오를 거라고들 그러는데 그렇게 되면 지내기가 한결 수월해질

거 아녜요."

"그까짓 봉급 몇 푼 오른다고 나무주걱이 쇠주걱이 되나요. 근
본적인 문제는 사회적 지위입니다. 사람들이 자기네 사윗감으로
혹은 신랑감으로 국민학교 선생한테 어떤 점수를 매기느냐에 달린
겁니다."

"마음을 느긋이 가지세요. 그러기 전에 무엇보다도 우선 쉬셔야
돼요. 댁의 안방처럼 생각하고 한잠 주무세요."

마담은 갔다. 김시철 쪽에서 생각할 때 마담은 언제나 앉아 있어
야 할 시간의 길이를 정확히 알고 또 언제쯤 일어서야 하는가를 정
확히 아는 여자였다. 그는 잘 익은 배를 베어먹듯 사근사근 울리는
마담의 목소리를 상당히 즐기는 편이었다.

시철이 잠에서 깼을 때는 이제 막 밤일을 시작한 농기구 제작소
에서 철판을 두들겨대는 소리가 한창이었다. 꽈당꽈당 울리는 소리
에 섞여 손 마담 목소리가 옆자리에서 들렸다.

"첨엔 누구나 다 그러죠. 하지만 이제 곧 아무렇지도 않게 돼요.
규칙적인 소리는 금방 몸에 익숙해지니까요."

멋모르고 들어온 뜨내기 손님 한 쌍이 되게 불평을 늘어놓고 있
었다.

"다방이 뭐 이래. 일루미네이션은 영점이고 데코레이션은 마이
너스로군."

"그러게 말야. 뮤직은 또 어떻구? 아직두 십구세기를 못 벗어
났어."

자기는 산호를 구성하는 하잘것없는 비품(備品)의 하나라고 늘
자처해 온 손 마담으로서는 그런 종류의 공박은 사실 타격이 아닐
수 없었다. 그런데도 손 마담은 만면에 보살 같은 미소를 띠면서 부
드럽고 차분한 목소리로 젊은이들을 설득하기 시작했다.

"빛이 있으면 그림자도 있는 법예요. 물론 그림자보다야 빛 쪽이 훨씬 낫죠. 그렇다고 또 세상이 온통 빛만 있어가지고는 곤란해요. 사람이 피곤하고 발아서 견딜 수가 없어요. 빛 뒤엔 반드시 그림자가 따르는 게 정상예요. 도시일수록 특하나 더 그래요. 그런 의미에서 저희 산호는 그늘인 셈이죠. 오늘날 우리 시에 남아 있는 유일한 그늘예요. 온종일 불볕 속에서 부대낄 대로 부대낀 사람들이 쉴 곳을 찾아 지친 몸을 이끌고 저희 산호로 온답니다. 이곳에서는 허례허식이나 체면 따윈 모두 필요 없어요. 약간은 상식에서 벗어난다 해도 탓할 사람 없어요. 신사복을 준비하지 않았다고 너무 섭섭해하지 마세요. 풀밭에서 뒹굴기엔 작업복이 훨씬 간편하고 좋답니다."

마담의 찰떡같은 신념이었다. 빛과 그림자 운운의 그 지론으로 튼튼히 무장하고 반평생을 오직 산호를 지키는 데 몸 바쳐온 괴짜였다. 그 신념 때문에 그녀는 자주 수세에 몰려 곤경을 당하곤 했다. 그러나 몇 차례에 걸친 영업정지와 개수 명령 뒤에도 산호가 크게 다치지 않은 채 거의 원형 그대로를 유지해 나갈 수 있었던 것 또한 그 신념 덕분이기도 했다. 그녀는 자신의 다방 운영을 영업행위로 생각한 적은 꿈에도 없었다. 어디까지나 그것은 명실상부한 하나의 사회사업이었다. 언제나 실패의 잔만을 마시는 꾀죄죄한 일생들을 마치 어미닭이 병아리를 품듯이 자신의 그늘에서 마음놓고 쉬게 할 수만 있다면 그녀는 그것으로 족했다.

"커피 드시겠어요?"

주문을 받는 게 아니라 시비를 걸 작정인 듯 미스 현이 끼어들었다. 미스 현은 고개를 천장 쪽으로 향하고 사람을 콧등으로 내려다보는 버릇이 있었다. 마담이 누차 주의를 주었는데도 산호를 출입하는 손님 모두를 싸잡아 깔아보는 그 태도는 쉬이 고쳐질 기미가 안 보였다.

"자기는 뭐 마실래?"

여자가 물었다.

"난 커피."

남자가 대답했다.

"커피하구 토마토주스!"

여자는 미스 현이 지른 불을 훅 불어끄는 기세로 간단히 처리해 버렸다. 주문을 받자 미스 현은 잠자코 돌아섰다. 그리고 훼훼 내저으며 걷는 미스 현의 엉덩이가 비좁은 통로를 꽉 메웠다. 뒤늦게 마담이 깜짝 놀라는 얼굴을 했다.

"아가씨는 토마토주스를 주문하셨나요?"

"왜, 안 되나요?"

"그럴 리가 있겠어요. 토마토주스, 좋죠, 여성들 미용에도 좋고 또⋯⋯."

미스 현이 전표를 주방창구에 밀어넣으면서 한입 가득 비웃음을 물었다. 마담의 그 설득조 음성이 되이어졌다.

"하지만 차 종류라면 뭐니 뭐니 해도 커피가 제일이죠. 특히 저희 산호가 자신있게 내놓을 만한 것은 커피랍니다."

그러면서 손 마담은 커피 예찬론을 늘어놓기 시작했다. 듣기에 따라서는, 커피 놔두고 주스 시키면서 어떻게 현대여성 축에 낄 수 있느냐는 투였다. 마담의 말이 끝남과 거의 동시에 차가 배달되어 왔다. 두 잔의 커피였다. 젊은 남녀는 귀신에라도 홀린 듯 어안이 벙벙해서 아무 소리 못하고 그저 바라만 보았다. 그것 보라는 듯이 미스 현이 실쭉 웃으며 그들먹한 엉덩이로 통로를 빼곡 메우고 갔다.

산호다방 커피라는 게 당최 엉망이었다. 되는 대로 설설 헹궈 낸 개숫물 맛과 별반 다를 게 없었다. 검지도 붉지도 않은 애매한 빛깔에 들척지근한 냄새만 풍겨 그걸 목구멍으로 넘기고 나면 단박에

속이 닝닝해 오는 것이었다. 어른이 뇌나 반 것 같은 상말의 주방상
녀석이 장담하고 만들어내는 유일한 차가 예의 그 커피였다. 듣는
데서 혹 누가 커피 맛이 형편없다고 불평이라도 할라치면 녀석은
까놓고 대거리질을 해대곤 했다. 백이면 백 다 식성에 맞는 차를 만
들 줄 알면 어떤 개아들놈이 이런 삼류다방 구석에서 여지껏 썩고
있겠냐는 것이었다. 그러니 본격적인 커피를 맛보고 싶은 사람은
허구한 날 산호에 죽치고 앉았을 게 아니라 관광호텔 커피숍 같은
데나 나가보라는 얘기였다. 뿐만이 아니었다. 녀석은 손님이 약간
뜸한 시각이면 주방에서 홀로 진출하여 짬짬이 단골들과 맞상대를
하면서 감히 담배 한 대 꾸자고 손을 벌리는 것이었다.

손 마담한테는 주방장 못지않은 또 하나의 애먹이로 미스 현이
있었다. 미스 현은 그녀의 직업용 성명이 가짜이듯이 마음보 또한
가짜였다. 그녀는 자신의 미모에 대해 얼토당토않은 과신을 품고
있었다. 손님들이 객관적인 눈으로 평가해 주는 제 용모와 제가 스
스로 평가하는 그것 사이엔 엄청난 격차가 있는데도 그녀는 좀처럼
자숙하려 하지 않았다. 주방장 녀석의 표현을 빌리자면, 진짜 민주
주의로 생겨먹은 얼굴이어서 이목구비가 다 제멋대로였다. 미스 현
이 자신의 인기를 측정하는 방법은 그날그날 손님들로부터 뺏어마
시는 찻잔의 수였다. 손 마담 눈을 피해 가며 요령좋게 만만한 단골
들을 협박해서 매상을 올리는 그 한 잔에 그날의 희비가 엇갈렸다.
이를테면, 어제는 열 잔을 얻어먹어서 백 퍼센트 살맛이 났는데 오
늘은 다섯 잔뿐이니 자살이라도 하곺다는 식이었다. 누구나 다 마
찬가지일 테지만, 그녀의 원래 희망은 다방레지가 아니었다. 앉으
나 서나 지금도 그녀는 일편단심 가수에의 꿈을 버리지 못하고 있
었다. 따라서 거개의 철딱서니없는 레지아이들의 실속 위주의 소원
으로, 어떤 돈 많은 늙다리 하나 물어서 하루아침에 주인 마담으로

껑충 도약하여 손수 다방을 경영해 본다는 따위 생각은 그녀에게
경멸을 받아 마땅했다. 그녀는 틈나는 대로 화려한 무대 위에서 스
포트라이트를 전신에 받으며 만원사례의 관중을 상대로 그들의 애
간장을 낱낱이 누이며 있는 자신의 모습을 새기곤 하곤 했다. 그
리곤 했다. 그녀는 자신이 일류가수로 출세한 직후 곧바로 한 고학
생과 사귀어 몸과 마음을 다해 그를 뒷바라지하게 되기를 소원했
다. 그리고 재주는 있으나 환경이 몹시 불우한 그 고학생이 자신의
도움에 힘입어 대학을 마치고 판검사가 되는 그 순간에 가서 자기
를 본때있게 배신해 주기를 소원했다. 그가 당연히 그래 줘야만 자
기는 마지막 고별 리사이틀에 당하여 청중들의 열화같은 재청에 대
한 답례로 윤심덕의 「사의 찬미」를 부르다가 무대 위에서 숨을 거
둘 수가 있었다. 마지막 무대에 오르기 직전에 그녀는 필히 음독(飮
毒)할 각오였다.

밤도 어지간히 깊었다. 김시철은 홀 안을 한 바퀴 둘러보았다.
매일 저녁 개근하다시피 하는 단골들의 모습이 저마다의 지정석을
차지하고 게게 풀린 몰골들을 한 채 시간을 보내는 중이었다. 카운
터에서 제일 가까운 자리에 앉은 건 전직 신문지국장 경력의 채씨
였다. 금전관계든가 여자관계든가의 모종 사건에 얽혀 몇 년 전에
은퇴한 후 지금까지 오직 현역기자들의 패기없음만을 한탄하면서
세상을 사는 초로의 홀아비인데, 요즘 손 마담을 감히 어쩌려 한다
는 소문이었다. 그래서 그런지 그는 꼭꼭 카운터 바로 앞자리에 턱
알받침을 하고 앉아서 될수록 손 마담 쪽은 거들떠도 안 보는 척하
면서 실은 일거일동을 죄 훔쳐보고 있었다.

김시철과는 맞은편 구석에 대칭을 이루고 앉아 있는 건 늙은 대
학생 최씨였다. 군대 복무기간 삼 년을 합쳐 시방 구 년째 재학 중
이라는 그는 일 년을 둘로 쪼개어 한 학기는 벌고 한 학기는 등록하

는 형편인데, 시금은 유학원을 내고 악미를 상반아는 둥이고, 풍소를 찾아 늘 이쪽 주머니 저쪽 주머니를 부스럭부스럭 뒤져쌓는 그 궁상맞음으로 하여 역설적이게도 다른 사람 아닌 미스 현한테서 몹시 괄시를 당하는 상태였다.

김시철이 오다가다 눈인사라도 건네는 사람은 그들 둘이 다였다. 그러나 그 밖의 손님들에 관해서도 미스 현이 좌석을 일순하며 참샛짓으로 물어나르는 말과 말이 있어 거의 모든 것을 소상히 알고 있었다. 산호에서 낯익은 사람이라면 개개일자로 이미 현역에서 은퇴했거나 혹은 아직도 때를 못 만나 재미가 뭔지 모르고 세상을 사는 그런 부류였다. 그네들은 어찌 보면 밤이 이슥해서 마담으로부터 문 닫을 시간이니 오늘은 그만들 돌아갔다가 내일 다시 오라는 그 말 한마디를 듣기 위해 그처럼 기를 쓰고 꾸역꾸역들 산호로 모여드는 것 같기도 했다.

언제부터인지 모르게 철판을 꽈당꽈당 두들겨패던 소리는 그쳐 있었다. 그리고 그걸 대신하여 역시 언제부터인지 모르게 사내들의 언쟁하는 소리가 점점 열도를 더해 가며 벽을 타고 이층까지 또렷이 살아올라오고 있었다. 죽일 놈 살릴 놈 해가며 고래고래 왜장치는 소리가 더 이상 참을 수 없을 정도로 높아지자 김시철은 마침내 영사실 암막만큼 두껍고 무거운 커튼을 들치면서 창문을 열었다. 디귿자 모양의 키 낮은 슬레이트 지붕 처마 밑에 달린 고촉의 백열등이 빈 드럼통과 철봉들로 너저분한 농기구 제작소 안마당을 용서 없이 내리비치고 있었다. 웃통을 홀렁 벗은 두 사내가 쏟아지는 불빛을 받아 땀에 젖은 근육을 번들거리며 한참 쫓고 쫓기는 중이었다. 쫓는 자는 손에 목침덩이만한 해머를 거머쥐었고, 쫓기는 자는 맨손인 채였다. 쫓는 자나 쫓기는 자나 다같이 서로를 저주하고 욕설을 퍼부으면서 드럼통 사이를 빠져나가고 기둥을 돌았다. 네댓

명의 동료가 곁에 있었으나 그들은 팔짱을 낀 채 실실 웃어가며 구경만 하고 있었다. 마침내 막다른 골목에서 몰려 맨손의 사내는 더이상 도망칠 수 없게 되었다.

"죽디. 치괴! 치괴!"

맨손의 사내가 대갈통을 디밀면서 한 발짝 해머 앞으로 다가들기 시작했다. 다른 사내가 해머를 머리 위로 번쩍 추켜세우면서 험악한 눈초리를 했다. 그 순간 오랜만에 맛보는 신선한 긴장이 김시철을 압도해 버렸다.

"오오냐, 그렇잖아도 빌빌대고 사느니 차라리 죽고 싶던 참이다. 마침 잘됐다. 쳐라, 어서 쳐!"

금방 내리칠 듯한 그 동작만도 가위 살인적이었다. 꽝 소리와 함께 골통이 으깨지는 장면을 상상하면서 시철은 다음 순간을 목마르게 기다렸다. 그러나 어찌 된 영문인지 사내는 등등한 기세가 무색하게 결행을 자꾸 망설이더니 끝내는 해머를 동댕이치면서 엉엉 소리내어 울기 시작했다. 그러고는 그만이었다. 공장장쯤으로 보이는 작달막한 체구의 사내가 나타나 카랑카랑한 소리로 두 사람을 호되게 나무람하기 시작했다.

"이 개도야지만도 못헌 놈들아, 비싼 밥 먹고 그래 헐 짓들이 없어서 맨날 쌈질들이냐, 이놈들아! 똑같이 고생살이허는 불쌍한 종자들끼리 이놈들아, 서로 위해 주지는 못헐망정 이놈들아, 허구 많은 날 치고 패고 지랄발광들이나 허고 이놈들아……."

김시철은 창문을 닫았다. 커튼도 도로 내려버렸다. 끝장을 보지 못한 긴장감이 아직도 체내를 돌며 아쉽게 꿈틀거리고 있었다. 이제는 돌아가야 할 시간이었다. 하숙방에 가면 식은 밥상이 저를 기다리고 있을 것이었다. 스스로의 의지로 발딱들 일어설 생각을 못하고 문 닫을 때까지 궁싯궁싯 시간만 보내는 산호의 떨거지들을 둘러보면서 김시철은 두 번 다시 이놈의 다방에 출입하지 말자고 벌써 습관이 돼버린 맹세를 새삼 되씹어 보았다.

2

여느 날이나 조금도 다를 것이 없었다. 사표는 제출하지 못한 채 여전히 안주머니에 찔려 있었고, 먹밤 같은 카운터 앞에서 사금파리처럼 하얗게 웃는 손 마담의 이빨도 여전했다. 김시철은 오른쪽 끝에서 두 번째 좌석을 차지하고 앉아 대뜸 커피를 주문했다. 산호다방 커피 수준이 어떻다는 걸 속속들이 알지만, 그렇다고 다른 걸 주문해 봤자 아무 소용 없다는 사실 또한 익히 아는 터여서 그는 차 주문에 곤혹을 느껴본 적이 거의 없었다.

이윽고 차가 배달되어 나왔다. 그런데 찻잔을 내려놓는 미스 현의 입가에 전에 없던 웃음이 잠깐 내비쳤다.

"아마 김 선생님도 깜짝 놀라실 거예요."

"글쎄 그러잖아도 방금 놀라고 난 참이야. 미스 현이 아마추어 노래자랑에서 장원이라도 했단 말인가?"

그런 일 말고는 당장에 놀랄 일이 없을 성싶었다. 미스 현이 무슨 말인가를 더 하려는 기색인데 이때,

"현양아!"

카운터에서 손 마담이 기숙사 사감 같은 표정으로 엄한 눈짓을 보냈다.

"인제 곧 아시게 돼요."

이렇게 소곤거리며 돌아서는 미스 현의 눈꼬리에 이번엔 어렵쇼, 장난기마저 해낙낙히 묻어 있질 않나. 그러고 보니 그새 산호다

방에 뭔가 변화가 있긴 있었던 게 분명해졌다. 변화도 이만저만한 변화가 아닌 듯했다.

그 변화가 무엇인지를 김시철은 커피를 한 모금 마시고 나서야 비로소 눈치챌 수 있었다. 어제까지 마시던 개숫물 맛이 아니고 이건 진짜 커피다운 커피여서 그는 하마터면 도로 뱉을 뻔했다. 그가 깜짝 놀라기를 기다려 마담이 다가왔다.

"커피가 어떻게 마음에 드셨는지 모르겠어요."

"어떻게 된 일이죠?"

"주방장이 새로 갈렸어요. 마침 좋은 사람이 있길래 전에 있던 이군보고 그만두라고 그랬죠."

김시철은 주방이 있는 쪽으로 고개를 돌렸다. 찻잔이 드나드는 반달 모양의 창구 저쪽에 여자처럼 희고 가는 팔 하나가 슬쩍 나타났다가 이내 사라지는 게 보였다.

주방장이 갈린 그 이튿날부터 산호다방은 무섭게 변모하기 시작했다. 우선 음악부터 바뀌어서 전에는 미스 현이 따라부르기 딱 알맞게시리 쫄쫄 쥐어짜는 뽕짝조이던 것이 밝고 경쾌한 팝송 경향으로 크게 변했다. 다음은 커튼이었다. 진록의 두꺼운 나사천에서 연둣빛 얼멍베로 시원하게 바뀌고 창문들은 경우지게 한가운데 위치로 활짝 개방되었다. 조명도 대폭 보강되어 실내는 눈부실 정도로 밝아졌고, 하다못해 벽에 거는 액틀이나 시트커버에 이르기까지 달라지지 않은 게 없었다. 그러나 다른 무엇보다 가장 충격적인 변화는 손 마담의 그 딴사람처럼 돌변해 버린 태도였다.

"곤경에 처했다고 꼭 움츠리고만 살란 법은 없어요. 그럴수록 우린 우리대로 한정된 범위에서나마 즐기는 방법을 찾아내지 않으면 안 돼요. 바깥이 너무 눈부시다면 거기에 적응해 나갈 힘을 안에서부터 차츰 길러나가는 거예요. 그런 노력마저 포기해 버리면 우리는 영영 낙오되고 말아요."

미스 현의 귀띔에 의해 사람들은 그와 같은 모든 변화가 주방 속에서 흘러나오는 지시에 의한 것임을 곧 알게 되었다. 정신을 못 가눌 만큼의 새로운 환경에 이끌려가느라고 수고가 많으면서도 산호의 오랜 단골들은 고개를 갸우뚱거렸다. 이십여 년이 넘게 고수해 온 전통적 분위기를 불과 며칠 사이에 굴뚝이 아궁이 되고 아궁이가 측간 되게 일신해 놓은 주방장이란 인물이 도대체 어떤 사람인지 궁금하지 않을 수 없었다. 하지만 미스 현은 대답 대신 실실 웃기만 하다가 혹 실수라도 저지르지 않았나 두려워하는 표정으로 느닷없이 손 마담의 눈치를 살피는 것이었다.

새로 온 주방장은 보름이 지나고 한 달이 지나도 홀 안에 코쭝배기조차 비치지 않았다. 아침일찍 문을 열어서 밤늦게 문을 닫을 때까지 주방 밖에 얼씬하지 않음은 물론 소변 보고 대변 보는 꼴 한 번 보이지 않았다. 그러면서 반달 모양의 주방창구로 찻잔을 들이고 내기 위해 감질나게 내보이는 여자처럼 희고 매끈한 팔로써 사람들의 궁금증에 더욱 불을 댕기는 것이었다. 손 마담과 미스 현이 전에 없이 똘똘 뭉치고 단결하여 주방장에 관한 한 성씨도 출신지도 심지어는 나이까지도 숫제 모른다고 딱 잡아떼는 판이었다. 더욱이나 행여 누가 주방 안을 불시에 기웃거리기라도 하는가 해서 신경을 잔뜩 곤두세우고 교대로 감시하는 것부터가 어쩐지 수상쩍었다.

시간이 지날수록 새로운 주방장은 산호다방 단골들에게 점점 불가사의한 인물이 되어갔다. 목소리를 전연 들을 수 없는 점으로 미루어 벙어리일시 분명하다는 소박한 농담들이 손님들 간에 오갔다. 화상을 입어 남에게 보이기 꺼릴 정도로 흉측스러운 얼굴일지 모른다는 억측도 나돌았다.

그러던 어느 날, 주방장 일로 잠시 사표건을 잊을 만큼 세상이 약간 재미있어지기 시작한 김시철은 뜻밖의 소문을 들었다. 만년 대학생 최씨가 홀을 건너 김시철의 지정석까지 멀리 나들이를 와서 이렇게 물었던 것이다.

"김 선생도 소문 들으셨습니까?"

"글쎄요, 어제 누가 그러는데 서울에서 일류대학을 다니다 말았다고 그러더군요."

"그게 전분가요?"

"그렇습니다만……."

"아직도 김 선생은 그믐달이시군."

"네?"

"도망자래요."

"뭐요?"

"쉬잇! 목소리가 너무 커요. 경찰에 지명수배된 인물인데, 여기서 지금 은신해 있는 중이래요."

"누가 그럽디까?"

"정확한 출처는 아직 아무도 몰라요. 전에 왜 사방관리소 서기를 지냈다는 김씨 있잖아요? 그 사람이 자기도 누구한테 들은 얘기라며 슬쩍 귀띔해 줍디다. 하지만 우리에게 중요한 건 소문 그것이지 출처가 아닙니다."

최씨는 흥분을 감추지 못했다. 스스로 도망자나 된 기분이 드는지 여차하면 아무 데로나 내뺄 듯한 자세로 엉거주춤 안절부절을 못했다. 비단 최씨뿐만이 아니라 다방 전체가 아연 흥분의 도가니였다. 사람들이 끼리끼리 모여앉아 연신 주방 쪽을 흘끔거려가며 수군거리기에 여념이 없어 영업이 전혀 안 될 지경이었다. 손님들의 그런 꼴을 손 마담은 잔뜩 부어터진 얼굴로 감사납게 쏘아보고 있었다. 그리고 미스 현은 아까부터 카운터 뒤에 들어박혀 침 먹은 지네처럼 옹송그린 채 나올 줄을 몰랐다. 산호다방 유사 이래 손님들이 이렇게 활기에 넘쳐보기는 아마도 처음 일인 듯싶었다.

나중판에는 전직 신문지국장 채씨까지 와서 합세하여 일행이 셋으로 불어났다. 하루하루를 넘기기가 그저 지겹고 끔찍스럽기만 하던 그들에게 주방장에 관한 소문 일습은 말하자면 영감 죽고 처음의 재미였다. 너무 살판이 난 나머지 그들은 자기네가 소문의 진부를 아직 확인도 해보기 전에 그대로 믿어버린 우를 범하고 있음조차 깨달을 여지가 없었다. 그들 세 사람은 마치 누에가 뽕잎을 먹듯 되도록 이야기의 중심은 아껴두고 가장자리부터 차근차근 갉아들어가기 시작했다. 먼저 서두를 꺼낸 사람은 김시철 그였다.

"무슨 죄를 저질렀을까요?"

"틀림없이 누명을 썼을 거야."

채씨가 자신있게 말했다.

"아내를 죽였다는 누명을 쓰고 무기징역 언도를 받아 복역하다가 진범을 잡으려고 기회를 봐서 탈옥했을 거야."

"예끼 여보슈, 그건 텔레비에 나오는 리처드 킴블 얘기 아니유?"

최씨가 핀잔을 주자 채씨는 허허허 하고 멋쩍게 한차례 웃었다.

"내 짐작엔 말입니다, 우리 주방장은 살인범이 분명합니다."

하고 늙은 대학생이 자신 있게 말했다.

"글쎄 그렇다니까!"

하고 채씨가 토를 달았다.

"사회를 좀먹는 벌레만도 못한 인간이 부당한 방법으로 선량한 사람들의 재물을 착취하는 걸 도저히 용서할 수 없었던 겁니다. 그래서 추악한 전당포 노파를 손도끼로 쳐죽였다 이겁니다."

"그것도 어디서 많이 들어본 얘기 같은데."

"들으셨다니 별수 없군요, 허허."

"두 분 생각이 너무 통속적인 데 실망했습니다."

"그럼 김 선생의 그 비통속적인 생각은 뭡니까?"

"난 좀 다른 각도에서 해석하고 싶습니다. 흑백이 분명하게 구체성을 띤 것보다는 사건을 약간 상징적인 방향으로 추리해 봤습니다. 요컨대 우리 주방장은 사실은 있으면서도 없고 없으면서도 있는 모종의 혐의를 받고 이곳 시골다방에 은신 중인 인물입니다."

"지금 무슨 얘길 하시는 거죠? 그는 무고하다, 다시 말해서 누명을 썼다 이 말입니까?"

"반드시 그렇지만도 않죠. 그는 분명히 잘못을 저질렀습니다. 그 잘못이란 게 남보다 특출나게 우월하게 타고난 그것입니다. 남보다 우월한 그것은 초능력일 수도 있고 양심 같은 것일 수도 있습니다."

"별 해괴한 소릴 다 듣는군요. 도대체 양심이나 능력이 어째서 죄가 된다는 겁니까?"

"되다마다요, 얼마든지 죄가 되죠. 남달리 탁월한 능력, 혹은 남달리 밝은 양심에 가려서 주위 사람들은 여간해서는 빛을 볼 수가 없습니다. 그렇기 때문에 제아무리 스파이크를 신고 쫓아가도 그를 따라잡을 수 없는 평범인들이나 밑이 구린 속인들 편에서 생각할 때 그가 지니고 있는 것은 조만간에 결정적으로 자기네를 해할 흉기로 보일 게 당연합니다. 흉기를 소지한 그런 사람을 최형 같으면 안심하고 한 배에 태울 수 있을 것 같습니까?"

"난 구체적인 걸 좋아하는 편입니다. 강간이면 파렴치범, 공산당이면 사상범, 그러니까 너는 사형, 너는 무기징역──이렇게 때려야 얼른 이해가 가지, 남보다 우월하니까 죄가 된다는 그런 이론은 솔직히 말해서 좀 곤란하군요. 차라리 난 자부심을 가지고 통속적인 쪽을 택하겠습니다."

늙은 대학생 최씨와 시골 국민학교 교사 김시철은 서로 자기 짐작이 틀림없을 거라고 채반이 용수 되게 우기면서 저녁시간을 보냈다. 때마침 손 마담이 여느 날보다 시간을 훨씬 앞당겨 일찌감치 문 닫을 것을 통고해 왔으므로 두 사람은 아직도 턱없이 미진한 상태인 채 그만 막설하지 않으면 안 되었다. 아주 소소한 것이긴 하지만, 그들 두 사람은 자리를 일어서기 직전에야 비로소 합의에 도달할 수 있었다. 다름이 아니라 주방장의 죄질과 죄량에 대해서인데, 정확히 뭔지는 여전히 모르지만 아무튼 그가 불문율로 보나 성문율로 보나 사회에서 도저히 용납 못할 엄청난 중죄인이기만 하다면 그들은 그가 휘두른 것이 손도끼거나 양심이거나 간에 더 이상 따지지 않을 심산들이었다. 가장 중요한 문제는 그가 중죄인이냐 아니냐였다. 그가 반드시 중죄인이라야만 그 자신의 은신생활이 한결의의 있어질 것이고 또 그래야만 그를 가까이서 지켜보는 사람들도 더욱 생생한 현장감을 만끽할 수 있어지기 때문이었다.

3

하숙방에 들어와서도 김시철은 전연 밥생각이 나질 않았다. 산호다방에서의 흥분이 고스란히 하숙집에까지 묻어와 가지고 가슴을 벌렁벌렁 놀게 만들었다. 저녁을 빽빽 굶은 채 그는 시장한 줄도 모르고 다방에서 흐무진 결말을 못 본 자신의 공상에 기어코 끝장을 내고 말 작정으로 밤늦게까지 혼자 안간힘을 썼다. 철든 이후로 그렇게 흥분하고 긴장해 보기는 생판 처음 일이었다. 여태까지 한 달 이상을 바로 지척지간에 두고 생활해 나왔지만 사실 주방장의 정체에 대해서 그가 아는 지식이란 백지나 마찬가지였다. 소문이 분분했지만 어느 것이나 확인된 건 한 건도 없었다. 아직껏 이름도 성도 모르고 개뼉다귄지 쇠뼉다귄지도 몰랐다. 먼발치로나마 얼굴을 보거나 음성 한 번 들어본 적조차 없다. 직접 눈으로 확인한 것이라곤 반달 모양의 그 창구 안에서 사위스럽다는 듯 잠깐씩 나타났다가 꺼지는 여자처럼 가늘고 희고 도도한 팔이 고작이다. 소문과는 전혀 달리 그 친구는 실은 대학생 신분도 뭣도 아닐는지 모른다. 생각해 봐라, 그토록 철저히 차일을 치고 들어앉아서 도둑괭이마냥 오줌도 똥도 숨어 싸는 판인데 어디서 뭘 해먹던 어떤 잡놈인지 누가 무슨 재주로 안단 말인가.

그러나 김시철은 소문을 곧이곧 믿고 싶었다. 그 친구가 뒷전에 머리카락도 안 보이게 꼭꼭 숨어서 손 마담을 앞장세워 제 수족 부리듯 맘대로 조종하고, 그리고 손 마담이나 미스 현이 마치 신주단지 위하듯 그 친구를 시종일관 싸고도는 데는 분명히 뭔가 그럴 만한 속내가 있을 성싶었다. 그래서 김시철은 다소 무리를 하는 한이 있더라도 그가 대학생이며 경찰이 시방 지명수배중인 피의자라는 소문에 전적으로 동감하고 싶은 심정이었던 것이다.

밤이 깊어갈수록 주방장의 존재는 김시철의 머릿속에서 빵과자처럼 사뭇 크기를 달리해 가고 있었다. 그러다가 자정 무렵에 이르러서는 엉뚱하게도 애들 만화에 나오는 우주소년 아톰 같은 존재로 크게 탈바꿈해 버렸다. 아무리 봐도 그는 초능력의 무서운 인간이었다. 그가 산호다방 같은 데서 잠시 썩는 것은 단지 그 스트론튬인가 뭔가 하는 연료가 떨어져서 아무 데나 불시착한 결과이며, 주방장의 형태를 빌려 은인자중하면서 힘을 기르다가 오래지 않아 다시 하늘을 훨훨 나는 날이 올 것이었다. 그는 다시 악의 무리와 대결하여 번번이 승리할 것이며, 그렇게 되는 날이면 그것은 곧바로 김시철 그 자신의 승리를 의미하는 것이었다. 그것은 김시철 그 자신이

하고 싶은, 그러나 자신의 힘 가지고는 도저히 불가능한 일을 그가 형식적으로 대리해 주는 과정에 불과했다. 그가 있음으로 해서 김시철 저는 구원이 가능했다. 만일 그가 실패한다면 덩달아 저도 실패할 것이었다. 입때껏 길가 구멍가게에서 눈깔사탕 하나 못 훔치고 시험때 커닝 한 번 못해 본 약심장으로, 국민학교 선생이란 직업에 환멸을 느껴 진작부터 사표를 휴대하고 다니면서도 선뜻 내던질 배짱이 없는 졸장부로 말뚝이 박혀 산호다방 신세를 영영 못 면하게 될 것이었다.

너무도 흥분이 지나친 나머지 김시철은 그날 밤을 온전히 설치고 말았다.

4

예상을 완전히 뒤엎는 분위기가 이튿날의 산호다방을 지배하고 있었다. 직장이 없는 채씨와 별로 하는 일도 없이 휴학 중인 최씨가 일찌감치 나와앉았고 그 밖에 다른 단골들도 더러 눈에 띄었으나 모두들 한결같이 우중충한 표정들로 도통 말이 없었다. 어딜 갔는지 손 마담의 얼굴이 안 보였다. 마담 없는 다방 안을 미스 현 혼자서 맘껏 휘젓고 다니는 중이었다. 미스 현은 산호다방 커피 맛이 개숫물 맛이던 당시의 버릇을 되찾아 어느새 도로 싸가지없이 굴고 있었다. 주방장이 갈리면서 눈에 보이게 사람이 달라진 가장 대표적인 인물이 바로 미스 현이었다. 손님들에게 그럴 수 없이 싹싹해지고 고분고분해졌다. 단골들한테서 강제로 차를 뺏어마시던 버릇이나 손가락질받던 여러 악취미는 물론이며 말씨가 변하고 걸음걸이까지 달라져서 자주 얼굴을 붉힌다거나 손으로 입을 가리고 웃는 등으로 제법 수줍어할 줄을 다 알았다. 이를테면 비로소 처녀다워 지기 시작한 셈이었다. 그녀는 세상을 완전히 다른 눈으로 보는 눈 치였고 뭔지 모르게 하루하루가 행복에 겨운 기색이었다. 가슴 저 밑바닥에 새록새록 기쁨을 솟구쳐올리는 화수분 같은 샘이 있어 그 차고 넘치는 기쁨을 밖으로 퍼낼 구실을 찾지 못해 몸이 달아 있는 듯했다.

그러던 것이 어느 틈에 도로 민주주의가 된 것이다. 하루 가운데 손님이 가장 많이 들 그런 시각에 미스 현은 벌써 취해 가지고 해롱 거리며 좌석을 누볐다. 낯익은 단골이면 아무 자리에나 퍽석 주저 앉아서 위스키티 한 잔 사달라고 딱정이를 떼고 조르는 것이었다.

"남자가 너무 쩨쩨하게 굴면 못써요. 딱 한 잔만 더 마시구 끊을 래요. 어때요, 전표 써넣을까요?"

마침내 김시철한테도 차례가 왔다. 그가 고개를 끄덕이기 무섭 게 미스 현은 뽀르르 주방으로 달려가 전표고 나발이고 없이 제 손 으로 직접 위스키티를 만들어 홀짝거리며 마셨다. 주방장은 안에 있는지 없는지 드문드문 보이던 그 팔마저 전혀 볼 수가 없었다.

주방장이 내일 오전에 다른 곳으로 떠나기로 돼 있다는 얘기를 귀띔해 준 사람은 늙은 대학생이었다. 최씨가 김시철에게 말했다.

"우리 어디 가서 술이나 한잔합시다."

김시철로서는 꼭 배반이라도 당한 듯한 기분이었다. 말로는 표현 못할 허망감이 그를 잠시 무중력의 상태로 몰아넣었다. 최초의 충격 을 가까스로 견디고 나서 그는 잠자코 일어나 최씨 뒤를 따랐다.

두 사람 다 술집에서 통 말이 없는 가운데 무수히 대작만 했다. 소주 기운이 엔간히 올라오자 비로소 최씨의 입이 무겁게 열렸다.

"그 친구 비겁하게 자꾸만 도망쳐서는 안 됩니다. 좁은 땅덩어리 안에서 지가 기껏 도망쳐봤자 트자에 리을 놓는 거지 별수 있습니까. 죽으나 사나 여기서 끝장을 봐야 됩니다. 피해 다니면서 구차스럽게 연명하기보다는 차라리 붙잡혀서 할 말 하고 당할 것 당하는 편이 훨씬 더 떳떳하고 영웅적이죠. 남들이 알아주고 생각해 주는 그만큼 그 친구에겐 사람들을 실망시키지 말아야 할 의무 같은 게 있잖겠습니까."

아톰 소년의 초능력에 빌붙겠다며 밤잠까지 설치던 자신이 생각할수록 같잖게 느껴지는 순간이었다. 두엄자리에 붙박고 앉아서 남의 옷소매에 매달려 감히 구름 쪽을 넘보는 꿈을 꾸다니, 될 법이나 한 일인가. 간밤의 공상이 그 얼마나 얼뜨고 허황된 것이던가를 깨달으면서 김시철은 저도 모르게 쿡 하니 실소를 했다. 그는 최씨의 말에 아무런 대꾸도 않고 그저 술만 마셨다.

"그 친구의 장래를 생각해서 아니할 말로 밀고라도 했으면 합니다."

헤어지는 마당에 최씨가 남긴 마지막 말이었다.

최씨를 보내고 나서 그는 터벅터벅 하숙집을 향해 혼자 걸었다. 얼마쯤 걷다 보니 잔뜩 취기 오른 눈에 길가의 공중전화 부스가 얼핏 들어왔다. 그 순간 그는 아무런 결단이나 주저의 과정도 거침이 없이 불쑥 전화통 앞에 가 섰다. 그러고는 예정된 절차라도 수행하는 양 아주 천연스러운 동작으로 다이얼을 돌리기 시작했다. 1하고 다시 한 번 1하고 그러고는 2.

두어 차례 발신음이 떨어진 다음 그 문명의 이기가 이쪽과 저쪽 사이에 가로놓인 엄청난 장벽을 확 뚫어주는 순간이 왔다.

"네, 일일입니다."

뺨이라도 갈기듯 귓전에 울려오는 투박한 남자목소리를 듣고 그는 갑자기 망연해져서 한동안 손에 들린 수화기를 멀뚱히 내려다보았다.

"여보세요! 여보세요⋯⋯."

그는 침착을 가장하여 스스로를 기만하는 여유작작한 자세로, 다급한 소리를 토하는 살아 있는 하나의 생물체 같은 수화기를 원래의 자리에 도로 길었다. 그러고는 재빨리 전화부스에서 나왔는데, 나와서 생각해 보니 자기가 전화통에 대고 무슨 얘길 한 것도 같고 안 한 것도 같은 참으로 얼쩍지근한 기분이었다.

5

그날 밤이었다. 더 좀 정확을 기한다면, 그날 밤과 그 이튿날 새벽 사이의 일이었다.

그날 자정이 조금 못 되어 우리 시의 시민들은 해괴하기 짝이 없는 한 사건의 현장에 끼는 행운을 저절로 얻을 수 있었다. '심야의 노래 동산'이란 제목으로 지방방송국에서 내보내는 젊은이들 상대의 전화 리퀘스트 프로였다. 체질적으로 잠이 없거나 특별히 잠을 못 이룰 만한 무슨 사연을 가진 극소수의 시민들이긴 하지만, 그들은 라디오를 켜놓고 있다가 무심코 다음과 같은 대화를 듣게 되었다.

"윤심덕이 부른 「사의 찬미」를 듣구 싶어요."

"「사의 찬미」라⋯⋯ 본 아나운서는 제목만 듣고도 가슴이 이상해지는군요. 굉장히 옛날 노래를 신청하셨는데, 이 곡 특별히 누구한테 선물할 사람 있습니까?"

"아네요, 그냥 저 혼자 들으면서 즐길래요."

"네에, 그러세요. 어디 사는 누구신지요?"

"그냥 세미라구만 밝히겠어요."

"그럼 사의 찬미 준비하겠습니다. 그런데 세미 씨는 이런 노래를 신청하게 된 무슨 특별한 사연이라도 있나요?"

이 대목까지만 해도 얼마든지 예사로 들을 수 있는 대화였다. 그런데 문제는 다음부터였다. 약간은 흐트러진 어조의, 어딘지 모르게 단정치 못한 냄새를 풍기는 계집애 음성이 느닷없이 귀가 번쩍 뜨일 만한 말들을 팡팡 쏟아내기 시작한 것이다.

"저 지금 동맥을 끊었어요. 피가 빨갛게 수돗물에 풀려나가는 게 기분이 그럴 수 없이 좋아요. 실연을 당했거든요. 어떤 고학생을 사랑했어요. 너무너무 사랑했어요. 학비두 대주구 생활비도 보태줘 가면서 열심히 뒷바라질 했어요. 그랬는데 학교를 나오구 출세를 하자마자 저를 배신해 버린 거예요. 음악 잘 듣겠어요. 마지막 가는 길에 장송곡으로 삼으면서 조용히 세미는 눈을 감을래요."

"여보세요, 세미 씨! 세미 씨! 잠깐만 내 말을 들어요!"

일이 이렇게 되어 인간애에 넘치는 그 아나운서는 우선 세미 양과의 대화를 계속해 나가는 데 갖은 수단과 방법을 다하는 한편 동료를 시켜 경찰에 연락을 했다. 신고에 접한 경찰이 전신전화국의 협조를 얻어 통화자의 소재를 파악하기까지엔 무려 두 시간 이상이 소요되었고, 그동안 내내 아나운서는 진땀을 쏟아가며 방송 사상 전무후무한 대화 내용을 그것도 생방송으로 내보내는 곤욕을 치르지 않으면 안 되었다.

6

구경꾼들이 산호다방이 들어 있는 낡은 목조건물 주위를 꽉 메우고 있었다. 아래층 여인숙 바로 앞 도로엔 사방으로 새끼줄이 쳐져 있고, 네모 반듯한 그 출입금지의 영역 안엔 피 묻은 가마니때기

하나가 아무렇게나 버려져 있었다. 피는 가마니뿐만이 아니라 주변 길바닥에 작은 도랑을 이룬 흔적을 남긴 채 햇볕에 검붉게 말라붙어 있었다. 그리고 유리조각이었다. 산산이 부서져나간 유리창의 파편들이 도로에 가득 널린 채 때마침 쏟아져내리는 햇볕을 받아 앙증스럽게 반짝이고들 있었다. 시체는 이미 치워버린 뒤였다. 그러나 길 위에 굵은 백묵으로 그려놓은 동그라미와 화살표들이 아직도 선명한 채로 있어 시신이 놓였던 위치를 짐작하기는 어렵지 않았다.

시골 국민학교 교사 김시철은 구경꾼들 틈서리를 비집고 매일같이 드나들던 단골 다방으로 올라갔다. 경찰에 증인자격으로 불려갔다 이제 막 돌아온 참이라는 여인숙 안주인이 혼자서 행댕그렁한 다방을 지키며 창문의 커튼을 뜯어내리고 있다가 때마침 들어서는 그를 허탈한 표정으로 맞았다. 오래전부터 서로 안면이 있는 처지였다.

"너무나 끔찍해서 처음엔 기함할 뻔했다우. 와장창 소리가 나길래 뛰어나가 봤더니 아 글쎄, 피투성이로 쓰러져 있지 뭐유. 주방 창문을 떠안은 채 곧바루 뛰어내렸으니 더 말해 뭘 해요. 거꾸로 처박힌 걸 보면 도망칠 생각이 아니라 자살하려고 그랬던 게 틀림없다니깐요, 쯧쯧."

한바탕 혀를 차고 나서 여인숙 여자는 다른 커튼을 뜯어내기 시작했다.

"아니, 그건 왜 뜯는 겁니까?"

"경찰서에 함께 있다 나만 먼저 나오게 되니까 손 마담이 특별히 부탁을 하데요. 나가는 대로 카텡을 치워달라고요. 카텡뿐만이 아녜요. 전등도 사람을 사서 말짱 다 치우래요. 뭐라드라, 도시에는 역시 그늘이 있어야 된다나요……."

"미스 현은 그 뒤 어떻게 됐습니까?"

"마담하고 경찰에 같이 있는데, 현양 그년이야 뭐 지금도 느물느물하죠. 신고를 받고 경찰들이 디리닥쳐서 보니까 아 글쎄, 동맥을 끊긴커녕 술이나 따라 마셔가면서 그때까지 방송국에다 전화질하느라고 해롱해롱하고 있더래요. 현양 그년 지랄 바람에 아까운 생목숨 하나만 개평으로 잃었죠. 개쌍년 같으니!"

"반드시 미스 현 탓만은 아닐 겁니다. 혹 누가 압니까, 따로 밀고한 사람이 있을지……."

여인숙 여자의 숙였던 얼굴이 곧추 들려졌다.

"설마……."

그 여자는 또 하나의 새로운 충격으로 하얗게 질리면서 저울질하듯 하는 눈으로 김시철의 아래위를 의심스럽게 바라보았다. 그는 곧 발길을 돌려 다방 출입문을 밀며 밖으로 나왔다. 삐거덕거리는 낡을 대로 낡은 층계를 밟고 내려가는데 문득 상의 안주머니에 넣어둔 사표 생각이 났다. 그는 마침 생각난 김에 그걸 꺼내어 갈가리 찢어서 층계 아래로 흩뿌려 버렸다.

7

사건 이후 시골 국민학교 교사 김시철은 며칠 동안 신문을 눈여겨봤으나 주방장의 투신자살은 끝내 사회면 일단기사에도 오르지 않았다.

빙청(氷靑)과 심홍(深紅)

아무도 우 하사를 존경하지는 않았다. 단장 이하 고급 참모들이야 뭐 당연했다. 사고가 발생하기 그 직전까지는 높은 양반들이 일개 초급 하사관의 존재에 표가 나게 관심을 둔 흔적을 전혀 찾아볼 수가 없다. 실은 그런 이유 때문에 일단 유사시에 그분들은 그처럼 허심하게 요란한 존경을 보일 수 있었는지도 모른다. 하지만 우리는 달랐다. 적어도 우리들 병(兵)들은 그간 밤낮없이 무수히 겪어왔기 때문에 우 하사가 과연 어떤 사람인가를 제법들 알고 있었다. 그는 말보다 늘 주먹이 앞서는 사람이었다. 그는 국가로부터 지급받는 관물이나 사물의 사이즈, 혹은 품질에 별로 신경을 쓰지 않는 편이었다. 언제든지 마음만 먹으면 내무반 병들 가운데서 아무하고나 물물교환할 수 있기 때문이다. 그는 장기복무자의 입장에서 순전히 단기복무자라는 그 이유만으로도 얼마든지 병들한테서 복장위반이나 명령불복종을 끄집어낼 수 있었고, 그와 같은 병들의 군기위반을 단속하기 위하여 사흘돌이로 하사관 일동의 대동단결을 선창하곤 했다. 그는 기지병원에 위생병으로 있는 동기생과 짜고 무단히 포경수술을 받은 적도 있다. 우 하사에 관해서라면 모르는 게 거의 없었다. 그렇기 때문에 그를 존경하지 않으면 안 될 사태에 직면했을 때 누구보다 당황하고 애를 먹은 건 바로 우리들이었다. 그것은 저마다 근본으로 지니고 있는 밸의 일부를 수정하지 않고는 불가능한 일이기도 했다. 그러나 우리는 결국 그것을 했다. 사실 어떤 의미에서 뺨이나 엉덩이를 내맡기는 것보다 존경심을 내주는 쪽이 훨씬 수월하고 또 실질적인 법이다.

다른 무엇보다도 매일 교대근무로 기지병원 장교병동에 파견할 간호당번을 정하는 일이 힘들었다. 사고 당시에 전신화상을 입은 우 하사가 단장님의 특별 배려에 따라 하사관 신분으로 장교병실에 입원하게 되었을 때 그것은 우리들에게 삼할의 영예요 칠할의 부담이었다. 갔다 오기가 불행이었다. 누구나 한 번 갔다 오기만 하면 두어 끼씩 식사를 건너뛰는 건 예사였고 특별히 환자의 붕대라도 갈아매는 날에 운수 사납게 걸려본 경험이 있는 사람일 것 같으면 다음번 차례가 당하기 전에 복통이거나 몸살 두통 따위 급성질환으로 숫제 몸져누워 당번을 나가느니 차라리 죽음을 택하겠다는 결의를 보임으로써 애꿎은 당번 조장만 곤욕을 치렀다. 그렇다고 농땡이들만을 탓할 수도 없는 노릇이었다. 아직은 목숨이 붙어 있대서 반드시 사람은 아니었다. 전신을 붕대로 허옇게 동여맨 가운데 그래도 숨을 쉴 수 있도록 콧구멍만은 뺀하게 뚫어놓은 것이 여전히 그가 사람임을 주장하는 유력한 근거였다. 그리고 의식이었다. 짜증과 심술과 오기로 뒤범벅된, 잠자지 않는, 끊임없이 살아움직이는, 질기디질긴 의식이었다. 죽은 거나 다름없이 들것에 실려 병원에 입원할 때부터 그는 누린내를 펑펑 풍겼다. 거기에 고름 냄새까지 합세하여 시간이 지날수록 그의 몸에서는 차마 맡을 수 없는 악

취가 났다. 붕대 밑에서 비명에 가까운 신음과 웅웅거리는 소리가
그치지 않았다. 악취를 무릅써 가며 그의 입 근처에 귀를 바싹 들이
대고 주의 깊게 해석해 보면 웅웅거림은 대개 이런 것이었다.

"조 일병은 좀 어때?"

우리들 당번 요원 사이에는 우 하사를 위하여 이미 불행해진 조
일병을 더욱더 불행한 쪽으로 몰기로 합의가 되어 있었다. 그래서
물을 때마다 이렇게 대답하곤 했다.

"아직두 살긴 살았어요. 허지만 조 일병에다 비한다면야 우 하사
님은 아주 아무렇지두 않은 편예요."

꼭 그런 대답을 듣고 난 후라야 겨우 한참씩 잠을 이루곤 했다.
그의 관심의 표적인 조 일병은 병원에서 첫 번째 밤을 지낸 다음 바
로 숨을 거두었다. 죽은 후에야 우리는 고등학교를 졸업하자마자
입대한 조 일병이 얼마나 착하고 참한 애였던가를 밝히 깨달을 수
있었다. 당번 요원들의 수고를 일찌감치 덜어주었대서 하는 말이
아니라 조 일병은 정말 매사에 좋은 녀석이었음이 분명했다.

토요일이었다. 모두들 외출준비에 바빴다. 제일 애가 타는 건 당
번 조장이었다. 교대시간이 지났는데도 기지병원에 올려보낼 간호
당번을 정하지 못한 채였던 것이다. 너나없이 모두 외출을 신청했
었다. 조장 고유의 직권을 발동하여 외출을 금지시킨 만만한 몇 사
람이 있긴 있었지만, 애당초 만만하게만 보았던 그들도 저마다 한
가지씩들 기지병원에 갈 수 없는 피치 못할 사정들을 확보해 놓고
있었다. 그들의 결의는 죽기 아니면 살기였다. 신 하사가 맨 처음
우리들 앞에 구세주의 자격으로 부각된 것은 바로 이런 때였다. 그
는 느릿느릿 당번 조장에게로 다가가더니 언제나의 그 산전수전 다
겪은 노름꾼 같은 표정없는 얼굴로 불쑥 말했다.

"내가 나갈까?"

다른 사람이었다면 또 모른다. 하지만 그가 신 하사였기에 조장을 비롯한 모든 사람들은 그 말뜻을 얼른 이해할 수 없었다. 말을 마치고 신 하사는 곧바로 나갔다. 마치 용변이라도 보러 가듯이 그가 가벼운 걸음으로 내무반에서 나간 뒤 얼마 안 되어 당번으로 나가 있던 녀석이 병원에서 돌아왔다. 신 하사와 근무교대를 했다면서 녀석은 도무지 믿어지지 않는다는 표정이었다. 믿어지지 않기는 우리 역시 매일반이었다.

신 하사는 비밀이 많은 친구였다. 그의 신상에 관해서 동기생인 우리들조차도 별로 아는 게 없었다. 일체 말이 없는 그를 고참 하사들도 두려워했다. 사람들로부터 두려운 존재로 인식되기 이전에 그는 몇 차례 사고를 저지름으로써 자신의 위치를 오늘날의 그것으로 강화하였다. 처음 그가 전속되어 왔을 때 일견 어리숙해 보이는 그 태도 때문에 자주 그는 놀림감이 되곤 했다. 그리고 그는 웬만한 조소나 수모는 그럴듯하게 잘 참아내는 성미였다. 그러나 일단 스스로 정한 어느 한계선만 넘을작시면 물불을 아니 가렸다. 눈앞에 보이는 모든 것이 다 흉기였다. 등신처럼 내내 잠자코 견디다가는 슬그머니 포크나 드라이버 같은 것을 집어 번개같은 손놀림으로 상대방의 팔뚝이나 허벅지에 푹 박는 것이었다. 몇 번 그런 사고가 있고부터는 아무도 그를 놀리지 않았다. 놀리지 않을 뿐만이 아니라 숫제 상대조차 하지 않으려 들었다. 그로서는 오히려 그게 바라던 바였던지 구정물에 뜬 호박씨처럼 집단에서 떨어져 늘 겉놀아도 마르지도 않고 죽지도 않았다.

느닷없이 그가 장기복무를 자원했을 때도 우리는 그다지 놀라지 않았다. 일반병으로 들어왔다가 도중에 말뚝을 박는 사람이 더러 있었는데, 그런 친구들은 비단 동료들뿐만이 아니라 이젠 똑같은 신세가 된 정규 하사관들로부터도 수준이하의 대접을 받는 풍토였다. 단순히 군대사회만이 아니고 인생 자체에까지 말뚝을 콱 박은 놈으로 취급해 버리는 바람에 비록 하사를 달긴 했어도 사실상 그는 하사관도 아니고 그렇다고 또 병도 아닌 어정뜬 상태에서 하루 아침에 소속을 잃는 꼴이 되었다. 심지어는 우리들마저도 같은 날 입대했다가 같은 날 제대할 수 없게 된 한 동기생에 대해 애석하게 여기지 않았으며, 그런 동기생을 둔 것에 저마다 수치를 느끼기도 했다. 대대 행정계 쪽에서 그가 고아원 출신이라는 소문이 흘러나온 것은 장기복무를 지망한 그 직후였다. 어느 정도 정확한지는 몰라도 그가 신병 시절에 어떤 가수를 짝사랑했다는 소문도 그 무렵에 나돌았다. 밤마다 가슴을 물어뜯는 외로움 때문에 미칠 것만 같다. 그러니 누구든지 와서 내 가슴의 불을 꺼달라──대충 이런 뜻의 노래를 불러 크게 히트한 가수였는데, 그 애절한 가락을 듣고 동정을 느낀 나머지 즉석에서 편지를 썼다는 것이다. 그리고 정 무엇하면 자기라도 소방수 노릇을 할 용의가 있다는 그 제의에 영영 답장이 없자 호의를 무시당한 서글픔을 안으로 곱게 삭이더라는 것이다. 설마 그렇게까지 민하게 굴기야 했을까마는 아무튼 그것은 그가 대대원들의 관심을 한몸에 모은 유일무이의 계기였다.

간호당번이 되는 자격으로 인격자나 우등생을 요구하지는 않았기 때문에 모두들 신 하사에게 감사했다. 하사를 달았기 때문에 원칙적으로 그는 당번요원이 아니었다. 신 하사가 자청해서 당번을 나가는 것이 전체 하사관의 품위를 떨어뜨린다 하여 강력히 반대하는 고참 하사들이 더러 있었다. 그러나 대대는 물론 비행단 안에서 환자가 차지하는 비중이 워낙 큰 데다 더구나 상대가 수틀리면 아무걸로나 푹푹 찌르는 성미이기 때문에 모르는 척 넘기고 말았다. 토요일 이후로 신 하사는 거의 매일 밤 간호를 나갔다. 차례를 당한 사람이 신 하사를 찾아가서 슬그머니 한두 장의 지폐를 내밀며 부탁하면 그는 밤마을이라도 나가는 투로 가볍게 응했다. 돈이 없는 사람은 건빵 한 봉지도 좋고 그것마저 없을 때는 그냥 맨입으로 부탁해도 선선히 들어주었다. 간호하기 위해서 태어난 사람 같았다. 다른 사람처럼 한 번 갔다 와서는 왝왝 토하면서 며칠씩 밥을 못 먹는다거나 그러지도 않았다. 더구나 때 이르게 파리떼가 들끓어 침대 주위에 모기장까지 쳤는데도 붕대를 갈면서 보니 짓무른 피부에 허옇게 쉬가 슬었더라는 것이다. 그런 소문에 관해 신 하사는 끝내 확인도 부인도 않으면서 그저 실쭉 웃기만 했다. 80퍼센트 이상의 화상을 입은 우 하사의 상태가 갈수록 악화일로라는 얘길 들을 적마다 우리들 당번요원 일동은 신 하사에게 감사했다. 기왕에 자원한 장기복무에서 그가 잘되기를 비로소 우리는 빌었다. 상식을 벗어나게 누진을 거듭하여 끝내는 그가 참모총장 자리에까지 영달하기를 축수하는 엉뚱한 친구도 있었다.

불과 며칠을 넘기지 못할 거라던 군의관들의 예상은 자꾸만 빗나갔다. 인체를 100으로 나눌 때 사타구니가 1을 차지한다는데, 그 1마저 화상을 입고 있었다. 아무것도 먹지 못하면서도 주야장천 찔러대는 수액요법만으로 우 하사는 기력을 얻어 끊임없는 짜증 속에서 시간을 보내는 것이었고, 붕대를 뚫고 솟는 응응거림 속에서 "조 일병은 좀 어때?" 하는 뜻을 계속해서 해석해 낼 수 있었다.

우 하사가 화상을 입은 지 일주일째 되는 날 그의 약혼녀가 부대 안에 들어와 역시 단장의 특별조치로 기지병원에 머물면서 수발을 하게 되었다. 그녀가 들어오던 날 대대 안에서는 조심스럽게 농담이 나돌았다.

살아도 못 살아.

부부생활에 없어서는 안 될 가장 중요한 1이 못쓰게 된 걸 비슷한 경우의 다른 여인의 이야기에 빗대어 하는 소리였다.

살어도 못 살어.

부대에 들어올 때부터 이미 각오가 되어 있는 얼굴이었다. 사전에 충분히 설명을 들은 듯했다. 허겁스럽게 울지도 않고 기절할 만큼 놀라지도 않는 그녀의 얼굴은 솔직히 말해서 그리 예쁜 축이 못되었다. 약간 검고 두툼해 보이는 얼굴에 어딘지 모르게 촌티가 흘렀고, 거의 말이 없는 점이 실제보다 더 육중한 인상을 주는 실팍한 몸매였다. 그녀는 대대장의 위로의 말에 아무런 반응도 나타내지 않은 채 이내 간호에 임했다. 곁에 약혼녀가 붙어 있다 해서 당번병의 차출이 중지되지는 않았다. 우 하사의 간호에는 여자 힘만으로 해낼 수 없는 크고 작은 일들이 많이 따랐던 것이다.

그녀는 우 하사에게 주는 표창장을 대신 받기도 했다. 원래는 표창장이 아니라 훈장을 상신했었다. 대대 내무반에서 실권을 장악하고 있는 우 하사의 동기생들이 주동이 되어 전 대대원들로부터 도장을 받았다. 사고 당시의 우 하사의 활약상을 밝히고 그에게 훈장을 내릴 것을 건의하는 연판장이었다. 그 건의서에 의할 것 같으면 우 하사는 사고 때 몸을 상하지 않고도 불길 속에서 충분히 빠져나올 수 있는 시간적 여유가 있었다. 그가 산소통이 폭발하고 화력이 센 항공유가 걷잡을 수 없는 불길을 내뿜고 기체의 파편이 난무하는 격납고 안으로 재차 뛰어든 것은 순전히 전우애와 사명감 때문이었다. 주기점검(週期點檢)으로 들어왔다가 삽시에 불길에 휩싸인 비행기들과 용광로 속을 방황하는 전우들을 놔두고 자기 혼자만 달아날 수는 없었던 것이다. 그래서 그는 초인적인 의지와 용력을 발휘하여 소속 무슨 대대 무슨 중대, 관등 성명 아무개 외 3명을 죽음에서 구하고 공구함 ○개와 보조장비 ○○○○를 건져낸 다음 그자신은 생명이 위독할 정도의 중화상을 입는 영웅적인 활약을 한 것으로 되어 있었다.

건의서 내용을 소상히 밝힐 만큼 우 하사의 동기생들은 친절하지 않았다. 다만 도장을 지참하고 일렬로 주욱 늘어서게 한 다음 이렇게 말하는 것이었다.

"뒈지기 전에 불쌍헌 놈 호강이나 시키자구!"

그러나 우리는 우리가 찍는 도장이 장차 무엇에 소용될 것인지를 곧 알았고, 각자가 도장으로 확인해 준 내용의 엄청남에 경악을 금할 수 없었다. 우 하사의 동기생들은 술을 진탕 마시고는 비틀걸음으로 각 내무반을 돌면서 엉엉 소리내어 울다가 우 하사의 이름을 부르다가 했다. 누구도 그들의 서슬을 꺾을 수는 없었다. 그들이 보이는 광란에 가까운 전우애는 누가 만약 입바른 소리라도 할라치면 당장에 때려죽일 것 같은 기세였으며, 그들의 눈물겨운 노력이 대대 분위기를 점점 최면시켜 진실과 허위의 구분을 애매하게 만들어놓았다. 목석이 아닌 이상 그것은 감동하지 않고는 못 배기는 신들린 상태였다. 우리 주위에 그런 인물이 있었던가 새삼스레 돌아다보아질 정도였다. 심지어는 건의서상으로 우 하사에 의해 구출된 것으로 지목된 세 명의 사병마저도 정말 자기를 구한 것이 우 하사 그 사람인 줄로 믿어버릴 정도였다. 우리는 모두 합심해서 하나의 미담을 엮어내었고, 그 미담 속에서 우 하사는 하루가 다르게 완벽한 영웅의 모습을 갖추어나갔다.

대대장 또한 마찬가지였다. 전체 사병의 귀감이 될 영웅적인 하사관 한 명쯤 자기 휘하에 두었대서 조금도 손해날 일은 아니었다. 대대장의 확인을 거쳐 단본부에 제출된 우리들의 진정 내용은 일차로 단장을 감동시켰다. 그는 자기 권한으로 할 수 있는 모든 조처를 취했다. 우선 빈사의 하사관을 장교 병동에 입실시킨 다음 민간인 연고자가 영내에 거주하면서 간호에 임하도록 했다. 훈장은 시간이 걸리는 거니까 먼저 비행단 이름으로 표창장을 수여함으로써 아쉬운 대로 성의를 표시했다. 그리고 각 언론기관에 연락하여 일단의 기자들을 초청해서 취재를 하도록 했다.

기자회견에 참석할 사람들이 정해졌다. 우 하사를 생명의 은인으로 삼게 된 세 사병과 우 하사의 동기생 한 명과 대대장 및 대대 부관이었다. 그리고 거기에다 신 하사가 추가되었다. 그는 우 하사의 인간성에 감복하여 헌신적으로 간호를 도맡은 또 하나의 미담의 주인공 자격으로 참석하게 되었다. 참석자들은 대대장실에 모여 예상되는 기자들의 질문에 대비하는 훈련을 받은 다음 회견장인 단장실로 향했다. 단장이 배석한 가운데 정훈장교의 사회로 기자회견이 시작되었다.

"사고 당시 각자가 겪었던 체험담을 말씀해 주시기 바랍니다."

회견은 예정된 순서에 따라 톱니바퀴가 물리듯 한 치의 오차도 없이 정연하게 진행되었다. 육하원칙에 의해서 각자가 겪은 일들을 진술하는데, 누구를 막론하고 결정적인 순간에 가서는 한 개인의 경험을 떠나 우 하사의 행위와 교묘하게 결부시키는 화법들을 썼다. 기자들은 열심히들 기록을 하고 사진을 찍었다. 누가 봐도 결과는 만족할 만한 것임이 거의 확실해진 순간이었다.

"혼자서 간호를 전담하다시피 해오셨다죠?"

여태껏 한쪽 구석지에 우두커니 앉아만 있던 신 하사에게 일제히 시선이 집중되었다.

"연일 수고가 많으시겠군요. 어때요, 신 하사가 보는 우 하사의 인간 됨됨이랄까 병상에서 있었던 일화 같은 걸 소개해 주실까요?"

자리나 메우는 역할이라면 몰라도 직접 입을 열어 뭔가를 조리 있게 설명해야 할 사람치고는 분명히 자격 미달이었다. 신 하사를 그런 자리에 끌어들인 그 자체가 애당초 잘못된 배역임이 뒤늦게 드러나기 시작했다. 신 하사는 꿀먹은 벙어리였다.

"어떻습니까, 평소의 그답게 투병 생활도 영웅적입니까?"

"……."

"사고 당시 격납고 안에서 우 하사를 본 적이 있습니까?"

기자들은 쉽게 포기하지 않았다. 신 하사가 맡은 몫을 기어코 감당하게 만들 작정으로 그들은 번갈아가며 질문을 던져 말문을 열게 하려 했다.

"예."

하고 마침내 신 하사의 입에서 대답이 떨어졌다.

"그때 우 하사가 뭘 어떻게 하고 있던가요?"

"불에 타고 있었습니다."

신 하사가 입을 열었을 때 깜짝 반가워하는 표정이던 기자들은 이 예상 밖의 답변에 점잖지 못하게 웃음을 터뜨렸다. 이때부터 그들은 신 하사를 노골적으로 깔아보기 시작했다.

"그가 불에 탔다는 건 우리도 압니다. 내가 묻고 싶은 건 그냥 불에 타기만 했냐는 겁니다."

"예."

회견장이 소란해졌다. 여기저기에서 웅성거리는 소리가 들렸다.

"좀 더 자세히 말씀해 주실까요? 불이 붙기 전에 우 하사는 무슨 일을 했습니까? 그리고 불이 붙은 다음에 어떻게 행동했습니까?"

아아, 가엾은 신 하사…….

"작업이 거의 끝나가던 참이었습니다. 우 하사는 작업복이 기름투성이였습니다. 펑 소리가 나더니 눈앞이 캄캄해졌다가 훤해졌습니다. 정신을 차리고 보니 우 하사가 불덩이가 되어서 훌쩍훌쩍 뛰고 있었습니다. 너무 갑자기 당한 일이라서 무슨 영문인지……."

그날 오후에는 누구나 다 그렇게 당했다. 일과가 끝나갈 무렵에 격납고 안에 있었던 사람들의 공통된 이야기가 그랬다. 펑 하고 터지는 폭발음이 울림과 동시에 졸지에 주위가 불바다로 변하더라는 것이었다. 때마침 운좋게 격납고 밖에 있다가 사고를 목격하게 된 사람들의 얘기는 격납고 안에 있던 사람들이 얼이 빠져가지고 불길 속을 우왕좌왕하는 섯노 누리가 아니었음을 뒷받침해 수었다. 순간적이었다는 것이다. 훈련비행기 한 대가 착륙자세를 잡은 채 내려오고 있었는데 그간 뜨고 내리는 비행기를 숱하게 보아왔지만 불길한 예감과 함께 유독 그것만은 눈길을 끌더라는 것이다. 똑바로 자기를 겨냥하듯이 눈 깜짝할 사이에 접근해 오는 걸 보니 조종사가 낙하산 탈출할 때 조종석덮개가 벗겨져나가면서 꼬리날개를 자른 흔적이 얼핏 눈에 띄었고, 그것은 바람을 가르는 쉿소리를 거느리면서 활공비행으로 내려오다가는 활주로를 멀리 벗어나 퍼런 스파크를 튀기면서 용하게 주기장(駐機場) 빈터에 접지한 다음 횡하게 개방된 격납고 문 안으로 마치 골인하듯이 곧장 뛰어들더라는 것이다.

"신 하사가 목격한 것은 아마 쓰러지기 직전의 마지막 광경이었을 겁니다. 자아, 그럼 이것으로 회견을 모두 마치겠습니다."

사회를 보던 정훈장교가 서둘러 질문을 마감해 버렸다. 이렇게 해서 모처럼 마련한 기자회견의 자리는 더 이상의 불상사 없이 끝마칠 수 있었다.

회견이 끝난 그 직후부터 신 하사는 몹시 바쁜 몸이 되었다. 여기저기 오라는 데는 많은데 몸뚱이는 하나여서 그야말로 오줌 싸고 뭣 볼 틈조차 없어 보였다. 회견석상에서의 신 하사의 마지막 언급이 그만 단장과 대대장의 비위를 상하게 만들었던 것이다. 일단 그 양반들의 비위를 건드려놓은 이상 신 하사가 온전치 못할 것임을 상상하기는 어렵지 않았다. 높은 사람들이야 상해서는 안 될 자기 비위가 상했음을 표시하는 선에서 그치는 게 보통이지만 그 아랫사람들은 어디 그만한 정도로 그칠 수가 있을 것인가.

아니나 다를까, 신 하사는 대대 선임하사한테 불려갔다 돌아와서는 각 내무반장과 반부의 손을 골고루 거쳐 최종적으로 하사관실에 들어갔다. 복마전으로 알려진 하사관실에서 그가 나온 것은 취침이 개시되고 한참이나 지나서 2번립 불침번이 영내를 순시할 무렵이었는데, 그는 이미 소등이 되어 먹물로 칠한 것 같은 내무반 속을 절뚝절뚝 걸어들어와서는 더듬더듬 제 침대를 찾아가더니만 옷을 입은 채 잠자코 이불을 뒤집어써버렸다. 그의 침대 속에서는 밤새도록 끙끙 앓는 소리가 났다. 이튿날 기상시에 보니 그는 눈두덩이 퍼렇게 멍들어 있었고 종이뭉치로 콧구멍을 틀어막고 있었다. 그는 식전부터 사과보고를 하기 위해 절룩거리며 각 내무반 고참들을 방문하고 다녔다. 그로부터 그는 계속해서 사흘 동안을 꼭 취침나팔이 울린 다음에야 돌아오곤 했다. 기자회견 이후로 그가 우 하사의 간호당번을 나가지 않아도 되게 되었음은 두말할 나위 없는 일이었다.

아아, 어리석은 신 하사…….

그는 당최 흐름이라는 걸 몰랐다. 모든 잡다한 가닥을 합쳐 단일의 새로운 가닥을 이루면서 웬만한 장애물쯤은 단숨에 깔아뭉개 버리고, 깔아뭉갠 만큼 자체 내에 흡수하여 외려 더욱더 비대해진 형상으로 도도히 진행하는 것이 원 흐름인 것을 그는 끝내 이해하지 못했던 것이고, 이해하지 못할 뿐만이 아니라 감히 되지 못한 힘으로 그 흐름에 거슬러보려 했던 것이다. 그가 그렇게 중뿔나게 굴지 않더라도 사실은 그가 옳다는 걸 우리는 잘 알고 있었다. 그가 우리하고 근본적으로 다른 점은 흐름을 알고 모르는 그 차이였다. 분명히 그가 옳긴 하지만 유감스럽게도 옳은 것이 달랑 그 한 사람뿐이기 때문에 결과적으로 옳으면서도 글러먹은 건 다름 아닌 그 자신이었던 것이다.

우리라고 우 하사를 모를 까닭이 없었다. 우 하사는 연쇄폭발이 시작된 바로 그 순간에 한꺼풀 항공유를 뒤집어쓴 다음에 곧바로 불길에 먹힌 희생자 중의 하나였다. 주랄루민 파편의 난무와 함께 폭발에 동반되어 오는 최초의 폭풍에 전신을 강타당했다. 그리고 폭풍이 일과한 후에야 비로소 사람들은 사방을 가로막는 거대한 불구덩이 안에 꼼짝없이 갇혀 있음을 발견했다. 무엇보다도 벽을 찾는 일이 급선무였다. 벽에 의지하여 벽을 더듬다 보면 비상통로에 다다를 수 있을 것이었다. 곳곳에서 단말마의 비명이 울리고, 그 비명을 디디면서 폭발음이 솟는 아수라장을 어떻게 뚫고 나왔는지 모른다. 격납고 밖으로 간신히 기어나와서 보니 통제탑 앞에 사람들이 삥잉 둘러서서 바라보고 있었다. 누군가 달려들어 작업복 등덜미의 불을 투덕투덕 꺼주는 사람이 있었다. 미처 숨도 돌리기 전인데 꼭 사람만한 불덩이 하나가 홀홀 뛰면서 비상구에서 나왔다. 몸에 붙은 작업복은 이미 불에 녹아 너덜너덜 흘러내리고 있었다. 불길이 맨살에 댕겨져 있었다. 홀홀 뛰는 중에도 우뚝 솟은 성기가 얼핏 유난했다. 불은 빳빳이 선 그 성기 끝에서까지 뻘겋게 위세를 떨치고 있었다. 다급한 김에 누군가 소화기를 갖다가 들이대었다. 그러자 불길이 잡힘과 동시에 허옇게 얼음으로 뒤덮이면서 그는 픽 소리를 내며 쓰러졌다. 우 하사였다.

그가 과연 영웅인가 아닌가를 따져보는 시간은 아마 누구나 한번쯤 가져보았을 것이다. 그리고 오래 따지고 마잘 것도 없이 그가 영웅인가 아닌가를 저마다 마음속으로 판단했을 것이었다. 오래 생각할 여유를 주지 않고 곧이어 소수의 영향력 있는 사람들에 의해서 하나의 흐름이 전개되었다. 그 흐름 속에 휩쓸리면서 각자는 그것이 어제오늘에야 비롯된 형식이 아님을 얼른 납득했다. 대체로 추서(追敍)의 형식이란 유사이래 운좋게 건재해 있는 사람들이 운나쁘게 부재중인 사람들에게 운의 좋고 나쁨의 차이가 얼마나 치명적인 것인가를 뒤늦게 강조해 보이는 진부한 의식의 일종인 줄을 거개의 사람들은 암암리에 깨닫고 있는 듯했다. 자기는 못 받은 걸 남이 받는다고 배아파할 이유도 별로 없었다. 영웅이라는 칭호를 못 받는 그 대신 자기에게는 피둥피둥 살아 숨쉬는 축복이 있기 때문이다. 무릇 살아 있는 자는 죽은 자나 불구자에 대하여 너그러울 필요가 있었다.

그저 그것뿐이었다. 그 이상 다른 이유가 있을 수 없었다. 전우애에 불타는 고참 하사들의 서슬에 눌려서 그랬다면 그것은 말할 수 없이 비참한 고백이 된다. 강압에 못 이겨 비리인 줄 알면서도 거기에 동조했다기보다는 차라리 멀쩡히 살아남은 자들의 축제에 한몫 끼어든 거라고 변명하는 편이 듣기에 한결 부드러울 것이었다. 신 하사가 결과적으로 옳지 않았다는 사실은 신문에 기사화되어 나온 내용으로 다시 한번 증명되었다. 해당란에 붉은 선까지 쳐가지고 우 하사의 영웅적인 행동을 소개한 신문들이 내무반에 회람되었는데, 신 하사가 진술한 내용은 사그리 무시된 채였다.

기자회견이 있은 지 며칠 지나지 않아서부터 이상한 소문이 대대에 나돌기 시작했다. 우 하사의 약혼녀와 신 하사 사이에 모종의 관계가 있는 것 같다는 것이었다. 회견 이후로 신 하사가 간호당번을 그만두게 된 것은 의심할 나위 없는 사실이었다. 그런데도 기지 병원 근처를 배회하는 신 하사를 보았다는 사람이 생겼고 또 기지 식당 뒷산에서 남녀가 밀회하는 장면을 먼발치로 목격했다는 출처불명의 얘기도 오갔다. 거기에 덧붙여 병원에서 돌아와서 내무반에다 옮기는 당번병들의 얘기가 예사롭지 않았다. 우 하사가 잔뜩 몬 심을 품고 있는 모양이었다. "조 일병은 좀 어때?" 하고 묻는 대신

이제는 "다 나아서 일어나는 날이면 연놈을 벌집을 만들어놓아야지."라고 옹옹거린다는 것이다. 그리고 그렇게 말하는 남자 곁에서 여자는 들은 둥 만 둥 아무렇지도 않은 얼굴로 여일하게 시중을 들어가며 쏟아지는 악담을 받는 그릇 노릇을 하고 있다는 것이다. 해괴한 일이 아닐 수 없었다. 어느 모로 보나 여자는 미련스러울 만큼 사람이 충직해 보였다. 살아도 못 산다고 넋두리할 여자는 처음부터 아닌 성싶었다. 그런 면에서는 신 하사도 못지않았다. 목석이나 다름없는 그가 자기 아닌 누구를 사랑하고 또 그 누구로부터 사랑받는 재주를 가졌다는 것은 전혀 상상 밖의 일이었다. 젊은 남녀가 환자 옆에서 밤을 함께 보내는 사정을 감안한다 해도 우 하사가 주장하듯이 동물처럼 그렇게 간단히 어우러질 수 있었을는지는 아무래도 의문이었다. 소문이 나돌면서부터 알게 모르게 던지는 사람들의 감시의 눈초리 속에서 신 하사는 스스로 근신하기로 결심한 듯 일과가 끝난 후에는 내무반 안에서 꼼짝도 하지 않았다. 소문은 확인되지 않은 채 흐리마리 꼬리를 감추고 말았다.

우 하사는 중화상을 입은 후로 유월 한 달을 꼬박 버티는 놀라운 투병 끝에 숨을 거두었다. 불과 며칠을 못 넘길 거라던 군의관들의 말에 견주면 끔찍할 정도로 모질게도 연명한 셈이었고 순전히 군대식 우격다짐으로 현대의학이 동원할 수 있는 모든 수단과 방법을 다해서 어떻게든 살려내라던 단장의 명령에 비기면 결코 오래는 끌지 못한 목숨이었다. 어느 편이냐 하면, 우리들 당번요원들은 그가 운명했다는 소식을 전해 듣는 순간에, 솔직히 얘기해서 너무 오래 살았다는 느낌을 배제할 수가 없었다. 마지막 날 밤에 간호를 나갔던 사병은 우 하사의 최후가 잠자듯이 평안한 것이었음을 우리에게 전했다. 그는 비난받을 우려에도 불구하고 마지막을 가는 사람에 대한 자신의 봉사가 그렇게 성실한 것이 아니었다고 고백했다.

"깜빡 졸다가 깨가지고 시계를 보니 미스 양허고 당번교대허기로 약속한 시간이 훨씬 지났잖아. 그래서 당직 간호장교실로 달려가서 자고 있는 미스 양을 깨워가지고 데리고 왔지. 들어와서 보더니 여자는 대뜸 알아차리더군. 콧구멍만 남기고 붕대로 친친 동여맸으니 말이야, 내 보기엔 간만에 한번 한숨 잘 자고 있는 것 같은데 여잔 그게 아니야. 콧구멍에다 손가락을 대고 확인해 보더니 조용히 입을 열더군. 군의관님을 불러달라고 말이지……."

토요일 오후에 우 하사의 장례식이 기지극장에서 비행단장으로 엄수되었다. 구슬픈 진혼곡이 울려퍼지는 가운데 하얀 마스크 하얀 장갑에 예복 차림의 동기생들에 들려 영정과 위패와 유골이 차례로 입장을 했고, 일 계급 특진해서 이젠 중사가 된 고인의 약력보고와 제주(祭主) 자격으로 등단한 단장의 진혼문 낭독과 복받치는 울음으로 자주 끊기곤 하는 동기생 대표의 조사 낭독 등을 통해 고 우상진 중사는 진정으로 불길 속의 영웅이었음을 다시금 확인한 다음 그날따라 유난히도 간장을 쥐어뜯는 취침나팔을 끝 순서로 우리는 고인에게 영결을 고했다. 사람들을 기죽이는 장엄한 의식절차로 뒤를 받친 우 하사(중사)의 죽음은 무척이나 감동적이었다. 우리들 가운데 아직도 우 하사가 영웅인가 아닌가를 따지는 친구가 있다면 그의 따귀를 갈기고 복장을 걷어차버리는 역할을 수행한 것은 바로 그 장례식이었다. 그만큼 그것은 엄숙과 굉장을 극한 의식이어서 흐름에 역행하려는 아무리 사소한 기도라 할지라도 제대로 용납지 않을 어마어마한 기세였다. 이제 대세는 일방적으로 기울어진 셈이었다.

우 하사(중사)의 장례를 마치고 난 대대 분위기는 잔치마당의 뒤끝인 양 매우 어수선했다. 아직도 장례식의 여운을 말끔히 떨어버리지 못한 상태에서 외출증을 받은 사람들은 세탁해 둔 옷을 꺼내어 주름을 세우고 구두코에 하늘이 비칠 광을 올리기에 여념이 없었고, 영내에 잔류하게 된 사람들은 또 그들대로 마음을 잡지 못하고 뒤숭숭한 얼굴로 내무반 안팎을 서성거렸다. 잔류파인 신 하사가 내세로 나가봤나.

"멀리 나가나?"

그가 나에게 말을 걸어왔다는 사실은 실로 기록에 남을 만한 일이었다. 동기생 사이라 해도 그 친구하고 대화가 끊긴 지는 벌써 오래전이었기 때문이다.

"멀지 않아. 시내에서 누구하고 만날 약속이 있어."

"이건가?"

그는 오른손 새끼손가락을 세워 보이며 빙긋 웃었다.

"말하자면 그런 셈이지. 넌 뭐 하고 지낼래?"

"나도 시내에서 만나기로 약속한 사람이 있긴 한데……."

"이건가?"

나는 그저 농담삼아 지나가는 말로 한번 물었을 뿐이었다. 그런데 그의 입에서는 천만 뜻밖의 대답이 예사롭게 튀어나왔다.

"그래, 말하자면 그런 셈이야."

"여자하구 약속했어? 그렇다면 왜 미리 외출신청을 안 했지?"

"그만두기로 했어. 남아서 할 일이 있어. 부탁이 있는데…… 너 이것 좀 대신 전해 줄래? 역전 구내다방이야. 저녁 일곱시에 나가면 너도 잘 아는 얼굴이 기다리고 있을 거야."

그는 두툼한 봉투 하나를 내 앞에 내밀었다.

"얘기가 점점 이상하게 돌아가는군. 그냥 무턱대고 전해 주기만 하면 되나?"

"못 나올 사정이 있었다고, 편지 읽어보면 다 알게 될 거라고 그렇게만 얘기해 줘."

"물론 내가 뜯어 봐선 안 될 내용이겠지?"

신 하사는 잠자코 웃어 보였다. 빙긋 웃고 나서 그는 전에 없이 가뿐한 걸음으로 내무반을 나갔다.

물론 나는 그 편지를 중간에서 뜯어보았다. 시내에 닿기가 무섭게 아무 데나 다방을 찾아가서 신서개피죄(信書開披罪)를 범하고 있다는 죄책감도 별로 느끼지 않으면서 정성스럽게 침을 발라 피봉을 뜯은 다음 알맹이를 빼내었다. 양면 괘지 앞뒤에 인쇄체같이 정교하게 박아쓴 장문의 편지였다.

(전략)……이 편지를 읽으실 때쯤이면 저는 이미 범죄수사대에 자진출두하여 조사를 받고 있을 겁니다.

이미 숨이 져 있는 사람을 그런 줄도 모르고 살해할 목적으로 그에게 손을 댔다면 그것도 법적으로 살인미수에 해당되는 건지 지금의 저로서는 알 수가 없습니다. 당번병은 그때 졸고 있었습니다. 저는 손수건을 꺼내들고 발소리를 죽이며 다가갔습니다. 우 하사를 살해하는 걸 어렵게 생각한 적은 한 번도 없었습니다. 한 오 분 동안 손수건으로 콧구멍만 틀어막고 있으면 끝나는 겁니다. 저는 실제로 손수건을 갖다대기까지 했습니다. 갑자기 이상한 예감이 들더군요. 얼른 손수건을 치우고 살펴보았습니다. 우 하사는 이미 차디차게 식어 있었습니다. 믿어도 좋습니다. 우 하사는 저절로 죽은 겁니다. 제가 그에게 살의를 품은 것이 진실이듯이 제가 그를 죽이지 않은 것 또한 진실입니다. ……(중략)…… 범죄수사대에서 제 말을 믿어줄지는 의문입니다. 어쩌면 살인 혐의를 자초하는 결과가 될지도 모릅니다. 어리석은 만용이라고 손가락질하는 사람도 생길 겁니다. 그런데도 저는 잠자코 있을 수가 없었습니다. 양심의 가책 때문이 아닙니다. 사내들이란 때로는 우스꽝스러운 동물이 되기도 합니다. 아무리 하찮은 거라도 자기 믿음을 지키기 위해서 스스로 좋아서 동물이 되는 수도 있습니다. 살인미수를 자백함으로써 끝까지 제가 옳았다는 걸 증명해 보일 작정입니다. 가능하다면 그렇게 함으로써 저를 비웃던 사람들을 잠시라도 부끄럽게 만들고 싶습니다. ……(중략)…… 이미 불행해질 만큼 불행해신 우 하사를 두 번 죽이고 싶지는 않았던 겁니다. 우 하사는 전신이 불길에 휩싸였을 때 벌써 죽은 사람입니다. 그 후 부대 안에서 벌어진 모든 일들은 우 하사하고는 전혀 상관이 없는, 우 하사가 살아 있다는 가정하에 살아 있는 사람들끼리 펼친 일장의 쇼에 불과합니다. 산 사람들이 즐기는 놀이를 위하여 죽은 사람이 개처럼 질질 끌려다닌다는 건 도저히 용서할 수 없는 일입니다. 우 하사는 우 하사인 채로 죽어야 마땅합니다. 우 하사에서 더도 덜도 아니어야 합니다. 하루아침에 그를 영웅으로 떠받들면서 법석을 떨어대고 존경을 강요하는 건 불행하게 죽은 자에 대한 예의가 아니며, 오히려 그의 인간다운 죽음을 모독하는 처사입니다. 제가 우 하사에게 자기를 되찾아주고 더도 덜도 아닌 우 하사 본래의 자격으로 잠들 수 있도록 이 모든 추잡스러운 놀음에 종지부를 찍으려고 결심하게 된 것은 바로 이런 이유 때문이었습니다. 하루라도 앞당겨 죽게 하는 것이 이런 상황 아래서는 적선이라고 확신했던 겁니다. ……(중략)…… 제가 보인 모든 행동을 이해해 주시길 바랍니다. 그리고 부디 용서해 주시기 바랍니다. 용기를 가지고 새로운 삶을 스스로 열어나가십시오. 아무쪼록 우 하사의 영상을, 미스 양과는 전혀 무관한 사람들에 의해서 제멋대로 무책임하게 장식되고 채색된 그 허상을 마음으로부터 말끔히 제거해 버리십시오. 미스 양은 미스 양대로 충분히 행복해질 이유가 있다는 걸 기억하시길 빕니다. 행운을 빕니다.

토요일 저녁 일곱시에 미스 양은 역전 구내다방에서 신 하사를 기다리고 있었다. 미스 양과 얼굴을 마주하는 순간 내가 느낀 감정이 신 하사가 바라던 대로 일말의 부끄러움이었는지는 꼬집어 말할 수 없다.

날개 또는 수갑

회람. 조국의 번영과 사(社)의 발전을 위하여 오늘도 불철주야 산업 일선에서 분투 노력하시는 사우 각위. 일취월장하는 우리 동림산업의 기개를 대외에 과시함은 물론 사우간에 일체감을 조성하여 단결력을 더욱 공고히하는 데는 무엇보다 마땅히 제복이 필요하다는 여론이 비등하여 왔던바, 회사를 내 몸같이 아끼고 사랑하시는 동림가족 여러분의 충정어린 권고와 건의를 그간 예의 검토하신 사장님께서는 금번 이를 십분 인정하시어 가칭 사복제정 준비위원회를 발족시키기에 이르렀습니다. 사우 여러분께서도 주지하다시피 사복이 그간 전혀 없었던 것은 아닙니다. 생산부에서는 이미 오래전서부터 직위의 고하를 불문하고 똑같은 제복을 착용하고 실무에 임함으로써 타부서에 비해 현격한 단결력을 발휘하여 생산성 향상에 기여한바 그 공로가 컸으며 여사원들은 부서에 관계없이 일찍이 제복으로 통일함으로써 단아한 용모, 밝고 명랑한 분위기로 웃으면서 일하는 직장을 건설해 왔거니와, 이제 제복에서 소외되었던 남직원들까지 사복을 착용하게 되니 이는 누구나 다 함께 경하해 마지않을 일로서 각과 과장을 통해서 사우 여러분의 적극적인 참여와 기탄없는 조언 있으시기 바라는 바입니다. 사장님 명에 의하여, 기획실장 백.

죽여주는군, 아주 죽여줘.

자네 제복 입혀달라고 애걸복걸한 적 있나?

이 사람이 갑자기 돌았나, 내가 미쳤다고 그런 여론을 비등시켜. 그럼 자네는?

나 역시 아직은 노망들 정도로 늙진 않았어.

그렇다면 이상하잖아. 내가 알기로 적어도 우리들 중에선 제복 타령을 한 사람이 아무도 없는 것 같은데 어디서 그런 여론이 나왔다는 거지?

도대체 어느 놈 대가리에서 그 따위 묘안이 나왔을까?

보나마나 뻔하지. 사장 아니면 누구겠어.

아냐, 실장일지도 몰라.

사장이나 실장이나 그 애비에 그 아들인데 구분할 거 뭐 있어.

여론이란 건 말야, 원래 대다수 사람들 의견이 똑같은 경우를 가리키는 말 아닐까? 그런데 한두 사람, 그것도 부자지간 머리에서 나온 의견을 여론이라고 떳떳하게 얘기할 수 있을까? 그렇게 거짓말해도 법에 안 걸리고 무사할까?

무사하고말고. 얼마든지 무사할 수 있을 거야. 무사하지 않을 건 거짓말한 쪽이 아니라 거짓말을 거짓말이라고 보는 쪽이겠지. 왜냐하면 힘을 쥔 사람의 말은 소리가 외가닥으로 나와도 여론이 될 수 있고 무력한 대중의 말은 천 가닥 만 가닥이 합쳐져도 여전히 독창으로 취급받기 때문이야. 다수를 빙자한 소수의 여론은 언제나 대중의 솔로를 유린해 온 게 사실이거든. 이를테면 혼인을 빙자한 간음 같은······.

그나저나 이거 야단인걸. 제복을 입게 되면, 소인은 보시다시피 삼류회사 말단사원이로소이다 하고 시내에 광고 돌리는 꼴 아닌가. 그 수모를 어떻게 다 견디지?

한마디로 그나마 있던 우리의 알량한 사생활은 깡그리 없어지는 거야. 다들 이제부터 죽었다고 복창해 두는 게 좋을걸.

간판만 안 메었다 뿐이지 샌드위치맨하고 다를 게 하나도 없어.

기왕 시작할 바엔 차라리 우리가 자청해서 '빨아도 줄지 않고 다림질이 필요없는 동림산업 목화표 섬유제품' 이라고 등에다 커다랗게 써붙이고 다니는 게 낫지 않을까?

느닷없이 회람이 몰고 온 파문은 의외로 심각한 것이어서 관리과 사무실의 오후나절을 완전히 결딴내 놓았다. 관리과 직원들이 끼리끼리 모여 중구난방으로 쏟아놓은 말들을 도로 주워담아 보면 대충 위와 같은 내용이 되겠는데, 물론 그 가운데는 민도식이 씨부려댄 불평도 상당 부분을 차지하고 있었다. 민도식은 주로 옷이 날개라는 전래의 속담을 들어 그런 종류의 날개를 달고는 세상을 훨훨 날아다닐 수 없음을 누누이 강조하는 편이었다. 그의 말은 사생활이 없어지는 셈이라는 총각 사원 우기환의 주장과 맞바로 통했다.

"하루 중에서 우리가 시시껍적한 동림산업——아 실례했습니다. 시시껍적이란 말은 취소하겠습니다——좌우단간 일류나 이류는 못 되는 회사의 사원으로 근무하는 시간은 일과 중에 한했습니다. 일단 퇴근만 하고 나면 회사 밖에서까지 동림가족——이 말은 제가 퍽 좋아하지 않는 말 가운데 하나이긴 합니다만——의 일원으로 행세할 이유가 없었던 겁니다. 바로 이런 점이야말로 동림이 저한테서 구원받을 수 있는 유일한 요소였습니다. 제가 동림한테서 구원받는 게 아니라 동림이 저한테서 구원받는 겁니다. 그런데 앞으로는 동림을 상징하는 제복을 그대로 걸친 채 퇴근해서 다방에도 가고 술집에도 가고 버스도 타고 택시도 타고 친구도 만나고 애인도 만나야 합니다. 그러면서 일거수일투족에 회사를 의식해야 합니다. 이건 분명히 비극이 아닐 수 없습니다."

"자네한테는 차라리 잘된 일인지도 모르겠군. 회사제복을 입은 채로 대로상에서 오줌두 내깔기구 차 속에서 애인 껴안구 키스두 하구 그런다고 시비거는 사람 있으면 헤딩으루 꽈당 들이받구 하면서 까짓것 어차피 맘에 안 드는 이놈의 회사 만판 욕을 뵐 수 있을 것 아닌가. 그게 싫으면 또 하숙집에 일찌감치 들어가서 발 씻고 드러누워서 돈 굳히는 재미두 맛볼 수 있고……."

"장 선생님은 단순히 저를 비꼬실 작정으로 문제를 저 개인의 경우에 국한시켜서 말씀하시는 것 같은데, 작은 것에 눈이 가려서 큰 것을 못 보는 일이 있어선 안 됩니다. 이건 우기환이 한 사람의 문제가 아니고 동림가족——이 말은 제가 퍽 싫어하는 말입니다만——전체의 인격에 직결되는 중대한 일입니다. 양키아이들은 군복을 입고 있다가도 일과만 끝났다 하면 영내에서나 영외에서나 사복(私服)차림을 하고서 장교나 사병이 계급을 의식함이 없이 아주 자연스럽게 어울립니다. 그런 반면에 군대 같은 철저한 계급사회도 아닌 일반인들 세계에까지 사복(社服)이라는 이름의 수갑을 채우고 족쇄를 채워서 인간을 움쭉 못하게 획일화하고 규격화하려는 음험한 계략이 있습니다. 어느 쪽이 더 개인생활을 보장하고 개인의 자유를 존중하는 사회인지 우리 모두 한 번쯤……."

저러다 책상이라도 꽝 내리치지 않을까 우려될 만큼 우기환은 기세가 등등했다. 그의 말인즉슨 옳았다. 옳은 만큼 그가 동료들로부터 대접을 못 받는 가장 근본적인 요인은 무척 건방진 자식으로 평판이 자자했기 때문이었다. 입사한 지 일 년도 못 된 주제에 십

년 가까이나 근속한 선배 사원들보다 더 많은 불평불만을 어느새 입에다 달고 다녔다. 그 불평불만이란 게 고참들 듣기에 아주 맹랑했다. 일류대학을 나온 자기 같은 엘리트가 일류회사로 가지 않고 삼류회사에 들어올 때는 다 그럴 이유가 있고 복안이 있어서였다는 것이다. 체제와 규모가 이미 갖춰진 일류회사에 들어가서 용꼬리가 되기보다는 초창기의 어수룩한 면을 벗지 못하고 아직도 질서가 물렁물렁한 삼류회사에 들어와서 단숨에 뱀대가리가 되는 것이 출세의 지름길이라고 생각했다는 것이다. 그런데 막상 들어와서 보니 웬걸, 쓸만한 자리는 사장의 일가친척들이 낱낱이 다 꿰차고 앉아서 유고시(有故時) 외엔 도무지 비켜줄 기미가 안 보이는 데다가 약속부터가 틀리다는 것이다. 특별히 스카웃되어 들어온 자기 같은 엘리트한테는 애당초 수습사원이란 당치도 않은 딱지라는 것이다. 그래서 한마디로 싹수가 노랗다고 인정해 버린 우기환 군은 기회를 봐서 다른 회사로 뜔 작정으로 지금도 열심히 영어단어를 외고 있는 것으로 소문이 나 있었다. 반드시 그럴 의도는 아니었다 해도 결과적으로 그는 불평불만을 딛고 일어설 채비가 갖춰진 자기만을 오로지 인간다운 인간, 사나이다운 사나이, 엘리트다운 엘리트로 못박음으로써 동림산업 아니면 밥을 굶는 줄 알고 움직일 엄두도 못 내는 다른 고참들을 은근히 능멸해 왔다. 아무 데서나 물찌똥처럼 흘리는 거드름 때문에 고참들은 벌써부터 범 무서운 줄 모르는 하룻강아지 사원녀석한테 잔뜩 심사가 뒤틀려 있던 터였다. 왕년에 엘리트 한두 번 아녀 본 놈 누가 있나, 제놈도 이제 처자식 거느리면서 세상 쓴맛 골고루 겪어보라지, 그때도 여전히 뚫린 주둥이로 그놈의 엘리트 소리가 술술 나오나 두고 보라지. 그래서 지금은 비록 같은 배에 타고 있긴 하지만 만약 누군가를 덜어내지 않으면 안 될 경우 사람들은 맨 먼저 우기환이부터 바닷물 속에 처넣게 될 거라고 민도식은 생각했다.

비등점에 도달한 물주전자와 같이 사람들이 한창 푸푸거리는 판에 과장이 들어왔다. 관리과 사람들은 서로 눈짓을 나누는 걸 끝으로 일제히 입을 봉하면서 각자 맡은 일에 돌아갔다. 과장은 사장하고 먼 친척이 되는 사람이었다.

"에에또, 다들 회람은 봤겠지?"

과장의 물음에 아무도 대꾸하지 않았다. 다만 하던 일을 멈추고 묻는 사람 얼굴만 멀뚱히 쳐다볼 따름이었다. 과장이 자리를 비운 사이에 과내에서 어떤 형태의 얘기들이 오갔는지 빤히 짐작이 갈 만한 분위기였다.

"돌려가며 읽어보라는 것이 회람이니까 다들 읽어봤을 테고, 준비위원회를 결성해서 바로 사복을 제정하는 작업에 들어가기로 했네. 에에또, 우리 과에선 장상태 씨를 사원대표 준비위원으로 추천했지. 워낙 해박한 지식에다 심미안까지 갖춘 사람이니까 다른 과 대표에 손색이 없게 잘 해낼 줄 믿네. 준비위원의 임무는 회의에 참석해서 무슨 천에 무슨 빛깔, 어떤 형태의 제복을 정할 것인지 과를 대표해서 의견을 제출하는 데 있어. 그러니까 다른 사람들도 준비위원이 아니라서 강 건너 불 구경하듯 할 일이 아니라 바로 내 일이요 우리 일이라는 사실을 명심하고 장상태 씨나 나를 통해서 수시로 건설적인 의견을 제출해 주기 바라네."

"단순히 의견만 제출하는 겁니까, 아니면 결정권도 있습니까?"

과장에 의해 낙하산식 준비위원으로 추천된 장상태가 벼락감투의 무게에 짓눌려 우거지상이 되면서 매우 심각한 소리로 물었다.

"준비위원회 결정사항이 그대로 무수정 통과되는 건 아니지만 그렇다고 결정권이 전혀 없는 것도 아니야."

"그렇다면 말입니다, 만약 준비위원회에서 사복을 만들지 말자는 주장이 지배적일 경우는 어떻게 됩니까?"

그러자 과장이 회전의자에서 벌떡 일어섰다. 부대한 몸집의 과장은 뒤뚱거리는 걸음으로 장상태에게 다가갔다. 그러고는 왜소한 장을 위에서 덮칠 듯한 기세로 노려보다가 슬그머니 안경을 벗어들었다. 노려보기를 포기한다는 뜻이 아니라 더욱더 본격적으로 노려보기 위해서 안경알을 닦으려는 동작이었다.

"사복을 만들지 말자는 주장? 감히 그런 주장을 할 사람이 누가 있어? 자네가 그럴 생각인가? 사복을 만들지 말자고 다른 과대표들을 선동이라도 하겠다는 건가?"

정신없이 퍼붓는 질문으로 장의 숨통을 바짝 죄어붙인 다음 과장은 몸을 빙그르르 돌려 실내를 주욱 둘러보았다.

"물론 창업 이래 처음 있는 일인데 반대가 전혀 없을 수 없다는 것쯤 나도 잘 알아. 하지만 한두 사람이 반대한다고 해서 대세를 그르칠 수 없다는 것쯤은 자네들 역시 잘 알아둬야 돼. 창업 십주년 기념일까지는 어쨌든 어떤 형태로든 사복이 완성되어서 자네들 몸뚱이 위에 입혀질 테니까 그리들 알고, 나하고 두 번 다시 상종 안 할 각오 아니면 내 앞에서 괜히 허튼소리 말라구. 장군, 자네 아직도 뭐 나한테 할 말 있나?"

"할 말이 있다기보다…… 실은 저어 제가 그런 일에 적임자가 아니라는 생각이 들어서요, 그래서 한번 말씀드려 본 것뿐입니다. 지식으로 보나 심미안으로 보나 저보다는 아무래도 우군이 낫지 않을까 싶은데……."

모두의 시선이 우기환 쪽으로 쏠렸다. 아까 과장이 자리를 비운 동안에 쏟아놓은 불평불만의 양이나 질로 보자면 이런 기회에 쌍지팡이를 짚고 나서고도 남을 우군이었다.

"전 감투 쓸 자격이 없습니다. 아직도 수습 딱지를 못 벗었으니까요."

그러나 정작 우군은 사무실 안에 있는 다른 어느 누구보다도 표정이 냉담했다.

"이게 다 뭣들 하는 수작이야! 감투 쓰고 안 쓰고 엿장수 맘대론가? 동림산업 과장이 뭐 나이롱뽕해서 딴 자린 줄 아나?"

과장의 호통으로 회람이 몰고 온 제복소동은 비로소 막설이 되었다. 퇴근시간이 되기까지 그 문제로 다시 입을 여는 사람은 아무도 없었다.

퇴근 후에 민도식은 거의 매일이다시피 어울리는 술친구들과 함께 회사 근처 다방에를 갔다. 회사 밖에서는 통 어울린 적이 없는 우기환이가 눈치없이 끼어드는 바람에 좌석이 여느 때처럼 살갑지가 못했다.

"아까 하다 만 얘기 계속인데요……."

다방 구석에 자리를 잡자마자 우기환이 맨 먼저 입을 열었다.

"그렇게 근질거리는 입을 과장 앞에선 어떻게 참았지?"

입이 무겁기로 정평이 난 유명종이가 평소의 그답지 않게 핀잔을 주었다.

"과에서야 어디 제 말발이 먹히기나 합니까? 사석에서 선배님들 앞에서나 제 생각이 어떻다는 걸 보여드리고……."

"거 수습 딱지 한번 편리하게 써먹는군. 과에서 안 먹혀드는 말발 사석이라고 다 먹혀들란 법 있나?"

장상태의. 잇단 핀잔은 우기환의 따귀를 갈기는 거나 진배없는 효과를 좌중에 선사했다.

"그만들 해둬. 똑같은 처지들끼리 서로 상처를 내서 이로울 사람 아무도 없잖아."

이렇게 점잖게 타이름으로써 자칫 이상한 방향으로 흐르려는 분위기를 민도식은 가까스로 바로잡았다. 이때 레지가 차를 주문받으러 왔다. 흰 블라우스에 검정 스커트의 유니폼을 걸친 아가씨였다. 아 참, 그렇지. 그제야 도식은 이 다방아가씨들이 오래전서부터 제복을 착용해 왔음을 상기했다.

"어이 미스 윤, 유니폼을 입고 일할 때하고 그냥 사복차림으로 일할 때하고 다른 점이 뭘까?"

"어머, 새삼스럽게 왜 그런 걸 물으세요? 제가 유니폼 입은 거 민 선생님은 첨 보셨나요?"

생각을 엉뚱한 데다 둔 사내들이 대체로 여자종업원을 상대하는 방식은 먼저 옷으로 시작해서 슬금슬금 화제를 옷 안쪽으로 침투시켜 들어가는 게 정석이다. 미스 윤도 아마 그런 의미로 해석해 버린 모양이었다. 양팔로 찻쟁반 테두리를 둥글게 감싸 허리띠 부근에 댄 모습으로 다리를 꽈배기처럼 꼬면서 미스 윤은 단골손님의 음담을 받아들일 만반의 태세를 갖추었다.

"시아버지 같은 사람이 물으면 고분고분 대답이나 해."

"별루 다른 점 없어요. 유니폼이나 사복이나 속에다 입을 것 다 입구 찰 것 다 차구 나서긴 마찬가지니까요."

옷얘기가 나오기 무섭게 노브라를 비롯해서 노자 돌림만을 생각하는 아가씨한테 도식은 더 이상 물을 필요를 느끼지 않았다. 여자는 제복과 사복의 차이가 얼마나 엄청난 것인가를 전혀 모를 뿐만이 아니라 거기에 아주 무감각한 것이 분명했다. 그런 여자를 데리고 노골적인 음담 말고 다른 얘기를 나눈다는 것은 한 마디 하면 한 마디만큼 낭비이고 두 마디 하면 두 마디만큼 낭비일 것이었다.

"같은 점이 겨우 그런 정도라면 설령 다른 점이 있다 해도 거기서 거기겠지."

장상태가 말했다.

"미스 윤이 말하는 선 피아노글 전문으로 치는 사람을 염두에 둔 얘기겠고, 우리같이 점잖은 사람이 보기엔 점잖게 다른 점이 분명히 있을 것 같은데 말야, 그걸 여지껏 느낀 적이 없다면 말이 안 되지."

우기환이가 우격다짐하다시피 해서 무리하게 짜낸 대답은 점잖다고 스스로 자부하는 단골들을 더욱 실망시켰다. 옷벌이 시원찮은 아가씨일수록 옷에다 신경쓰고 돈들일 필요 없어서 좋고 손님들도 별로 싫어하는 기색이 아니기 때문에 사복보다는 유니폼 쪽이 마음에 든다는 얘기였다.

"참으로 한심한 족속이죠. 더욱 한심한 것은 이 세상엔 한심한 족속들이 의외로 득시글하다는 사실입니다. 우선 미스 윤의 경우만 해도 그렇습니다."

미스 윤이 가져다준 실망감이 우기환의 장광설을 촉발시켰다.

"저 아가씨가 여학굘 나왔다면 말입니다, 중학교 고등학교를 다니는 동안 제복에 염증을 느낀 적이 아마 한두 번이 아닐 겁니다. 그래서 때때로 언니나 엄마 옷을 훔쳐입고는 학칙으로 금지된 시간에 금지된 장소에 도둑괭이같이 슬쩍슬쩍 출입하는 것으로 발각될 경우 정학처분을 당할지도 모르는 모험을 즐기던 경험이 더러 있을 겁니다. 제복차림의 여고생들이 품는 가장 큰 소망은 어서 학교를 마치고 사회에 나가서 자기 맘에 드는 옷감으로 맘에 드는 디자인의 외출복을 지어서 맘대로 입고 다니는 거라더군요. 그런데 사회에 나온 지 불과 얼마 되지도 않는 저 미스 윤의 현실은 어떻습니까? 걸맞지도 않는 전천후성 제복이 꽃다운 청춘을 마치 소금에 절인 간고등어같이 생기를 잃게 만들고 있잖습니까? 미스 윤은 이미 이 다방의 일개 종업원일 뿐이지 미스 윤은 아닙니다. 미스 윤이면서 동시에 종업원일 수 있는 방법이 있을 텐데도 미스 윤은 이미 윤이기를 포기해 버린 상태입니다."

꼭 누구더러 들으라고 하는 소리 같아서 민도식은 가슴 한구석이 찔끔했다.

"색깔 다르고 디자인 다른 사복차림이 각각 그 사람의 개성을 나타내듯이 유니폼은 어떤 조직집단의 성격을 단쩍으로 드러내는 상징물입니다. 어떤 개인한테 어떤 유니폼을 입혀놓으면 그 사람이 자연인으로서 이제까지 누려온 자유와 권리는 제약당하고 속박당하고 그 대신 조직집단이 부과하는 책임과 의무가 그를 영치기 영차 끌고가게 됩니다. 평생을 제복만 걸친 채 세상을 살아가는 사람도 많습니다. 자기 자신의 삶을 사는 시간보다 조직의 일원으로서 그 조직을 대표하고 그 조직을 위해서 봉사하는 시간이 압도적으로 많은 생활입니다."

어린 녀석이 정말 누구 들으라고 하는 수작이 분명하지 싶게 우기환이는 도식의 아픈 데를 가려서 잘도 찔러대고 있었다. 우중충한 회색의 제복을 입은 아버지를 보면서 어린 도식이는 다른 애들 아버지처럼 신사복을 입은 모습이 보고 싶어서 지레 늙었다. 형무소가 교도소로 명칭이 바뀐 뒤로도 그놈의 제복만큼은 여전했다. 제복을 걸치고 있을 때의 아버지는 진짜 아버지가 아니었다. 아버지의 직업이 교도관임을 떳떳하게 밝힌 기억이 거의 없다. 철이 들 만큼 들고 나서 교도관과 죄수들 사이에 별다른 차이점이 없으며 실은 다 같이 갇혀지내는 자들임을 깨달은 뒤로는 더욱 그랬다. 나이가 들어 은퇴해서 제발 제복을 벗으십사는 아들의 소원이 마침내 이루어지긴 했지만 이미 때는 늦었다. 신사복을 걸쳤는데도 아버지 몸에서는 여전히 회색 제복의 냄새가 났다. 우기환의 말마따나 아버지는 아버지 자신이기를 일찌감치 포기해 버리고는 오직 제복에만 매달리면서 평생을 살아온 셈이었다.

"이중생활이 전혀 불가능하다는 얘긴 물론 아니죠. 유니폼과 사복을 동시에 지참하고 다니면서 필요에 따라 수시로 갈아입을 수도 있습니다. 조직의 일원으로서 봉사할 때는 유니폼, 조직에서 벗어나 개인이고자 할 때는 사복, 이런 식으로 말입니다. 하지만 그것도 한두 번이면 몰라도 사시사철 여일하게 이중생활이 지탱될 수는 없습니다. 필요에 따라 수시로 갈아입는다는 그 자체가 벌써 너무도 번거로운 절차이기 때문입니다. 번거롭다는 느낌은 곧 타성을 부르게 됩니다. 타성에 젖은 인간은 곧 어느 한쪽 방향으로 쉽사리 기울고 맙니다. 이때 한쪽으로 기운다는 말은 임의의 선택이 아니고 두 극점 사이에서 자력이 센 쪽으로 저도 모르게 끌어당겨진다는 뜻입니다. 유니폼을 입고는 조직생활과 개인생활 둘 다가 가능합니다. 하지만 사복일 경우는 개인생활은 가능해도 조직생활은 불가능합니다. 그래서 사람들은 대개 유니폼 쪽으로 쉽게 기울게 마련인데, 그러다 보면 자연히 조직에 치여서 개인은 쪽을 못 쓰게 되는 법입니다. 조직사회가 무서운 것은 바로 이와 같은 타성, 인간이 가진 치명적인 약점을 적절히 이용할 줄 안다는 데 있습니다."

"저기 앉은 저 친구 말야, 아까부터 좀 수상쩍은걸."

갑자기 유명종이 건너편 좌석을 턱으로 가리키면서 낮게 중얼거렸다.

"우리 회사 생산부 사람 아냐?"

장상태가 깜짝 반갑다는 투로, 그러나 역시 소리는 잔뜩 낮추어서 말했다. 가슴에 동림산업 마크가 새겨진 블루진 작업복 상의를 걸친 사내가 혼자서 차를 마시고 있었다. 생산부 사람이 분명한데, 나이가 상당히 들어 보이고 제법 점잖은 티를 부리는 점이 어딘지 모르게 배운 사람 같아서 간부사원일지도 모른다는 생각이 확 들었다. 이쪽에서 일제히 자기를 의식하고 있는 줄 번연히 눈치챘을 텐데도 사내는 차를 홀짝거리는 틈틈이 엿듣는 자세를 취하고 있었다.

"장담해도 좋아. 우리 얘길 아까부터 주의 깊게 듣고 있었어."

제 말에 인감도장이라도 찍겠다는 투로 유명종이 보증을 하고 나섰다. 그렇다면 반가울 까닭이 조금도 없는 인물이었다.

"엿들을 테면 일마든시 엿들으라시."

일단 기세가 오른 우기환이 계속해서 큰소리를 뻥뻥 쳐댔지만 엿들도록 내버려두는 것이 어떤 의미에서는 자살행위와 마찬가지인 줄 잘 아는 고참 사원들로서는 그럴 수가 없었다. 생산부 사내를 의식하기 시작한 후로는 분위기가 자연 시멘트바닥이 되었다. 그래서 그들은 서둘러 유니폼 제정에 끝까지 반대할 것을 만장일치로 결의한 다음 준비위원회에 나가서 장상태가 벌일 활약에 크게 기대를 걸면서 그의 무운을 비는 것을 끝순서로 자리를 파해 버렸다. 어찌 보면 그들은 꼭 취해 있는 사람들 같았다. 그렇다, 그들은 비록 생산부 사내를 충분히 의식할 만큼 정신이 맨숭맨숭한 상태이긴 했으나 자신들의 결의를 끝까지 밀고나갈 경우 어떤 결과가 오리란 걸 전혀 고려에 넣지 않을 정도로 그들 자신이 쏟아놓은 허다한 말과 말들에 잔뜩 도취되어 있었다.

동료들과 헤어져 버스정류장을 향해 걷는 동안 민도식은 바삐 인도를 오가는 행인들 가운데 의외로 유니폼이 많이 섞여 있음을 발견하고 놀라지 않을 수 없었다. 어제까지만 해도 전혀 그런 내색을 안 보이던 거리가 갑자기 안면을 바꾸어 오늘부터는 유니폼으로 범람하기 시작하는 듯한 착각에 빠질 지경이었다. 처음부터 제복으로 출발했으니까 거리 곳곳에서 눈에 띄는 군인과 경찰은 그만두고라도, 각급 학교의 학생들은 그만두고라도, 자율 교통지도원과 모범 운전기사들은 그만두고라도, 빌딩이나 호텔 입구의 수위 아저씨들은 그만두고라도, 새마을복에 새마을모의 공무원들과 오물수거원들은 그만두고라도, 어서 옵쇼 하면서 허리를 경오지게 꺾어 난

짝길을 막는 각종 접객업소의 보이 녀석들이나 남녀 종업원들은 그만두고라도, 갖가지 음료와 화장품외판원들이나 떼뭉쳐 재재거리고 군것질을 하면서 길을 가는 요지가지 제복차림의 여행원이나 여사무원들은 다 그만두고라도…… 유명한 재벌기업체나 한다 하는 대기업체의 사원임을 과시하는 회사 고유의 제복을 차려입고 거리를 활보하는 남자들도 상당수 눈에 띄었다. 동림산업의 오만한(吳萬漢) 사장이 궁극의 라이벌로 지목하고 있는 유명한 섬유류 생산 및 수출업체인 K직물의 밤색 상의를 입은 젊은이도 한 사람 우연히 만날 수 있었다. 민도식이 특히 놀랍게 느낀 점은 대학생이나 재수생쯤으로 보이는 젊은이들 세계에도 벌써 깊숙이 침투해 들어간 흔적이 역연한 제복의 위력이었다. 학도호국단 얘기가 아니라, 일상의 외출복 가운데도 똑같은 천과 무늬에 똑같은 마름질로 제복이나 다름없이 지어진 옷들을 입고 보무도 당당히 거리를 행진하는 젊은 남녀들의 모습을 가리킴이었다. 개중에는 해괴하게도 미군 작업복 흉내가 확실한데 그것만으로는 부족했던지 'U. S. ARMY'라는 자수 흉찰을 달고 등과 어깨엔 위장 그물과 계급장서껀까지 완벽하게 구색을 갖춘 아가씨도 서넛 보였다. 바야흐로 제복 지향의 빳빳한 시대가 열리고 있음을 알리는 나팔 신호를 민도식은 귀가 멍멍하도록 듣는 듯한 기분에 사로잡힌 채 역시 제복차림의 안내양으로부터 빨리 오르라고 등을 떼밀리고 빨리 내리라고 등을 떼밀린 끝에 가까스로 집에까지 당도할 수 있었다.

"밖에서 무슨 언짢은 일이라두 있었수?"

남편의 옷을 벗겨 붙박이장 안에 걸면서 아내가 조심스럽게 물었다.

"좋은 일도 없는 판에 언짢은 일이 있을 턱이 있나."

아무렇게나 대꾸하면서 도식은 마구 엉겨붙는 두 아이의 재롱과

웅석을 양쪽 무릎에 각각 나누어 수용했다. 새끼들 얼굴을 들여다
보는 동안에 삼대(三代)라는 말이 구체적인 형상을 갖추고 육박해
오는 순간을 몸으로 느꼈다. 제복으로 평생을 보낸 아버지가 있다.
아들도 제복을 입게 될지 모른다. 그렇다면 그의 손자들 대에까지
제복이 영향을 미칠 확률은 점점 높아진다는 얘기가 될까. 과연 저
것들 세대는 제복이 없는 세상을 살 수 있을까.

"정말 무슨 일이 있었구려."

그 속에서 뭘 기어코 찾아내려는 듯이 애들의 눈동자를 후벼보
는 남편의 예사롭지 않은 태도에 놀라 아내는 금방 세 번째 아이가
되었다. 선참의 두 아이를 밀어내면서 세 번째 아이가 무릎 앞으로
바싹 다가들었다.

"말해 봐요, 어떤 일인지."

"어떤 일이긴……."

하고 귀찮다는 내색을 보이려다가 그는 갑자기 생각을 바꾸었다.

"만약에 말이지, 내가 회사제복을 입고 매일 출퇴근하게 된다면
당신 기분은 어떨까?"

"겨우 제복 얘기예요? 난 또……."

얘기를 듣고 나자 아내는 재빨리 도로 어른이 되었다. 그러고는
아직도 정색한 채로인 남편이 무색해질 만큼 깔깔대는 것이었다.

"오만하시고 인색하신 사장님께서 드디어 단안을 내리셨군요.
그것 참 잘된 일이에요. 우선 의복비 덜 나가서 좋고 출근 때마다
당신 옷에 신경 안 써서 좋고……."

그렇게 되고야 말리라고 미리 예측하고 있었다는 뜻을 은연중에
풍기면서 아내는 다시 깔깔거렸다. 사실 그럴 만도 했다. 들음들음
으로 아내는 사장이란 사람을 잘 알고 있었다. 아내가 그렇게 웃는
것도 무리는 아니었다. 애를 둘씩이나 가진 멀쩡한 가정주부가 남

편 덕분에 급조 여사원이 되어 텔레비전 화면 속에서 처녀 행세를 톡톡이 한 적이 있었는데, 그때 이미 아내는 장시간 인연이 끊겼던 제복과 새삼스레 다시 만나는 기회를 갖게 되었던 것이다.

창업 십주년 기념일을 앞두고 거사적으로 법석을 떨어대고 있지만 동림산업의 전신인 구멍가게 시절까지 합산한다면 오만한 사장의 기업 경영은 사실상 십 년도 훨씬 더 되는 셈이었다. 구식 직조기와 봉제시설 약간이 가내수공업 단계를 못 벗던 시절 오 사장의 자산의 전부였다는 얘기가 오늘날 전설처럼 돌고 있다. 소규모로 면제품을 생산해서 가족들에게 등짐을 나눠지워 어수룩한 시골을 돌며 보세 가공품 빼돌린 거라고 속여팔았다 한다. 보세 가공이란 말이 퍽 낯설게 느껴지던 시절에 벌써 그 방면에 남보다 일찍 눈을 떠 암수(暗數)로 기반을 잡았던 모양이었다. 그 후 정식으로 동림산업이 발족되어 이번엔 암수가 아니라 진짜로 보세 가공에 손을 대기 시작했는데, 가족 중심의 경영방침은 구멍가게 시절이나 조금도 다를 바 없었다. 오히려 그때보다 더 심하다는 중평이었다. 사장은 막대한 광고비를 들여 신문이나 방송에 자사 제품을 소개하고 선전하는 행위를 무척 싫어했으며 경멸까지 했다. 상품명 선전은 효과가 단명한 데 비해 회사 자체의 이미지 부각은 그 수명이 영원하다는 주장과 함께 이를 위해 돈 대신 머리를 썼다. 신문이나 방송의 손이 닿을 만한 곳에 항상 자그만 미담이나 가화(佳話) 따위를 쥐덫처럼 은밀히 감춰두곤 했다. 글줄깨나 쓸 만한 남녀 사원들을 시켜 신문의 독자 투고란이나 아마추어 수필을 통해 간접화법으로 회사 이름이 사회에 알려지도록 했으며 라디오나 텔레비전의 각종 캠페인, 국민개창 운동 등에 전 사원을 적극 참여시키는 한편 주로 주부들을 대상으로 한 퀴즈 프로, 부부 게임 등에 사원은 물론 사원 가족까지 동원시켜 남편의 직장을 소개하는 동안 아내로 하여금 내내 행복에 겨운 미소를 잃지 않도록 당부했다.

민도식의 아내가 출연했던 프로는 전국 직장대항 아마추어 음악 경연대회였다. 학교 시절에 성악을 전공한 실력을 아는 극성맞은 남편 친구들의 추천으로 하루아침에 총무과 타이피스트가 된 도식의 아내는 비싼 값에 임시로 전세 내어온 전문가 수준의 다른 한 여자와 함께 여러 차례 텔레비전에 주전 멤버로 출연해서 발군의 실력을 과시함으로써 동림산업을 연말 결선에까지 끌어올리는 데 수훈을 세웠고, 비록 준우승에 그치긴 했지만 남편의 직장을 전국의 시청자들에게 깊이 인식시킴과 아울러 남편을 위해서도 내조의 공을 아끼지 않았다.

"아내들이란 남편 회사 사장보다는 아무래도 자기 남편을 더 속속들이 알도록 구조가 돼 있어요. 꼭 무보수 사원으로 제복을 입고 뛰어본 경력이 있대서 하는 얘긴 아니지만 전 당신네 사장이란 사람이 어떤 인물인가를 잘 알아요. 하지만 그 이상으로 당신을 훨씬 더 잘 알아요. 지금의 당신 심정 충분히 이해하고도 남아요. 하지만, 하지만 말예요. 대세는 어쩔 수 없는 거 아니겠어요? 모난 돌이 정 맞는대요. 둥글둥글 맞춰 살기 바래요. 제복을 상전으로 받들어 모시느냐, 아니면 그저 몸을 가리는 여러 가지 의복 가운데서 사람이 입을 수 있는 한 가지로 보느냐에 따라 정신상태가 중요한 것이지 제복 자체는 별다른 의미가 없다고 봐요."

알쏭달쏭한 말을 진지하게 하는 품이 딴엔 한참 위로하려는 속셈 같았다. 무심코 깔깔거리던 경망스러움은 그래서 많이 탕감이 되었다. 제복을 두고 느끼는 남편의 콤플렉스를 아내는 어느 누구보다도 잘 알고 있었다. 도식은 회사에서 묻혀가지고 들어온 제복 냄새를 집 안에까지 풍긴 자신의 실수를 어느덧 후회하고 있었다.

준비위원회가 열렸다.

그리고 준비위원회가 끝났다. 회의에 참석했다 돌아온 장상태의 표현을 빌자면, 열리면서 끝났다는 것이다. 준비위원회에서 통과된 내용은 대략 다음과 같았다.

사복은 춘하와 추동 2종으로 구분하되 공히 상의에 한한다. 춘하복은 추후 결정키로 하고 우선 추동복만을 제정한다. 추동복은 본사 제조의 검정곤색 순모 복지를 기지로 하여 사파리를 신사복에 가깝게 변형 개조한 특이한 복식을 취하되 회사 심벌마크와 회사명을 좌측 포켓 위에 황색 자수로 부착한다. 착용 대상은 작위의 고하를 막론한 전 사원이며 일제 맞춤에 한하여 경비의 반액을 회사가 부담하고 이후부터는 각자가 전담한다. 추동복은 빠른 시일 내에 회사가 지정하는 양복점에서 지정된 일자에 출장나와 재도록 하여 창업기념일의 일제 착용에 차질이 없도록 피차간에 긴밀히 협조한다……

"사원들을 대표해서 준비위원들이 한 역할은 뭐지?"

"그렇게 추궁조로 나올 일만은 아냐. 아마 명종이 자네가 참석했어도 결과는 마찬가지였을 거야."

"내가 참석하는 걸 가정하는 경우하고 자네가 실제로 참석한 경우를 같은 차원에다 두고 결과를 논한다는 건 어불성설이야. 준비위원들을 통해서 사원들 의견을 알아본 다음 그걸 취합해서 원칙을 정한다는 약속이었어. 그런데 건의할 틈도 안 주고 비상을 걸듯이 위원회를 소집해서 일방적으로 전격 통과시키다니, 말이 다르잖아!"

"맞습니다, 저두 애초에 그렇게 들었던 것으로 기억합니다."

"니미럴. 내가 기획실장이야? 내가 사장이야? 낸들 어떡허란 말야. 왜들 나보고만 지랄들이지?"

"지랄은 자네가 하고 있어. 자네더러 동림산업 사원 전체의 의사를 대변해 달라고는 안 했어. 최소한 우리 과의 의사만이라도 전달했어야만 될 게 아닌가. 통과가 되고 안 되고는 문제가 아냐. 책임을 맡았으면 적어도 그 책임을 이행하려는 자세만이라도 보여주는 게 도리라고 생각해."

"회의가 시작되자마자, 똑똑히 잘 들어달라면서 기획실장이 자기네가 작성한 조안을 낭독했어. 낭독을 끝내더니 잘들 들었냐고 물어. 잘 들었다고 끄덕거릴 수밖에. 그랬더니 질문 있으면 하라는 거야. 모두들 어안이 벙벙해서 앉아 있는 판인데 실장이 씨익 웃어. 그러면서 하는 말이, 질문이 없다는 건 원안에 전적으로 찬성하는 것으로 믿고 수정 없이 실행에 옮기겠다고, 회사 발전을 위한 중요 사업에 이처럼 만장일치로 협조해 줘서 고맙다고 이러는 거야. 용가리 통뼈라도 손가락 하나가 까딱 못할 상황이었다니까."

"장 선배님 말에 좀 어폐가 있는 것 같습니다. 회의는 랑데부가 아닙니다. 특히 노사간의 회의는 회의라는 형식을 빌린 전쟁입니다. 사용자 측에서 수단 방법을 다해서 계획을 밀고나가려 하는 건 당연합니다. 필요하다면 피용자 측에서 용가리 통뼈 아니라 통뼈 할아버지라도 돼서 따질 건 따지고 반대할 건……."

"그러게 내 첨부터 뭐랬어. 난 그런 일에 적임이 아니니까 우군이 맡으라고 했잖아!"

"이미 끝난 일이야. 지금 와서 아무리 떠들어대봤자 제복은 벌써 우리 몸에 절반쯤이나 입혀져 있어."

민도식이 나서서 험악해진 분위기를 간신히 가라앉혔다.

"준비위원회를 구성하고 회의를 소집한 건 처음부터 요식행위에 지나지 않았던 거야. 경영자 독단으로 처리하지 않고 사원들의 의사를 물어서 전폭적인 지지를 얻어가지고 결정했다는 인상을 대내외에 풍길 필요가 있었던 거야. 이제 길은 두 가지뿐야. 나머지 절반을 찾아서 마저 몸에 꿰든가, 아니면 기왕 우리 몸에 입혀진 절반을 아예 벗어버리든가 각자가 알아서 결정할 일이야. 저기 좀 보라고. 저 사람이 아까부터 우릴 비웃고 있어. 제복 얘기 앞으로는 그만 하기로 하지."

생산부 공원 복장을 한 사내가 엇비뚜름한 자세로 이쪽을 돌아다보며 야릇한 웃음을 입가에 물고 있었다. 그를 보더니 장상태가 화를 벌컥 내면서 큰 소리로 미스 윤을 불렀다.

"이봐, 저기 앉은 저 사람 내가 좀 보잔다구 전해!"

눈이 휘둥그레진 미스 윤이 종종걸음으로 그에게 다가가기 전에 그쪽에서 자진해서 먼저 일어섰다. 그가 충분히 알아들을 수 있을 정도로 장의 목소리가 컸던 것이다.

"저를 부르셨습니까?"

여전히 웃음기를 입에 문 얼굴이 장을 정면으로 상대했다.

"당신 뭐야? 뭔데 어제부터 남의 얘길 엿듣고 비웃지, 비웃길?"

"비웃음으로 보셨다면 용서하십쇼. 엿듣고 싶은 생각은 없었습니다. 가만히 앉아 있어도 들릴 정도로 선생님들 말소리가 컸습니다. 말씀 내용이 동림산업에 계신 분들 같아서 저도 모르게 관심이 컸나 봅니다."

"오오라, 그러고 보니 당신도 동림가족의 일원이 분명하군. 부서가 어디야?"

"생산부 제1공장입니다. 거기서 잡역부로 근무하고 있습니다."

"이름은?"

"권입니다."

"이름이 권이다? 그럼 성까지 아주 짝을 채워보게."

"성이 권입니다."

만만한 상대를 만난 장은 권씨를 노리갯감으로 삼아 화풀이할 작정임을 분명히 하면서 동료들에게 은밀히 눈짓을 보냈다. 함께 놀이에 끼어들라는 뜻일 것이다. 그러나 도식이 보기엔 첫눈에 결코 만만한 상대가 아니었다. 그는 참을성 좋게 여전히 웃고 있었다. 그것은 생산부 공원들이 본사의 사무직을 대할 때 일반적으로 갖는 비굴한 표정이 아니었다. 그렇다고 적대감도 아닌 그것은 일종의 사신감의 표현임이 분명했다. 누름한 입술과 커다란 눈이 얼핏 눈에 띄는 특징이었다. 장상태하고 비교해서 둘이 서로 어금어금할 정도로 작은 체구였다. 실제 나이는 장보다 두세 살쯤 위일 것 같은데 적어도 이삼십 년은 더 세상을 살아냈을 법한 관록 같은 게 엿보이는 얼굴이었고, 그것이 교양이라는 것하고도 연결되어 잡역부라던 자기 소개가 아무래도 믿어지지 않는 그런 사람이었다.

"짝을 채우기 싫다 이거지? 좋았어. 그런데 자네가 하는 잡역일 하고 무슨 상관이 있어서 우리 얘기에 이틀 동안이나 관심을 갖지?"

"물론 상관은 없습니다. 그렇지만 한쪽에선 작업 중에 팔이 뭉텅 잘려져나간 사람이 있고 그 팔값을 찾아주려고 투쟁하는 사람들이 있는 반면에 다른 한쪽에선 몸에 걸치는 옷 때문에 거기에 자기 인생을 걸려는 분들도 계시구나 하는 생각이 들어서 그냥 지나칠 수가 없었습니다."

그 순간 장상태의 얼굴색이 하얗게 질리는 것 같았다. 장이 어물거리는 사이에 우기환이 나섰다. 우 역시 장처럼 권씨의 나이를 전혀 셈해 주지 않는 말투였다.

"팔도 중요하지만 그에 못지않게 옷도 중요해. 옷을 지키려는 건 다시 말해서 팔을 찾으려는 거나 마찬가지 일이야. 팔이 옷에 우선한다 생각하고 우릴 비웃었다면 당신은 분명히 덜떨어진 사람이야."

"그래서 다방에 앉아서 투쟁을 하신다 이런 말씀이지?"

우의 응원에 힘입어 전열을 가다듬고 난 장이 입꼬리를 비틀면서 이렇게 말했다.

"제가 드리고 싶은 말씀이 바로 그겁니다. 옷도 중요하고 팔도 중요하다는 말씀에 전적으로 동감입니다. 그렇기 때문에 팔을 찾으려는 사람이라고 함부로 대하는 자세만큼은 삼가주셨으면 합니다. 선생님들한테 팔이 있듯이 옷은 우리들도 필요하니까요. 이제 또 들어가 봐야죠. 사장님이 면담을 받아주시질 않아서 이렇게 매일같이 허탕을 치고 있는 중입니다."

팔과 옷을 한참 주고받던 권씨가 장과 우를 향해 차례로 목례를 보낸 다음 핑 하니 다방을 나가버렸다.

"잡역부 주제에 건방떨긴!"

뱉듯이 말하면서 장이 우를 쳐다보았다. 그 말에 대꾸하지 않은 채 우가 도식을 상대로 자문을 구했다.

"밀어붙일 모양인데 앞으로 어떻게 하죠?"

"이미 끝난 일이라고 했잖아. 각자가 알아서 행동할 뿐이야."

아닌 게 아니라 회사에서는 창업기념일을 며칠 앞두고 예정된 모든 프로그램을 한몫에 밀어붙일 기세였다.

그 이튿날, 부(部)대항 체육대회다 뭐다 해서 창업 이래 최대규모의 기념행사 준비로 가뜩이나 어수선한 판인데 줄자를 든 양복점 재단사들이 떼로 들이닥쳐 각 사무실을 도는 바람에 업무는 사실상 중단상태였다. 이인일조가 된 재단사들이 하나가 재면서 치수를 부르면 그걸 다른 하나가 받아서 적고, 그들 앞에서 겉옷을 벗은 채 셔츠바람이 된 동료들이 바보처럼 팔을 벌리고 가슴을 맡기고 뒤로 돌아를 하면서 등을 대주는 모양을 멀거니 바라보다가 민도식은 제 차례가 오기 전에 슬그머니 사무실을 빠져나와버렸다.

"민 선배님, 같이 가십시다."

어느새 뒤따라나왔는지 현관 수위실 옆을 지나는 도식을 우기환이가 불러세웠다. 그들은 함께 다방으로 들어갔다.

"어제 여기서 생산부 사람한테 한 얘기…… 실제로 그럴까?"

"무슨 얘긴데요?"

"팔 못지않게 옷도 중요하다는 얘기."

"원 민 선배님두, 아니 그만한 신념도 없으면서 사무실을 뛰쳐나 왔습니까?"

"권씨란 사람을 만나기 전까진 나도 그렇게 생각해 왔어. 그런데 그 사람 얘길 듣고 난 후로는 어딘지 모르게 흔들리는 기분이 든단 말야. 결국 이렇게 흔들리는 상태에서는 아무 일이고 할 수 없다는 생각이 들어서 사이즈를 안 재고 나와버린 거야."

"우리하고 생산부하고 하는 일이 다르기 때문에 방식만 다를 뿐 이지 실은 팔과 옷은 똑같다고 믿어요. 우리한테 옷인 것이 그들한 테는 팔이고 우리한테 팔인 것이 그들한테 옷이 되잖을까요?"

"반드시 그렇지만은 않을 거야. 다분히 허세가 섞인 것이 우리들 옷이고 허세 없이 그저 절실하기만 한 것이 권씨의 팔인지도 몰라."

"자유와 생존은 다 같이 중요하다는 제 신념에는 변함이 없습 니다."

"그야 물론 그렇지. 내 얘긴 우리가 제복을 입음으로써 제약당하 는 개인의 사생활을 저들이 팔을 잃음으로써 위협받는 생계만큼 그 렇게 절박하게 느끼고 있느냐는, 일테면 치열도의 차이라는 거야."

그들이 이런 얘기를 나누고 있을 때 동림산업 민 선생을 찾는 전 화가 걸려왔다.

"거기 있을 줄 알았지. 나야, 장이야. 우기환이도 같이 있나?"

전화를 받자마자 장상태가 낮고 빠른 말씨로 지껄여 왔다.

"즉각 들어와줘야겠어. 과장이 잔뜩 뿔따구가 나갖구 방금 사장 실로 들어갔어."

"재단사들은 다 철수했나?"

"아직 다른 사무실을 돌고 있어. 그 친구들이 철수하기 전에 자네가 들어와야 일이 무사해질 것 같애."

"지금은 들어가고 싶잖아. 친구가 찾아와서 잠깐 외출했다고 그래."

"재는 거야 상관없잖아. 입고 안 입는 건 그 후의 일인데 뭘 그래."

민도식은 일방적으로 전화를 끊어버렸다. 한참 만에 민 선생을 찾는 전화가 다시 왔다.

"과장일세. 자네들이 지금 취하고 있는 행동이 어떤 결과를 부르는지 알고나 그러나?"

수화기에서 대뜸 불호령이 떨어졌다.

"자네들이 이번 일에 비협조적이란 걸 알고 있어. 뒷전으로 돌면서 불평이나 터뜨리고 다니는 걸 내가 모를 줄 아나?"

과장은 계속해서 닦아세웠다.

"이 전화 끝나자마자 사장실로 가봐! 나하곤 이미 용무가 끝났어!"

사장은 전혀 화가 난 얼굴이 아니었다. 조심스럽게 들어와서 맞은편 소파에 앉는 두 사원을 응접세트 너머로 지그시 바라보고 있었다.

"자네들이 의복에 관해서 일가견을 가졌다는 소문인데, 어디 그 견해 좀 들세나."

참으로 난감한 청이었다. 듣자는 말은 듣지 않겠다는 강인한 의지의 반어적 표현임을 잘 알기 때문에 그들 두 사람은 아무 말도 하지 않았다. 하지 못했다.

"나대로 충분히 생각해서 내린 결정이고 사원대표의 지지를 얻어서 시행하는 일이야. 그런데 그런 일을 반대할 때는 나름대로 충분한 이유가 있었겠지. 민군부터 이유를 설명해 보게."

그러면서 사장은 담배를 권했다. 청자였다. 민도식은 그것이 청자임을 확인하는 순간 하마터면 제 주머니 속에 든 거북선을 꺼낼 뻔했다가 문득 깨닫는 바가 있어서 사장이 주는 대로 다소곳이 받아 들었다.

"서두를 거 없어, 천천히 얘기해도 괜찮으니까."

민도식은 결코 서두르지 않았다. 그렇다고 이미 이렇게 된 마당에 망설거릴 것도 없었다.

"옷에는 보호기능과 표현기능이 있다고 들었습니다. 우리가 옷에서 바랄 수 있는 건 그 두 가지 기능만으로 충분하다고 믿고 있습니다. 제복으로 사원들간에 일체감을 조성해서 회사를 더욱더 발전시키겠다고 그러시지만 제 생각엔 그렇게 해서 얻어지는 단결력보다는 제복에 눌려서 개성이 위축되고 단결력에 밀려서 자유로운 창의력이 퇴보되는 데서 오는 손실이 더 클 것 같습니다."

"아주 좋은 말을 했어. 하지만 그건 일이 실천에 옮겨지기 전에 했어야 할 얘기야. 대다수 사원들 지지를 얻어서 실천단계에 들어선 지금은 사정이 달라. 그리고 기업발전에 단결력이 중요하냐 창의력이 중요하냐 하는 문제는 자네가 아니라 내가 결정할 문제야. 또 제복을 입었다고 어제는 있던 창의력이 오늘 싹 죽는다는 논리도 설득력이 없어. 민군, 자네는 일찍이 제복 제도를 도입한 K직물이 창의력 없이 그저 눈감땡감으로 오늘날의 위치에 올라섰다고 생각하나?"

"K직물은 사정이 다릅니다."

잠자코 있던 우기환이가 불쑥 말했다.

"호오, 그래? 어떻게 다르지?"

"자기 개성에 맞는 옷을 입을 권리를 포기할 때는 뭔가 그 이상의 보상이 뒤따라야 합니다. 그런 면에서 K직물의 기업정신은 아주 훌륭하다고 봅니다."

이때 옆방이 다소 소란해졌다. 사장실 도어 저쪽에서 여비서가 누군가하고 들어가겠다느니 안 된다느니 하면서 실랑이하는 눈치였다. 그 소리를 듣더니 사장의 낯빛이 싹 달라졌다.

"자네들이 이러지 않아도 난 지금 복잡한 일이 많은 사람이야. 우군이 K직물을 동경하는 그 심정은 나도 알아. 허지만 앞으로 가까운 장래에 다른 사람들이 자네들을 동경하도록 만들기 위해서는 나도 노력하고 자네들도 적극 협조해야 되잖나. 그동안을 못 참아서 협조할 수 없다면 별수없지. 이런 일엔 누군가 한 사람쯤 희생이 따른다는 사실을 각오해야 돼."

"무슨 뜻인지 알겠습니다. 제가 희생이 되죠. 피고용자한테도 권리는 있습니다. 들어올 때는 제 맘대로 못 들어오지만 나갈 때는 제 맘대로 나갈 수 있으니까요."

우기환이가 분연히 소파에서 일어나 빠른 걸음으로 도어를 향해 갔다. 순식간의 일이었다. 사장실을 나서는 우기환이와 엇갈려 웬 사내가 잽싸게 뛰어들었다. 다방에서 두 번 본 적이 있는 생산부의 잡역부 권씨였다. 사장실로 들어서기 무섭게 권씨는 민도식을 향해 눈자위를 하얗게 부릅떠 보였다. 우기환의 돌연한 행동에 초벌 놀랐던 도식은 권씨의 험악한 표정에 재벌 놀라면서 엉거주춤 궁둥이를 들었다. 빨리 자리를 비켜달라는 권씨의 무언의 협박이 빗발치고 있었다.

"죄송해요, 사장님. 한사코 안 된다는데두 부득부득 우기면서 이 사람이……"

뒤쫓아 들어온 여비서를 손짓으로 내보낸 다음 사장이 말했다.

"어서 오게, 권군."

자기보다 더 사정이 절박한 사람을 위해서 민도식은 사장실에서 물러나지 않을 수 없었다.

"잘 생각해서 스스로 결정을 내리도록 하게."

도어가 채 닫히기 전에 사장의 껄껄한 목소리가 도식의 등 뒤에 따라붙는다.

"민 신생 집에 전화 걸었더니 부인이 받네요. 새로 맞춘 유니폼 입구 아침 일찍 출근했다구요."

아내의 바가지 긁는 소리로 창업기념일의 아침은 시작되었다. 체육대회가 열리는 제1공장까지 가자면 다른 날보다 더 일찍 나서야 되는데도 여전히 밍기적거리고만 있는 남편 곁에서 아내는 시종 근심스러운 눈초리를 거두지 않았다. 제복 때문에 총각 사원 하나가 사표를 던졌다는 소문을 아내는 믿지 않았다. 사표를 제출한 게 아니라 강제로 모가지가 잘린 거라고 굳게 믿고 있었다.

"까짓것 난 필요없어. 거기 아니면 밥 빌어먹을 데 없는 줄 알아? 세상엔 아직도 유니폼 안 입는 회사가 수두룩하단 말야!"

거듭되는 재촉에 이렇게 큰 소리로 대거리는 했지만 결국 민도식은 뒤늦게나마 집을 나서고 말았다.

시내를 멀리 벗어나서 교외에 널찍하게 자리잡은 제1공장 앞에 당도했을 때는 벌써 개회식이 시작된 뒤였다. 공장 정문 철책 너머로 검정곤색 일색의 운동장을 넘어다보는 순간 민도식은 갑자기 숨이 턱 막혀옴을 느꼈다. 새로 맞춘 제복으로 단장한 남녀 전 사원이 각 부서별로 군대처럼 질서정연하게 도열해 서서 연단에 선 지휘자의 손끝을 우러러보며 사가(社歌)를 제창하기 직전의 예비운동으로 목청을 가다듬는 헛기침들을 하고 있었다. 이윽고 공장일대를 한바탕 들었다 놓는 우렁찬 노래가 터지기 시작했다. 노래 부르는 사원들 모두가 작당해서 지각한 사람을 야유하는 듯한 기분이 들었다. 검정곤색의 제복들이 일치단결해 가지고 사복차림으로 꽁무니에 따라붙으려는 유일한 사람을 완강히 거부하는 듯한 기분에 사로잡했다. 세상 전체가 온통 제복투성이인 가운데 저 혼자만 외톨토리로 떨어져 있는 셈이었다. 자기 한 사람쯤 불참한다 해도 아무렇지도 않게 체육대회 개회식은 진행될 수 있다는 사실이 민도식을 무척 화나면서도 그지없이 외롭게 만들었다. 정문으로 들어서지도 못하고 그렇다고 뒤돌아서서 나오지도 못한 채 그는 일단 멈춘 자리에 붙박혀버린 듯 언제까지고 움직일 줄을 몰랐다.

돛대도 아니 달고

달곽 쏟아부은 듯이 얼굴에 주근깨가 많고 키가 훌쩍 큰 특수업태부(特殊業態婦) 에레나 박(물론 가명 24세)은 1974년 가을에 동천으로 흘러들어왔다. 그러니까 금년 가을로 동천 생활도 벌써 만 삼년이 턱에까지 꽉 차는 셈이다. 그간 자기를 거처간 미군이 흰둥이 검둥이 싸잡아서 대충 오백여 명은 넘는 것으로 그니는 어림하고 있다. 그 정도 수준이면 영업성적이 꽤 삼삼했다는 얘기가 된다. 물론 영업성적과 저축금액이 반드시 비례하는 건 아니다. 거개의 업태부들은 동두천(東豆川)을 어쩌다 입에 올리게 될 경우 가운데 든 콩은 멋대로 빼버리고 간단히 줄여서 그냥 동천이라고 발음하는 편리한 습관들을 지니고 있다.

에레나는 본인 스스로가 주워다 붙인 이름이다. 처음 화류계에 투신하면서 건강진단증을 내기 위하여 민들레회를 거쳐 읍사무소 사회계에 들러 인적사항을 대는 동안 그녀는 이 바닥에서만 통할 수 있는 색다른 이름의 필요성을 문득 느꼈다. 가문을 더럽히지 않겠다는 갸륵한 뜻에서라기보다는 어쩐지 본명이 불편할 것만 같은 예감이 들어서였다. 이때 얼핏 떠오른 것이 유행가 가락이었다. 아주 어렸을 적에 이웃에 사는 청년 하나가 "이르음조차 에레에나로 달라진 수운이 순이가……." 어쩌고 하면서 곧잘 부르던 노래 구절을 그니는 용케도 기억해 냈던 것이다.

결국 이렇게 해서 마치 넘어졌다 일어나면서 돌멩이를 집듯이 아무렇게나 골라잡은 이름인데, 그 후 세상을 향해 팔매질이 하고 싶어질 때마다 그니는 에레나라는 그 자작의 이름을 매우 요긴하게 사용하곤 했다. 그것이 배우나 가수들이 사용하는 예명 따위와는 전혀 성질이 다르다는 사실쯤 누구보다 에레나 자신이 잘 알고 있다. '딸라기계'를 돌리는 일이 예술일 수는 결코 없기 때문이다.

에레나는 약쟁이였다. 약하고는 떨어질 수 없는 생활을 하는 건 비단 에레나뿐만이 아니었다. 술을 너무 마셔서 온몸이 퉁퉁 부은 날은 다음 날의 벌이를 생각해서 이뇨제로 다이크로짓 따위를 사다가 복용하지 않으면 안 된다. 성병 비슷한 증세라도 비칠라치면 어마 뜨거라고 테라마이신이나 펜브렉스 따위 항생제를 끼니 이상으로 챙긴다. 재수없게 부대 봉급날과 멘스가 겹칠 때는 저쪽에서 아하, 그러냐고, 사정이 그렇다면 우리 아이들 봉급을 며칠 뒤로 미루겠다고 선심을 쓰는 법은 절대 없으니까 별수없이 이쪽에서 약물이라도 써서 멘스를 조절해야만 한다. 말하자면 녹슨 딸라기계를 열나게 돌게 하는 데는 그리스나 모빌유 같은 많은 약들이 필요한 셈이다.

거기에다 에레나는 습관성 약품의 중독자이기도 하다. 소속돼 있는 클럽에서나 끼고 있는 포주나 약쟁이를 환영할 사람은 어디에도 없다. 업태부들한테 작은오빠로 통하는 클럽 지배인 임씨는 어쩌자고 이러느냐면서 늘 핀잔이다. 큰오빠로 통하는 포주의 아들은 이따금 손찌검까지 한다. 약쟁이들 가운데는 사고뭉치가 많아서 영업을 계속 못할 정도로 상처를 입거나 야반도주를 하거나 아니면 아예 자살해 버릴 우려가 다분하고, 만약 그렇게 되면 빚을 영영 못 받게 되기 때문에 심하게 구는 경우가 많은 것이다.

미군들도 약쟁이는 싫어한다. 특히 흰둥이들이 아주 학질을 뗀다. 몹시 게으르고 불결하고 제멋대로 구는 것이 약쟁이들의 공통점이기 때문이다. 옆에 누가 있거나 말거나 이부자리 위에서 질질 오줌을 누는 계집애들도 드물지 않다.

최근 들어 에레나는 어떻게든 약을 끊으려고 무진장 애를 써보았다. 약 먹는 걸 싫어하는 흰둥이 하나를 끔찍하게 사랑하게 되면서부터였다. 그리고 그가 곁에 있는 동안은 약을 끊으려는 그니의 노력도 어느 정도 성공할 수가 있었다.

끝내 벤은 도둑놈처럼 발소리도 안 내고 한국을 빠져나가버렸다. 벤이 떠나고 이틀이나 지난 다음에야 단짝으로 어울려 다니던 친구가 찾아와서 그의 갑작스러운 귀국을 알려주었다. 에레나한테는 갑작스러운 일일지 몰라도 사실은 벤으로서는 조금도 갑작스러울 게 없는 일이었다. 이미 예정된 일로서 벤은 자신의 귀국일자를 미리부터 알고 있었으면서도 내내 시치미를 떼어나온 것이다.

그날 밤 에레나는 벤의 소식을 전해 준 크리스토퍼를 유혹해서 작자가 녹초가 될 때까지 욕심껏 해먹어 버렸다. 그러고는 그가 곯아떨어지기를 기다려 초저녁에 준비해 뒀던 약을 삼켜버렸다. 자그마치 러미라시럽 한 병에다 아날긴이 열 알 그리고 악사돈이 스물다섯 알이었다. 모르긴 몰라도 그 정도 분량이면 아마 정상인의 체질로는 치사량에 가까운 엄청난 양일 것이었다. 당연하게도 에레나는 쭉 뻗어버렸다. 약쟁이들끼리 쓰는 문자로 잔뜩 얼고 쩔어서 완전히 도라이가 되어버렸다. 눈에다 불을 쓰고 고을이 시끄럽게 미

214

쳐날뛰다가는 마침내 깜빡 죽어버렸다.

그니는 사흘 후에야 겨우 정신을 차렸다. 산을 넘고 바다를 건너는 길고 고된 '츄립(trip)' 끝에 마침내 고향에 돌아왔다. 아직도 머릿속엔 멀미의 꼬리가 남아서 울컥울컥 욕지기를 느낄 적마다 거센 물결이 눈앞에 일렁거렸다. 방문 저쪽에서는 비가 내리고 있었다. 전연 들리지 않던 빗소리가 어느 순간에 갑자기 들려왔으므로 그니는 학교 갈 일이 심란스러웠다. 그래 꾀병을 부리기로 결심하고 우선 어머니부터 찾았다.

"엄마!"

그러나 대답이 없다. 좀 더 크고 짜증스럽게 다시 한번 불러보았으나 역시 대답이 없다. 밖에서는 여전히 빗소리가 들렸다. 방문 높이하고 거의 맞닿을 만큼 낮게 쳐진 슬레이트차양을 후득후득 때리는 소리, 홈통도 없는 지붕에서 곧장 시멘트바닥 위로 떨어지는 낙숫물소리들이 꽤나 요란했다. 집 안에서 듣는 빗소리치고는 어쩐지 생소한 느낌이었다. 이때 슬리퍼를 찍찍 끄는 소리가 났다.

"인제 좀 정신이 드니?"

방문이 열리면서 그리 익숙지 않은 목소리가 꼬물꼬물 기어왔다.

"얘, 선자야!"

분명 어머니 목소리는 아니었다. 에레나 아닌 선자는 눈을 번쩍 떴다. 웬 낯선 얼굴이 방 안으로 들어서는 중이었다. 상체를 약간 일으키면서 자세히 보니 그것은 미경이란 년이었다. 바로 옆방에 세들어 사는 써니였다. 상체를 반쯤 일으킨 자세 그대로 사방을 둘러보았다. 겨우 몸뚱이 두 개가 누우면 꽉 찰 방 안에 앉은뱅이 화장대, 크고 작은 두 개의 트렁크, 포터블 전축과 음반 몇 장이 각각 저희들 편할 대로 적당히 자리잡고 앉았는 게 보였다. 이제 비로소 사정이 분명해졌다. 그니는 선자 아닌 에레나로 재빨리 돌아왔다.

학교 가기 싫어서 꾀병을 부리려던 여학생 신분에서 약쟁이 양색시의 상태로 곤두박질치듯이 급격히 떨어져내렸다. 자기는 발렌티노 클럽 안집의 성냥갑 같은 골방 속에 시방도 누워 있는 것이다. 동두천읍 보산리(保山理)에 있는 텍사스골목이 여전히 현주소인 것이다. 무슨 이름에고 '보' 자 들어가서 흐무진 꼴 못 봤다. 그니는 벌렁 도로 드러누우면서 입 안에 고약처럼 들러붙은 끈끈한 침을 혀끝에 끌어모아 아무 데나 대고 힘껏 뱉었다.

"기집애 좀 보게! 그렇게 함부로 가랠 뱉으면 어떡허니? 너 정신 없이 쩔어 있는 동안에 금련이허구 둘이서 교대루다 신접살림 방같이 정돈해 놨는데……."

미경이가 핀잔을 주었다.

"미안해. 하지만 정돈은 뭐 하러 하니? 금방 또 어질러질 텐데……."

"넌 그럼 쩔고 나면 금방 풀어질 걸 약은 왜 먹니?"

미경이가 다시 핀잔을 했다.

"말 시키지 마. 말할 기운 없어."

방문 밖에서 슬리퍼를 끄는 소리가 또 났다.

"금련이니?"

미경이가 밖에 대고 큰 소리로 물었다. 방문이 조심성 없이 벌컥 열리면서 낙숫물소리가 갑자기 요란해졌다. 초미니 차림의 금련이었다. 미끈하게 쭉 빠진 허벅지 위로 빨강 팬티가 어른거렸다. 똑같은 약쟁이 신세들인데도 금련이나 미경이는 몸에 상처가 없어서 언제 봐도 노출이 대담했다.

"미친년, 드디어 깨났구나."

역시 조심성 없이 문을 닫고 앉으면서 금련이가 내뱉는 소리였다.

"이제나 죽나 저제나 죽나 신경쓰느라고 며칠을 늦잠도 못 잤잖아."

"애애, 말두 마라. 아홉시두 못 돼서 슬그머니 일어났더니 깜둥이 새끼가 버럭 화를 내면서 한국 애인 만나러 가느냐구 생지랄을 떠는 거야. 겨우 십 원 내구 세 탕을 뛰었으니까 본전은 초저녁에 벌써 뽑은 쌔끼가 말이지, 아무리 지값이 똥값인 세상이라지만, 글쎄 오버나잇을 단돈 십 원으로 깎았으면……."

"미안하다, 미안해. 그리고 고마워."

아침 아홉시라면 양색시들 세계에서는 아직도 신새벽에 해당하는 시간이다. 그 시간에 빠져나오기가 그리 쉬운 노릇은 아니다. 과부사정은 과부만이 안다. 약쟁이들한테는 의리라는 게 있다. 밖에서 약쟁이 아닌 사람이 알고 있는 것보다 그 의리는 더 질기고 더 눈물겹다.

"기집애두, 우리가 뭐 너한테 고맙다는 인사받구 싶어서 그러는 거니?"

미경이가 퉁명스럽게 말했다. 그 말이 맞다. 결코 인사를 받고 싶어서가 아니었다. 동지애나 우정 때문도 아니었다. 말하자면 그것은 바로 자기 자신의 훗날을 위한 약간의 저축과도 같은 것이었다. 일종의 품앗이라고도 말할 수 있는 성질의 것이었다. 약쟁이는 자기가 언제 어디서 어떤 꼬락서니로 뻗게 될지 아무도 내일을 예측할 수가 없다. 처음부터 자살해 버릴 생각이었다면 또 모르지만, 그게 아니고 단순히 튜립을 맛보기 위해서 그랬다면 발광할 때나 약기운에서 놓여날 때까지나 반드시 누군가의 도움이 필요한 법이다. 그때를 위해서 멀쩡해 있는 동안 미리 조금씩 저축해 두었다가 어느 땐가 요긴하게 꺼내쓰는 형식인 것이다. 때문에 그런 품앗이를 가리켜 감히 의리란 말을 쓸 수 없는 일인데도 모두들 그렇게 믿고 그렇게 불러오고 있다.

"뭐라두 좀 먹어야지. 라면 끓여줄까?"

금련이가 말했다. 에레나는 누운 채로 고개를 내저었다.

"사흘 동안 물 한 방울 안 먹었잖아. 아주 뻗었다면 모르지만 이제 살아났으니까 속을 좀 달래놔야지."

미경이가 말했다.

"금방 토할 것 같애."

"그럴 땐 따끈한 게 젤이다. 뜨거운 물이라도 마셔둬야지. 너 그러다간 장사 다해먹는다."

이렇게 말하면서 금련이는 동양 여자답잖게 일품으로 뻗은 긴 다리를 일으켜세웠다. 밖으로 나가는 금련이의 등에다 대고 미경이가 소리쳤다.

"토하고 싶을 땐 뜨거운 것보다두 찬 게 낫더라. 시아시된 사이다허구 우유나 둬 병 사와라."

"돈 줘."

"내 돈만 돈이니? 된장단지에다 장아찌 박아둔 돈다발 이런 때나 좀 풀어봐라."

"조동아리만 갖고도 × 헌다는 너한테 돈 내라는 내가 그래 돈 같은 년이지."

금련이의 잔뜩 부어터진 중얼거림이 빗소리에 삼켜지고 나서 미경이가 앉은뱅이걸음으로 머리맡 가까이 다가오더니 중대가리같이 반질반질한 두 무릎으로 삼단요 끝자락을 움푹 꺼지게 누르며 무의식적으로 손을 스커트 밑으로 넣어 사타구니를 만졌다.

"그 왜 강씨네라구 있잖니? 그 집 떨거지들이 그저께 소리소문없이 떠났단다."

강씨라면 유명한 포주 중의 하나다. 악명도 높을 뿐만 아니라 쇠푼깨나 모은 것으로 알려져 있었다.

"그 바람에 카사노바클럽이 아주 절구나 버렸대. 그 왜 밍크란

애 있잖니? 글쎄 걔허구 쓸만한 애들을 다섯이나 빼갔다는 거야."

말은 말대로 하면서 미경이는 또 손이 스커트 밑으로 갔다.

"어디루 갔는지는 모르지. 하지만 틀림없이 G시로 갔을 거야. 더 늦기 전에 하루라도 먼저 가서 기반 닦겠다는 거겠지. 그나저나 이러다간 영업 잘허는 년들은 쪽집게루 쏙쏙 뽑아가구 동천 바닥엔 날 훤히 샌 년들만 옴스래기 남겠어."

미군 철수가 확정된 뒤로 슬그머니 동천을 뜨는 사람들이 상당수 생기기 시작했다. 포주도 뜨고 그 포주가 잡아끄는 줄에 매달려 양색시도 떴다. 철수하지 않고 오히려 더 증강된다는 공군기지를 향해서였다. 한창 경기가 좋던 시절엔 오천 명까지 육박했다는 양색시가 이젠 삼천 명도 안 된다는 소문이었다. 하나라도 더 귓구멍이 줄어들었대서 같은 귓구멍 입장에서 좋아할 수만도 없는 일이었다. 줄어드는 귓구멍 그 이상으로 귀후비개도 줄어들기 때문이었다. 약을 먹고 뻗기 전에 에레나는 대대가 훈련을 나갔다는 소문을 이미 듣고 있었다. 그래서 그런지 외출 나오는 G I들 숫자가 눈에 확 띄게 줄어가는 것이었다. 이미 철수가 시작됐는지도 모르는 일이었다. 귀국해 버린 벤도 철수한다고는 말하지 않았었다. 마지막으로 만나던 날 밤에 벤은 전에 없이 격렬한 행위를 치른 다음에 넌지시 귀띔을 했었다.

"허니, 오래 못 만나게 될지도 몰라. 멀리 훈련을 나가게 될 거야."

"돌아오겠다고 약속해 줘, 벤."

"처음부터 그랬잖아. 지킬 수 없는 약속은 난 하지 않아."

"미국으로 데려가달라고는 않겠어. 날 혼자 있게만 말아줘."

"살림을 시작할 때 우리는 장래를 약속하지 않는다는 조건이었어. 섭섭해도 하는 수 없어. 언제든지 때가 되면 우리는 헤어져야만 하는 거야."

에레나는 동료들간에 영어를 제법 잘하는 축으로 소문나 있었다. 불시에 한국말이 튀어나오는 경우가 많았다. 그때도 그녀는 끝내 벤이 충분히 알아들을 수 있는 한국말을 뱉고 말았다.

"이 손 치우시 못해, 서지 같은 새끼야!"

미경이 손이 자꾸만 아래로 가는 것에 마음이 걸려서 에레나는 그걸 지적하지 않을 수 없었다.

"너 혹시 걸린 것 아니니?"

"야 이 기집애야, 재수없는 소리 마라. 내가 뭐 누구처럼 낙검(落檢)도산 줄 아니? 생각만 해두 그놈의 몽키하우스 끔찍스럽다, 끔찍스러!"

전에 두어 차례 소요산 아래 성병관리소에 삼박사일 코스를 다녀온 경험이 있는 미경이가 부르르 치를 떨었다.

"깜둥이 새끼가 너무 함부로 내둘렀나 봐. 아래가 약간 다친 것 같애."

그러면서 미경이는 다시 사타구니를 매만졌다. 에레나는 미경이가 첫 손님을 받던 때를 생각했다. 에레나보다 서너 달 늦게 동천에 온 미경이는 운수사납게 술취한 검둥이를 첫 손님으로 받았다. 그리고 그날 밤 미경이 방에서는 밤새도록 숨넘어가는 비명소리가 그치지 않았다. 자궁을 다친 미경이는 열흘 동안이나 영업을 못했다. 꼼짝을 못하고 방 안에 드러누운 채 앞으로 다시는 검둥이를 상대하지 않겠다고 맹세하면서 징징 울던 일이 엊그제 같았다.

"일어나서 우유 마셔라."

식품점을 다녀온 금련이가 종이봉지를 내려놓으며 말했다. 봉지가 비에 젖어 있었다. 금련이 머리에서는 물방울이 뚝뚝 떨어지고 있었다.

"어서 기운을 차려서 죽으나 사나 또 벌어야지. 한 모금이라도 마셔봐라."

상체를 부축해 일으키면서 미경이가 말했다. 약쟁이들 등쌀에 마지못해 빨대를 입에 물고 한 모금 빨아올리던 에레나는 비릿한 우유 냄새에 속이 뒤집혀 당장 토해 버릴 것 같은 구역질을 느꼈다. 절레절레 체머리를 흔들면서 그니는 도로 삼단요 위로 눕고 말았다.

"아무래도 안 되겠어."

"그러게 내 뭐라데. 꽁×까지 줘가면서 양코배기 좋아하다간 신세 조진다구 그러잖디?"

미경이 입바른소리 한바탕에 혀까지 찼다.

"그 얌체같은 새끼 죽고 못살 때부터 내 이럴 줄 미리 알았다. 양갈보 주제에 사랑이 어디 당키나 헌 소리니? 사랑 좋어허다가 남은 게 뭐가 있니? 몸 축나고 빚만 잔뜩 처진 것밖에 더 있니?"

딱해 죽겠다는 표정으로 금련이도 아픈소리를 했다.

"나 욕하는 건 얼마든지 좋아. 허지만 벤 개만은 욕해선 안 돼. 난 걔를 욕해두 늬들이 걜 욕하는 건 참을 수 없어."

"어쭈쭈, 동천 바닥 텍사스골목에서 열녀 하나 나왔구나. 춘향이 뺨치는 열녀 하나 나왔어."

"기집애야, 남 흉볼 거 없어. 너나 잘해. 잘해서 흰둥이든 깜둥이든 꽉 물어갖구 제발 그 어메리칸 피플 좀 돼보란 말야."

홧김에 한바탕 모진소리를 퍼붓고 나서 에레나는 벽을 향해 돌아누웠다. 그러자 금련이가 까르르 웃음을 터뜨렸다.

"미경이 얘 그저께 또 미스터 박 오피스에 갔었단다. 도라이가 돼서 비틀비틀 들어가서 플로리다에서 초청장이 왔는데 어떡하면 좋겠냐고 물었대. 그랬더니 오피스 사람이 실실 웃으면서 벌써 몇 번째 오는 초청장이냐고, 왔으면 어디 보여달라고 그랬더래. 부라쟈 속에다 감춰둔 걸 꺼내 보이니까 오피스 사람 허는 말이, 내가 그럴 줄 알았다고, 이건 전당표가 아니냐고, 쌍년이 아직도 정신 못 차리고 사람을 놀린다고…….”

“애애, 말두 마라. 넌 매일같이 점쟁이한테 갔잖니. 어제는 껌정 고무신 삼십 문싸리 신는 놈한테 낄릴 꺼니까 아랫도리를 조심허라 고 그러더란다. 사실은 말야, 삼십 문짜리 껌정 고무신한테 어젯밤 늘씬허게 당한 사람은 난데 글쎄 그 점쟁이놈은 금련이더러 조심허 라구 그러더래. 그걸 점쟁이라고 믿구 날이면 날마다 몸 팔아서 복 채 갖다바치는 년이 누굴 흉보니, 흉보길!”

이렇게 되받아치는 미경이나 금련이는 다같이 에레나 들으라고 상대방을 헐뜯는 얘기를 번갈아가며 늘어놓고 있었다. 에레나는 아 무런 대꾸도 하지 않았다. 벽을 향해 돌아누운 채로 웃지도 않았다. 그러자 미경이와 금련이도 서로 약속이나 한 것처럼 갑자기 입을 꾹 다물어버렸다.

모여앉았다 하면 업태부들은 한 가지 이야기밖에 모른다. 내가 누구를 욕하고 누가 나를 욕해 줘야만 직성이 풀린다. 한 입만 가지 고는 부족해서 여러 입이 한꺼번에 달려들어 끊임없이 누군가를 욕 한다. 한동안 쫓아다니며 지분거리다가 요즘 들어서는 발을 뚝 끊 은 흰둥이를 욕하고, 밤새도록 오버나잇을 하고 제가 낸 ‘지갑(화 대)’을 훔쳐 새벽같이 도망쳐 버린 검둥이를 욕하고, S-5(사단 민 사과)의 앞잡이로 사복을 하고 어슬렁어슬렁 염탐하러 다니다가 건 만 생겼다 하면 고자질해서 오푸레미(오프리밋) 딱지를 붙이게 만 드는 카투사를 욕하고, 이미 저 먹고살 궁리 다해 놓고는 미군 떠나 면 꼼짝없이 앉아서 굶어죽을 판이라고 엄살떠는 포주나 클럽 사장 을 욕하고, 그러다가 그것도 시들해지면 이번에는 다른 어느 누구 보다도 더 극렬하고 잔인하게 저 자신을 욕하고…….

이렇게 상대를 안 가리고 뱉는 갖은 욕설이 한바탕 고개를 넘고 나면 갑작스레 침묵의 순간이 찾아오곤 한다. 바로 그 이심전심이라는 것일까. 이제 그만하자고 누가 얘길 해서 입을 다무는 게 아니라 그럴 만한 까닭도 없는 무지근한 침묵이 느닷없이 입심좋은 업태부들을 사로잡고 마는 것이다. 에레나는 그 침묵이 무엇을 의미하는지 알고 있다. 자기 자신의 장래에 대해서 얼핏 생각이 미치는 순간이다. 장래를 생각할 때 느끼는 엄청난 무게의 두려움이 마치 미성년자 위로 덮치는 치한의 손처럼 그렇게 업태부들의 입에 재갈을 물리고 만다.

언젠가 신문기사를 읽고 났을 때 찾아온 기분 나쁜 침묵의 순간을 에레나는 지금도 또렷이 기억하고 있었다. 그때는 일행이 미경이와 금련이 말고도 사라 언니가 더 끼어 있었다. 사라 언니는 운좋게도 좋은 사람을 물어 이미 국제결혼 수속을 마치고 애까지 가진 처지였다. 신문을 가져온 사람도 바로 그 사라 언니였다. 그 언니 외엔 주위에서 신문을 정기구독하는 사람이 아무도 없었다.

"늬들도 꼭 봐둬야 할 게 있어서 읽어보라구 가져왔다."

언니가 신문을 내놓자 맨 먼저 그걸 낚아챈 사람은 금련이었다.

"뭐가 났는데 그래요?"

그러나 금련이는 글씨를 밤에만 배웠기 때문에 낮엔 읽고 쓰는 게 몹시 서투르다는 애였다. 그래서 신문은 곧 미경이 손을 거쳐 에레나한테로 넘어왔다. 에레나는 사라 언니가 말하는 그 기사를 읽기 시작했다.

"소리내서 읽어봐라, 얘."

금련이가 옆에서 보채는 소리를 했다. 그러는 금련이를 위해서 처음엔 소리내어 읽던 에레나는 정작 결정적인 대목에 가서는 그만 입을 꾹 다물고 말았다.

공산화된 월남의 오늘을 다룬 기사였다. 기사는 공산주의 치하를 극적으로 탈출해 나온 난민들의 얘기를 종합해 놓고 있었다. 거기엔 미군부대 종업원이나 위안부 출신들의 최후를 증언하는 내용도 들어 있었다.

"누군 얘긴네 그러니?"

잠자코 신문을 내려놓는 에레나를 쳐다보며 금련이가 근심스레 물었다.

"어느 날 사이공 거리에서 공개처형이 있었단다. 구경꾼들이 지켜보는 앞에서 눈에다 헝겊도 안 대고 그냥 총으로 쏴죽이는데 죽이는 사람은 공산당이고 죽는 사람은 미군부대 종업원이나 미군을 상대로 영업을 한 위안부들이었단다."

누가 들어도 에레나의 목소리는 그저 담담했다. 그러나 금련이는 대번에 파랗게 질리는 표정이 되었다.

"언니두 해두 너무허우. 글쎄 언닌 좋은 사람 만나서 미국 들어가게 되니까 전쟁이 나도 아무 염려 없지만, 우린 뭐유? 만약 김일성이가 쳐들어오기라두 허는 날이면 우린 뭐가 되는 거유?"

서울에서 다방레지를 하다가 동천까지 흘러들어오게 되었다는 미경이가 이렇게 따지고 들었다.

"뭐가 되긴? 총에 맞으면 시체가 되는 거지 별수 있니? 그러기 전에 정신들 차리라고 신문 가져왔다. 늬들도 좋은 사람 만나 좋은 세상 한번 살아봐야지. 그런데 지금이 어느 때라고 아직도 정신들 못 차리고 매일같이 약이나 먹고 헬렐레 세상을 사는 건지 정말 한심하다, 한심해."

결혼과 동시에 현역에서 물러나긴 했지만, 얼마 전까지만 하더라도 양색시 수입으로 동생을 둘씩이나 공부시켜 온 사라 언니가 말했다.

"누군 뭐 미국 가기 싫어서 안 가나? 그러구 약만 해두 그렇지.

누군 뭐 그걸 먹구 싶어서 먹나? 죽지 못해 살자니까…….”

“쌍놈의 새끼들!”

금련이가 불쑥 욕을 했다. 동천에 오기 전까지 순전히 니나노 집으로만 굴러다녔다는 금련이는 계속해서 욕을 했다.

“양갈보가 무슨 죄야! 먹구살기 위해 × 판 게 그렇게두 잘못인가? 즈이들은 뭐 뙤놈갈보 로스께갈보 없을까? × 팔아서 양옥집 짓구 자가용 굴렸다면 또 몰라! 빚더미에 앉아서 늙는 것두 서러운데 쌍놈의 새끼들이 총까지 쏴?”

금련이의 푸념에 의할 것 같으면, 미군부대 종업원이나 포주들이 당하는 건 아무래도 좋았다. 왜냐하면 저는 그런 사람들이 아니니까. 하지만 문제는 바로 업태부들이었다. 공산당도 사람이 하는 거니깐 정신머리가 온전히 박힌 놈들이라면 오히려, 양공주 동무들 그간 먹고사느라고 수고 많았다고 위로해 줘야만 옳았다. 그런데 상은 못 줄망정 구경꾼들 앞에서 헝겊으로 눈도 안 가리고 총살을 하다니…….

한동안 정신없이 떠들어대던 금련이는 방 안에서 떠드는 사람이 달랑 저 혼자뿐이라는 사실을 뒤늦게야 깨닫고는 겨우 입을 다물었다. 그 누구도 입을 여는 사람이 없었다. 그때 방 안을 온통 찍어누르는 그 귀기어린 침묵 속에서 각자는 무엇을 생각하고 있었는지 모른다. 사라 언니야 뭐 어느 땐가는 남편을 따라 미국에 가기로 정해진 팔자니까 그렇다 치고, 미경이는 뭘 생각했을까. 그리고 금련이는 또 뭘 생각하고 있었을까.

에레나는 아무것도 생각하고 싶지 않았다. 그러나 아무것도 생각하지 않으려는 안간힘을 뚫고 솟는 수많은 상처들을 그니는 도무지 외면할 수가 없었다. 깨진 유리병으로 긋고 담뱃불로 지지고 칼로 찔러 생긴 끔찍스러운 흉터들을 그니는 약쟁이라는 증거로 그때 이미 몸뚱이 곳곳에 지니고 있었다.

미군 철수가 확정되고 나서도 당장 눈에 띄는 어떤 동요나 변화 같은 건 일어나지 않았다. 적어도 겉보기엔 누구나 그랬다. 미군 감축 혹은 철수 문제를 들먹이기 시작한 지가 어제오늘의 일이 아니니까 새삼스레 놀랄 건 없다는 식이었다. 갈 사람은 갈 때 가는 거고 남는 사람은 또 그때 가서 죽든지 살든지 결판이 나지 않겠느냐는 식이었다. 오히려 이따금씩 동두천 밖에서 던져오는 우려섞인 질문들이 그니들의 부동자세에 가까운 태연 앞에서 맥을 못 추고 허둥지둥 물러나는 형편이었다.

미군이 떠나고 나면 당신은 어쩔 작정인가?

어쩌긴 뭘 어째. 그냥저냥 또 사는 거지. 살다가 못 살게 되면 죽어버리는 거지. 언제는 뭐 우리가 내일 보고 살았나?

그러나 좀 더 자세히 관찰해 보면 이와 같은 예사스러운 겉모양과는 달리 자그만 변화들이 알게 모르게 업태부들 각자의 신상에 나타나기 시작했다.

미경이가 전당표를 초청장으로 보기 시작한 것도 바로 그 무렵의 일이었다. 미군 철수가 확정된, 다시 말해서 철군 확정과 함께 월남에서 공산당이 미군 위안부들을 총살했다는 신문기사를 읽고 난 그 직후의 일이었다. 그때부터 미경이는 약을 많이 먹은 날이면 쓰레기도 장미꽃으로 보이는 그 저주받을 츄립 상태에서 전당표가 초청장으로 둔갑해 보이는 것이었다.

화류계 경력이 보잘것없었던 시절에 미경이는 플로리다주 출신의 어느 인정 많은 백인 애송이한테서 카메라를 선물로 받은 적이 있었다.

외국인으로부터 받은 최초의 선물이었다. 죽는 날까지 기념으로 간직하고 싶었으나, 빚에 쪼들리다 못해 전당포에 잡힐 수밖에 없었다. 돈이 되는 대로 곧 찾을 생각이었다. 하지만 양색시들이 전당 잡히는 귀중품들이 대개 그런 결과로 끝나고 말듯이 미경이의 카메 라도 차일피일 목돈이 쥐어지기를 기다리는 사이에 엄청난 딸라이 자가 붙어 결국 다리를 건너가 버리고는 그 대신 수중에 종이쪽지 하나가 남겨졌다.

이렇게 해서 카메라 대신 소중하게 지니게 된 그 아무짝에도 쓸 모없는 전당표가 어느 날 갑자기 초청장으로 보이기 시작한 것이 다. 초청장까지 보내왔다는 건 버트가 아직도 저를 사랑하고 있다 는 증거였다.

사랑하는 남자가 미국에서 저를 부르는 이상 한국에 남겠다고 고집부릴 이유가 눈곱만큼도 없는 것이다. 미경이는 초청장을 쥐고 곧 영문대서와 결혼수속을 대행해 주는 ○오피스로 달려갔다. 거 기서 미친년 취급을 받고는 분에 못 이겨 재떨이와 유리컵을 집어 던지며 야료를 부리다가 머리채를 꺼들려 길바닥으로 나가떨어지 는 곤욕을 치렀다. 그 후로 미경이는 번번이 당하는 수모에도 불구 하고 약만 과용했다 하면 김 오피스, 박 오피스 가리지 않고 차례로 도는 버릇이 붙어버렸다.

금련이가 아무렇게나 굴리던 제 몸뚱이를 새삼스럽게 돌아다보 며 갑자기 환경 정리를 시작한 것도 거의 같은 무렵이었다. 걔는 우 선 화냥기가 질질 흐르는 걸음걸이부터 고치려 했다. 그리고 이것 저것 친덕친덕 바르고 도배 올리는 짙은 화장을 애써 삼갔다. 그러 나 이와 같은 노력은 곧 실패로 끝나고 말았다. 니나노집 시절부터 이미 몸에 배어버린 버릇들이 그렇게 쉽사리 고쳐질 수는 없는 노 릇이었다. 무엇보다도 사내를 꾀어들이는 버릇은 일종의 타고난 천 성이기도 했다. 요조숙녀인 양 얌전스럽게 걸어보려는 노력에도 불 구하고 그들먹한 히프를 획획 휘저으며 사내들의 눈길을 휘어잡는 씨암탉걸음은 여전했다. 콜드만 바르고 버티려 할수록 전에 도깨비 낯짝같이 짙은 화장을 했었다는 증거가 더욱 뚜렷해졌다. 방 안에서 머리 위에 만화책을 얹고는 그걸 떨어뜨리지 않으려고 조심조심 걷는 연습을 하다가 에레나한테 들켜 한바탕 살살내고 웃은 일이 있은 뒤로 금련이는 어느새 방자스러운 씨암탉걸음을 되찾아 몸에 지녔다. 물론 아이섀도나 마스카라도 다시 시작했다. 그 대신 금련이는 뻔질나게 점쟁이를 찾아다니는 새로운 버릇을 보이기 시작했던 것이다.

그러면 에레나 자신은 어떤가. 이렇다 하게 달라진 구석이 있을 것 같지가 않았다. 구태여 달라지고자 의식적으로 노력해 본 적도 없었다. 다른 애들처럼 미국에 가기 위해서 국제결혼을 서두른다거나 혹은 국제결혼을 하기 위해서 어벙해 보이는 GI를 물색하기에 혈안이 된다거나 그러지도 않았다. 오히려 미국으로 데려갈 희망이 전혀 안 보이는 사람을 일방적으로 좋아하다가 돈 잃고 몸 버리는 꼴만 당했다. 그리고 알짜 미치광이나 다를 바 없는 한바탕씩의 도라이 끝에 얻어진 무수한 생채기만이 고참 약쟁이의 관록으로 몸뚱이 구석구석에 남았다.

"혹시 또 아니, 미국에 들어간 담에 벤이 생각을 고쳐먹었을지?"

"뭐가 됐든 좀 먹어라, 애. 빨리 기운채려서 장살 해야지 양갈보가 딸라기계 안 돌리면 상여 메줄 사람두 없는 세상이다."

아픈 사람 곁에서 실컷 노닥거리다 가면서 미경이와 금련이가 각각 당부를 했다. 아침 겸 점심을 때우기 위해서 둘은 밖으로 나갔다. 틀림없이 미경이가 살그머니 놓고 갔을 아날긴 다섯 알이 머리맡에 떨어져 있었다. 간밤에 폭음을 한 술꾼이 아침에 일어나서 다시 해장술을 걸치듯이 그걸 입 안에 털어넣고는 우유로 넘겼다. 이제 잠시 후면 잃었던 기운을 되찾을 것이었다. 위장에서 약이 녹으면서 가짜 기운을 전신으로 내보낼 것이고, 그 기운으로 몸을 움직여 진짜 기운을 되찾는 무슨 조처든지 취할 수 있을 것이었다.

에레나는 실로 오랜만에 이부자리를 제치고 일어났다. 그러고는 옷을 훌훌 벗었다. 사흘 전 약기운에 녹아떨어지기 전에 입었던 옷 그대로였다. 두 켤레를 겹쳐 신은 스타킹을 벗었다. 그러자 그 스타킹에 가려 보이지 않던 다리의 흉터들이 드러났다. 긋고 지지고 찌른 흉터들이 발등에서 시작하여 허벅지에까지 무수히 깔려 있었다. 해바라기 무늬가 가슴 복판에 크게 그려진 진분홍 긴팔셔츠를 벗고 스커트를 벗었다. 벗는 김에 아예 브래지어와 팬티까지 끌러내리고는 완전 나체가 되었다. 역시 팔이 안 닿는 등과 엉덩이 쪽을 빼고는 팔뚝이고 가슴이고 배고 할 것 없이 전신이 흉터투성이였다. 특히 왼쪽 팔뚝이 심해서 이젠 송곳 하나 찌를 자리가 안 남았을 정도로 동서남북 어지럽게 내닫는 생채기들이 제 눈에도 끔찍하게 비쳤다. 왼쪽 손등엔 담뱃불로 동그랗게 지진 자리가 꼭 언젠가 사진으로 본 달의 표면의 분화구 모양으로 널려 있었다. 오른손잡이니까 왼쪽이 더 심할 건 당연한 이치였다.

에레나는 옷을 도로 주워입었다. 새로운 자해(自害)의 흔적이 없는 것만도 다행이었다. 어쩌면 약이 너무 세서 유리병을 깨는 단계에 이르기 전에 나가떨어져 버렸는지도 모른다. 틀림없이 그랬을 것이었다. 에레나는 손바닥을 가슴에다 받쳐 메리야쓰 천 위로 처지는 유방의 무게를 달아보았다. 사흘 동안의 공복에도 불구하고 손아귀에 다 잡히지 않는 그들먹한 젖가슴이 있음을 확인하면서 그니는 그 소중한 장사 밑천을 어루만졌다.

에레나는 트렁크를 뒤졌다. 가물가물 남은 기억 그대로 벤의 천연색 상반신 사진은 갈기갈기 찢긴 채 봉투 속에 들어 있었다. 찢어 발기기만 했지 봉투에 담은 기억은 나지 않는다. 미경이 아니면 금런이의 솜씨일 것이었다. 에레나는 봉투를 손아귀에 넣어 구겨쥔 다음 그걸 휴지통 안에 집어던졌다.

난 미국 거지야. 사랑하지만 결혼할 수는 없어. 제대한 다음 대학에 진학하려면 저축해야 하기 때문에 생활비도 넉넉하게 술 수 없어. 미안해. 정말 미안해, 에레나.

에레나는 다시 한번 유방의 무게를 확인해 보았다. 그러자 잘하면 턱 한가운데 보조개 같은 우물이 있는 한 백인 남자를 쉽게 잊을 듯싶은 기분이 들었다. 벤의 잘생긴 얼굴은 애당초 저를 위한 것이 아니었다. 적어도 그를 상대하는 동안만큼은 양색시 처지를 잊게 만들던 그 마음씨 또한 저를 위한 것이 아니었다. 흉터 하나하나에 입을 맞추면서, 왜 이런 짓을 해야만 되느냐고 소리치면서 울던 남자는 갔다. 그러면서도 끝내 결혼하자는 말은 꺼내지 않던 그 남자는 이미 물건너가 버렸다. 남자의 눈물과 남자의 울음이 머물던 자리에서 세찬 빗소리가 들어서고 있었다. 슬레이트 차양을 때리면서 시멘트바닥으로 떨어지는 비는 그야말로 지척이고 사내의 체온은 그저 아득하기만 했다. 이젠 꿈새짐으로 하나 가득 되는 빚과 그 빚을 걸머쥔 채 먹고살아야 하는 일만이 덩그렇게 남겨졌다. 뜨거운 가슴과 차가운 머리가 의좋게 악수를 하는 미국인들의 신체 구조는 에레나에게 그리 생소하지 않았다. 그리 기형적인 것이 아니었다. 비단 벤뿐만이 아니라 지난 삼 년 동안 자기 몸을 사간 거개의 미군이 그랬다. 에레나의 견해에 의할 것 같으면, 잘은 모르지만, 미군 철수 문제도 결국 뜨거운 가슴과 차가운 머리가 서로 정답게 악수를 나누면서 임무교대를 하는 절차의 한 가지일 것이었다. 먹고산다는 일, 그것은 분명 사랑보다 훨씬 더 어렵고 피곤한 행위인 줄 알기 때문에 소리없이 한국을 빠져나간 벤보다, 또는 몰려왔다 몰려나가는 주한미군 전체보다 더 차가운 머리를 가질 필요가 있었다.

탄불 위에 얹힌 냄비에서 물이 펄펄 끓었다. 그리고 아궁이 옆에 라면봉지가 얌전히 놓여 있었다. 몹시 덜렁거리는 편이면서도 의외로 자상스러운 구석이 있는 금련이의 친절에 고마워하면서 에레나는 라면을 끓였다. 끓일 때부터 비위에 거슬리던 인스턴트식품 특유의 냄새가 먹을 때는 그니의 엉망이 된 내장을 더욱더 자극하여 완연한 구역질을 일으켰으나 오후의 장사를 위해서 기를 쓰고 목구멍을 넘겼다. 그러자 곧 또 욕지기가 도졌고, 방금 먹은 것을 고스란히 방바닥에 토해 낸 다음에 젓가락을 다시 냄비 쪽으로 가져가려니까 구역질에 따르는 눈물 때문에 젓가락도 냄비도 모양이 뿌옇게 흐려졌다. 한편으로 먹고 다른 한편으로 토하면서 어쨌든 그니는 냄비를 다 비웠다.

모처럼 만에 거울 앞에 앉아서 에레나는 얼굴을 다듬기 시작했다. 화장도 지우지 않은 채로 사흘을 뻗어 있었으니 몰골이 도무지 말씀이 아니었다. 크린싱크림을 듬뿍 찍어 이마와 코끝, 그리고 양쪽 볼에 발랐다. 그러고는 그걸 넓게 펴서 문지르기 시작하자 가면처럼 더께더께 덮여 있던 짙은 색소 화장이 무참히 지워졌다. 펌프 우물에 나가 세수를 하고 나서 다시 거울을 보았다. 콧잔등 주위로부터 뺨 쪽을 향해 깔린 주근깨들이 더 많아지고 색깔도 짙어진 듯했다. 화장에 가려 보이지 않던 본래의 피부가 훤히 드러났다. 그니는 거울 속에서 음울한 눈초리로 자기를 쏘아보는 웬 낯선 여자를 발견했다. 눈꺼풀과 눈언저리를 비롯해서 얼굴 전체가 화장독이 올라 푸른 기를 띤 회색에 가까운 여자였다. 썩었다. 썩어도 아주 곽 썩었다. 아주 낡은 상여 빛깔 모양으로 섬뜩한 기분을 자아내는 얼굴이었다. 거울 속의 그 여자를 매일 보는 건 아니었다. 모르고 그냥 넘어가는 날이 많았다. 그러나 어쩌다가 그 낯선 여자가 퍼뜩 눈에 띄는 날이 있었다. 그리고 그런 날이면 틀림없이 재수가 더럽곤 했다. 거울 속에서 그 여자를 내쫓기 위해서 그녀는 기초화장을 몹시 서둘렀다. 콜드크림으로 마사지를 대강 마친 다음 로션과 영양크림을 차례로 발랐다. 얼렁뚱땅 기초화장을 끝내고 파운데이션으로 도배를 올리려는 참인데 방문 저쪽에서 성난한 구둣발 소리가 울렸다. 사내였다.

"일 나갈 필요 없어! 누워서 둥글둥글 편안하게 지내는 김에 한사날쯤 더 쉬어!"

포주 아들 찐드기가 구두를 신은 채 방 안으로 성큼 들어섰다. 에레나는 금세 얼굴이 파랗게 질렸다.

"잘못했어요. 용서해 줘요, 큰오빠!"

"큰오빠 좋아하네. 그렇게 잘못을 아는 년이 또 약을 처먹었구나?"

"곧 갚겠어요. 다 갚을게요. 약속해요. 다신 약두 안 먹겠어요. 부지런히 뛰어서 담달 안으로……"

"안 갚아도 괜찮아. 몸으로 때우면 돼. 돈만큼 맞구 사흘만 더 드러눠 있어!"

"오냐 좋다!"

찐드기의 매를 피할 수 없음이 확실해지자 에레나는 태도를 표변하여 깡으로 나갔다.

"죽이든 살리든 너 꼴리는 대루 해봐라! 고기장수 손에 걸렸다구 죽은 고기가 무서워서 벌벌 떠는 것 봤니?"

에레나는 거기까지밖엔 더 말하지 못했다. 턱이 홱 돌아가는 바람에 더 이상 입을 놀릴 수가 없게 되었던 것이다.

"좀 어떠니?"

상대해 주는 미군도 없이 저희들끼리 고고를 추고 있던 애들이 카운터 쪽으로 몰려와서는 에레나를 에워쌌다.

"뭐 괜찮아."

"괜찮을 거다. 찐드기 아저씨 손은 원래 약손이라고들 그러더라."

지배인 임씨가 딱하다는 듯이 웃으면서 말했다. 임씨는 카운터 위로 올라온 바퀴벌레를 손바닥으로 철썩 때려잡았다. 아까부터 임씨 곁에 잠자코 앉아 있던 청년이 이맛살을 찌푸렸다. 전혀 모르는 얼굴이었다. 약간 겁을 먹은 눈으로 희미한 조명 속에 음침하게 드러나는 천장과 벽면의 장식들을 둘러보는 품이 이 바닥 사람은 아닐 듯싶었다.

"이번이 너 두 번째지? 선자 너 신세 알아서 해라. 찐드기한테 세 번째 매 맞구서 몸뚱이 성해서 동천 나간 애를 아직 못 봤다."

똑똑히 세어둬. 이게 두 번째야. 세 번째 마지막 땐 네 발로 못 걸을 줄 알아!

찐드기도 똑같은 말을 했었다. 사실이었다. 안 듣는 데서는 찐드기로, 듣는 데서는 큰오빠로 불리는 포주 아들한테서 네 번째 매를 맞은 애를 아직은 본 적이 없다. 세 번째로 아주 물고가 나거나 두 번째를 끝으로 거의가 매맞을 일을 하지 않게 되기 때문이었다.

에레나는 작년에 처음 매를 맞았다. 언제 다 갚게 될지 모르는 빚이 자그마치 삼십만 원을 넘어서자 문득 까마득한 생각이 든 그니는 고향으로 도망친 것처럼 주위에 흔적을 조작하고는 어느 날 새벽에 살그머니 몸뚱이만 빠져나와 보산리에서 별로 멀지도 않은 턱거리에 숨어서 그곳 주둔 미군을 상대로 '힛빠리'를 한 적이 있었다. 그러다가 용케도 냄새를 맡고 쫓아온 찐드기한테 붙잡혀 안 죽을 만큼 두들겨맞았다. 홀랑 벌거벗겨서 시멘트바닥에 넘어뜨려 놓고는 배를 딛고 올라선 구둣발로 널뛰듯이 뛰어대는 충격에 장을 다쳐 꼬박 한 주일이나 영업도 못했다.

그 후로 약을 끊지 않으면 재미없을 줄 알라는 위협을 이따금 받아왔다. 약 때문에 영업에 지장이 많고, 영업이 부진하면 꼬박꼬박 이잣돈을 받아내기가 힘들어지기 때문이었다. 그러나 월에 일할이 나 되는 혹독한 딸라이자를 거른 적이 없음은 물론 원금도 절반 가 까이 갚았기 때문에 찐드기의 위협은 매번 위협 정도로 그치곤 했 다. 찐드기를 그토록 화나게 만든 사람은 알고 보니 전혀 엉뚱한 인 물이었다. 그날 새벽에 미자란 년이 도망친 사실이 뒤늦게 밝혀진 것이다. 미자가 떼먹고 달아난 돈에 눈이 뒤집힌 찐드기가 화풀이 할 대상을 찾다가 금련이의 나불거림으로 에레나가 사흘 만에야 겨 우 약기운에서 깨났음을 알고는 득달같이 내달아와서 이틀을 내처 더 드러눠 지내게 만든 것이다.

"이 빠꾸샤 같은 새끼야! 그림값 내놓구 가."

금방 홍정을 걸어올 듯이 폼을 잡으면서 슬금슬금 다리를 만지 다가는 그냥 일어서고 마는 미군을 향해 금련이가 한국말로 욕을 했다. 금련이가 이 세상에서 가장 솜씨있게 잘하는 재주가 있다면 그것은 바로 한국말 욕이었다.

"필요없당께로."

미군이 출입구 쪽을 향해 걸으면서 전라도 사투리 흉내를 제법 그럴듯하게 발음해 보았다. 한창때 같으면 긴 외출을 끊어나온 미 군들로 어깨와 어깨가 비벼질 금요일 저녁인데도 백 평이 훨씬 넘 는 홀은 한산하기만 했다. 술을 마시는 사람이 서넛 있었으나 그들 도 국산 맥주 한두 잔 시켜놓고는 언제까지고 버틸 심산들임이 분 명했다. 홀에 딸린 당구장 안에서는 마지못해 어쩔 수 없이 친다는 듯이 몹시 권태로운 몸놀림으로 공을 쫓는 두 사람의 미군이 보였 다. 당구장에서 나는 공들끼리의 부딪침 소리가 커다란 채로 살아 서 홀까지 뚜렷이 건너왔다. 그것은 미군에 붙어사는 모든 한국인 들 가슴에 좋은 시절 다 지나갔음을 일깨워 주는 공허한 울림이었다. 웃고 떠드는 소리에 묻혀 스피커의 음악이 맥을 못 쓰고, 다시 홀에 눌려 당구장의 부딪침 소리가 쪽을 못 펴던 때가 벌써 옛날이었다. 클럽 사장의 입에서 말끝마다 튀어나오는, 파리 날린다, 혹은 그래도 작년엔 좋았고 작년엔 그래도 재작년이 좋았다는 푸념이 반드시 엄살만은 아니었다. 귀후비개는 네댓뿐인데 건드려주기를 바라는 귓구멍은 홀 안에 득시글했다. 미군들도 이젠 약아빠질 대로 약아빠져서 한국인에게 나가는 돈은 무조건 바가지요금으로 알았으며 사람값이고 물건값이고 마구 깎으려만 들었다.

골목길이 갑자기 소란스러워졌다. 당구공처럼 똘똘 뭉친 소란의 덩어리가 발렌티노클럽 앞으로 다가오면서 삽시에 눈더미처럼 커졌다. 분명히 한국말을 하는 사람들의 아우성 사이로 역시 분명한 한국 여자의 비명과 울부짖음이 솟고, 날카로운 호루라기소리들이 아우성을 한쪽으로 밀어붙이고 있었다. 무료한 시간을 보내기에 진력이 나 있던 계집애들이 우르르 출입구로 몰려갔다.

"뭐야, 또 토벌인가?"

작은오빠 임씨가 중얼거렸다.

"며칠 전에도 일제 토벌이 있었다고 들었는데 이렇게 자주 있나요?"

잠자코 앉아만 있던 낯선 청년이 눈알을 반짝 빛내며 임씨에게 물었다.

"사고가 났을지도 모르지. 암튼 좋은 참고서가 될지도 몰라. 어서 가봅시다."

구경하는 계집애들로 출입구가 꽉 막혔기 때문에 임씨와 청년은 비상구로 해서 홀과 안집 사이 비좁은 통로로 나갔다. 에레나도 그들 뒤를 따라 골목길로 나갔다. 길 양쪽에서 쏟아져나온 구경꾼들로 골목이 메워져 있었다. 우글거리는 동양인들 머리 위로 다시 머리통 하나가 더 솟는 건장한 체구 단정한 용모의 미군 헌병들이 여자 하나를 사방에서 에워싸 붙들고는 길을 뚫기에 진땀을 흘리는 중이었다. 그리고 짙은 화장에 반나체 차림의 수많은 여자들이 헌병들을 향해 주먹을 휘둘러 보이며 욕지거리를 퍼붓는 중이었다.

"백바가지 새끼들아! 무슨 먹구살 일 나섰다구 끌구 가니, 끌구 가길!"

발렌티노 소속 애들 중에서 맨 먼저 금련이가 소리치기 시작했다. 그러자 다른 애들도 덩달아 악을 썼다.

"늬들 눈엔 걔가 뭐 짐짝으로 보이니? 살살 다뤄라, 살살 다뤄!"

"어쭈, 저 새끼 톰슨 아냐? 비번일 때 와서 한 코만 달라고 빌붙던 새끼가 오늘은 아주 안면 싹 바꿨구나!"

"걜 놔주지 않으면 너네들한테 × 장사 문닫을 테니까 알아서 해!"

"백바가지 대물려 가면서 잘 먹고 잘 살어라, 이 × × 같은 자식들아!"

철길로부터 텍사스골목으로 들어오는 길 저쪽에서 요란스럽게 호루라기를 불어젖히면서 지원나온 한국인 경찰관과 감찰들이 떼로 들이닥쳤다. 그들의 협력에 의해 막혔던 골목이 약간 트이자 헌병들은 여자를 끌고 부대가 있는 방향으로 조금씩 전진을 했다. 계속해서 그 뒤를 따라붙으면서 업태부들은 구출될 가망이 거의 없는 한 동료를 위해서 공연한 수고들을 했다. 이때 에레나는 미군 헌병들이 앞으로 전진한 꼭 그만큼만 한산해진 아우성의 뒤편에 남아 골목길을 어슬렁거리는 청년과 얼핏 시선이 마주쳤다. 짧게 깎은 머리였다. 사냥개라는 별명으로 알려진 그 유명한 카투사병이 분명했다. 꼭 토벌이 시작되기 며칠 전부터 사복 차림을 하고 골목에 나타나서는 여기저기 기웃거리고 다니는 녀석이었다. 녀석은 같은 한국인을 상대하면서도 미국인 찜쪄먹을 유창한 영어만을 사용해서 우선 사람들 기부터 팍 죽여놓곤 했다. 그리고 무엇보다도 녀석이 다녀간 후엔 어김없이 토벌이 시작되거나 녀석이 기웃거리다가 간 집 또는 업소에 오푸레미 딱지가 붙여지거나 누군가가 끌려가곤 했다. 녀석이 사냥개고 사냥개가 바로 녀석임을 확인하는 순간 에레 나는 아무 죄도 없으면서 공연히 가슴이 철렁 내려앉는 것만 같아 홀을 향해 돌아섰다. 그러자 등 뒤에서 주고받는 소리들이 들렸다.

"따라가 볼까요?"

"가봤자 별것 없을 거야. 골목 밖에서 기다리던 호송차가 걜 싣 고는 붕 떠버리면 그것으로 끝장일 테니까."

"어디로 실어갑니까?"

"아마 남산모루라는 델 거야. 거기에 직업훈련원이 있지."

임씨와 청년은 홀에 돌아온 뒤에도 이야기를 주고받았다. 청년 은 남방셔츠 주머니에서 수첩을 꺼내어 가끔 볼펜으로 뭔가를 적기 도 했다.

"정말 굉장하군요. 놀랐습니다. 토벌할 때마다 양색시들이 저렇 게 대들곤 합니까?"

"꼭 그런 건 아니야. 아까 걘 사정이 특수한 애라서 동정심 때문 에 쟤들이 저렇게 날뛴 거야."

"특수한 사정이라면 대개 어떤 경울까요?"

"미성년자거든. 그래서 검진패스를 압수당했어. 패스 없이 숨어 서 히파리를 허다가 잡힌 거야. 거기두 봤으니까 알겠지만 아직 얼 굴이 채 피지두 않은 애야."

"미성년잔 원래 패스를 안 내주도록 규정이 돼 있잖습니까?"

"글쎄 그 규정 얘긴데, 계집애들 몸뚱인 안 바뀌는데 그놈의 규 정은 잘두 바뀐다 이런 말씀이야. 첨엔 십팔 세 이하가 미성년이었 지. 그게 그런데 최근에 만 이십 세로 껑충 뛰어올랐어. 십팔인지

씨팔인지 허구 이십 사이에 찡긴 애들만 가로 가는 거지. 대개는 정기검진 때 패스를 압수당하는 자리에서 차에 실려갖구 남산모루로 들어갔는데, 개중엔 더러 토껴서 숨어지내다가 자살해 버린 애두 있구 구누닭이나 뺌프를 시켜서 히파리를 허다가 뒤늦게 저렇게 덜컥 걸려들기도 하는 거야."

"당국에선 왜 갑자기 미성년자 연령을 높였을까요?"

"거야 뭐 뻔한 일 아닌가. 미군이 물러가는 게 확정적이니까 다 늦게 뛰어들어서 몸버리는 애를 하나라도 더 막자는 뜻이겠지."

"남산모루에 안 가려고 자살한 사람까지 생겼다고 말씀하셨는데요, 거기가 말입니다. 그렇게 끔찍스런 곳입니까? 그리고 저 여자들한테는 목숨하고 바꿀 정도로 이런 생활이 중요합니까?"

"그런 질문은 내 앞에서만 허구 쟤들한텐 입두 벙끗 마! 매니큐어 칠한 손톱으로 이군 얼굴에다 상처를 낼지 누가 아나."

임씨는 담배를 꺼내어 불을 붙였다. 그러고는 한숨처럼 길게 연기를 토했다. 임씨가 다시 입을 열자 미처 다 토하지 못한 연기가 입놀림에 따라 풀썩풀썩 일었다.

"사실 나두 그래. 이런 생활이 좋아서 허는 건 아냐. 사람이 살다 보니까 어쩌다 이 바닥에 뛰어들게도 되구 한번 뛰어들어 보니까 이젠 빼두 박두 못하게 돼버린 거야. 쟤들두 마찬가지야. 이 점을 명심했다가 꼭 써넣으라구. 동천 바닥에서 십 년을 넘겨 사는 동안에 난 별의별 일들을 다 보아왔어. 어떤 땐 정말 쟤들 처지가 안쓰러워서 가슴 아플 때가 많어. 쟤들을 볼 적마다 내 처지가 자꾸만 생각나서 더 그렇단 말씀이야. 클럽 지배인이란 게 양색시두 아니구 그렇다고 사장도 아니구 참말 어중간한 자리거든. 미군이 떠나고 나면 어떻게 살아야 좋을지 앞일이 막막해. 이 나이에 몸에 익힌 기술 한 가지가 있나, 뭐가 있나, 거기다 처자식은 우르르 딸렸지.

재들은 제 몸뚱이 하나만 생각하는 애들이라서 의외로 나보담 쉬울지도 몰라. 전에 한참 깃발날리던 시절엔 나 역시 재들한테 모질게 굴기도 했어. 그랬는데 미군이 떠난다는 게 확실해지구 나니까 이젠 재들 심정 충분히 이해가 가. 남산모루 가기가 죽는 일보담 더 무서우냐구 물었지? 난 거기 들어가 본 적이 없으니까 정말 그런 덴지 어떤지 그건 몰라. 허지만 재들 입장에선 충분히 그럴 수도 있을 거야. 왜냐면 거긴 여자가 벌어먹을 수 있는 기술을 가르쳐서 어떻게든 살아보게 맨들려구 허는 덴데 말씀이야. 재들한테는 사실 죽는 일보담두 사는 일이 훨씬 더 어렵다 이런 말씀이야. 빵꾸 나구 때우구 빵꾸 나구 때우구, 그러기를 수없이 되풀이헌 몸뚱이를 흔연스럽게 받아주는 사회는 이 세상에 없지. 암, 없구말구! 몸뚱이만 빵꾸 난 거야 그래도 괜찮어. 몸뚱이에서 맘속까지 맞창이 나버렸으니까 문제가 심각한 거야. 꽃다운 나이에 제대로 한번 펴보지두 못허구 제 손으로 목숨을 끊는 애들이 난 별로 어리석게 느껴지지 않어. 외려 왜 여태 안 죽고 살어 있는지 모르겠다 싶은 애들이 많어. 양색시두 천층만층이어서 못 배우고 별 볼일 없는 애들두 많지만 개중엔 정말 기맥히게 아까운 애들두 얼마든지 있어. 우선 말야……."

임씨의 목소리가 갑자기 낮아졌다. 에레나는 고개를 홱 돌려 카운터 쪽을 노려보았다. 그러자 이쪽을 슬금슬금 엿보던 예의 그 청년이 허둥지둥 시선을 피하면서 수첩에 뭘 다시 적는 시늉을 했다. 임씨의 얼굴에 쑥스러움을 나타내는 어색한 웃음기가 돌았다.

"담배 한 대 주시겠어요, 작은오빠?"

카운터 앞에 가 서면서 에레나는 매우 도발적인 자세로 손을 내밀었다. 작은오빠 임씨가 윈스턴 한 개비를 뽑아 건넨 다음 라이터까지 켜주었다. 에레나는 폐부 깊숙이 담배 연기를 빨아들였다가 임씨의 얼굴에 후욱 내뿜고 나서 돌아서 버렸다. 임씨가 말했다.

"담배 태우지 그래?"

청년이 말했다.

"전 못 태웁니다."

"아 참, 예수 믿는다구 그랬지."

잠잠하던 골목길이 다시 소란해졌다. 헌병들을 쫓아갔던 애들이 우르르 한꺼번에 몰려들어왔다. 홀 안으로 들어와 아무 데나 좌석을 찾아앉으면서 계집애들이 더러는 허탈한 표정으로 입들을 꾹 다물기도 하고 또 더러는 진하게 칠해진 루주가 희미하게 내리비치는 오색조명등 불빛으로 하여 오디 빛깔처럼 검붉어 보이는 입술을 끊임없이 놀리기도 했다.

"아까 오면서 들으니까 누가 그러는데, 어떻게 패스를 다시 내는 방법이 없을까 허구서 여기저기 찾어댕기며 꽁×까지 대줬댄다, 글쎄."

"겨우 꽁× 정도로 해결될 일인 줄 안 년이 매친년이지."

"그래두 개 참 안됐더라, 얘. 아직 솜털두 못 벗은 것이 코배기들헌테 더 팔겠다구 몸부림치면서 끌려가는데, 눈물이 나올라구 그러더라."

"눈물은 뒀다 너 일 당할 때 써라. 갠 우리보단 덜 불쌍한 애야. 에린것이 잽혀가니까 사람들이 그만침이라도 쫓아가 주지 만약 우리 같은 할머니들이 잽혀가 봐라. 어느 개딸년이 눈 하나 꿈쩍할 줄 아냐?"

"그나저나 해두 너무들 헌다. 패스 내줘서 코쟁이놈들한테 실컷 짓밟히게 만들 때는 언제고 인생 다 금간 담에 패스 도로 뺏어가는 건 또 뭐야!"

"그걸 몰라서 묻니? 아르켜줄까? 그건 말이지, 김연실 양이 자기네 딸이 아니기 때문이야. 너 여지껏 것두 모르고 있었니? 다아 그

240

렇구 그런 쌤통이 있으니까 그런 거야. 다 그으런 거지이 뭐 그으런 거야 그러길래 미안미안해……."

"아무리 더럽고 창피해도 애국사업은 애국사업인데 말야, 가다가 더러는 눈감아 줄 법도 한데 말야, 에라 나도 모르겠다. 다 그으런 거지이 뭐 그으런 거야아 그러길애 미안미안해……."

　　다 그으런 거지이 뭐 그으런 거야아
　　그러길래 미안미안해…….

때 아닌 유행가를 합창하면서 몇 아이가 플로어로 달려나가 충동적인 율동으로 고고를 추기 시작했다. 그걸 보더니 홀 안 여기저기에 널려 있던 다른 애들도 일제히 플로어로 뛰어들었다.

"어이 김씨! 윤항기 노래 틀어!"

기중기의 운전석처럼 단을 높여 천장 바로 밑에 설치해 놓은 뮤직박스 밑에서 누군가 플레이어 김씨를 올려다보며 고함쳤다. 실로 오랜만에 보는 활기찬 모습들을 내려다보며 투명 플라스틱 너머에서 아무 실속도 없이 괜히 벙글거리고 있던 김씨가 제꺼덕 판을 갈아엎는 게 보였다. 이내 윤항기 노래가 스피커에서 흘러나왔다. 흘러나오는 게 아니라 실은 쏟아져내리고 있었다. 스피커에 맞춰 합창이 다시 시작되었다. 계집애들은 거의 악을 쓰고 비명을 지르다시피 터무니없이 크고 높은 목청을 뽑아가며 몸 전체를 격렬하게 흔들어대기 시작했다. 그리 넓지도 않은 플로어 안에 사십 명에 가까운 계집애들이 꽉 들어서자 제 몸뚱이는 마구 풀어놓고 상대방은 다스리려드는 바람에 피차간에 어깨가 부딪치고 궁둥이가 닿았다. 열기가 도를 넘어 신 지핀 무당의 그것인 양 귀기마저 돌았다.

다 그으런 거지이 뭐 그으런 거야아

그러길래 미안미안해…….

안집에 들어 있던 사장이 눈이 휘둥그레가시고 뛰어나왔나.

"저것들이 못 먹을 걸 처먹었나, 왜들 저 지랄들이지?"

임씨가 설명을 했다.

"못 볼 꼴을 봤다고 속풀이를 허는 거랍니다."

"떠는 지랄들만큼 돈이나 쏟아졌으면 좋겠다."

사장도 그리 싫지만은 않은 기색이었다. 파리만 날린다고 늘 우거지상이던 사장이 모처럼 한번 얼굴을 펴면서 들어갔다. 미군들 넷이서 원더풀을 연발하면서 미리부터 엉덩이를 흔들어가며 춤판에 끼어들려 했다. 그러자 계집애들이 덤벼들어 손으로 밀어내면서 욕을 퍼부었다.

"얌체 같은 자식들이 어딘 줄 알구 꼽사리 붙는 거야!"

"이건 우리들 춤이야! 늬들 좋은 일 시킬라구 추는 게 아니니까 저리 비켜!"

윤항기가 거의 끝나가자 누군가 또 뮤직박스에다 대고 소리쳤다.

"헤이 김씨, 이번엔 최헌의 오동잎!"

이 진지한 합창이 골목에까지 새어나가자 구경꾼들이 꾸역꾸역 몰려들기 시작했다. 미군들은 홀 안으로 들어오고 한국인들은 출입구를 꽉 메워서는 바람에 기도를 보는 김군이 몹시 바빠졌다. 스스로 내지르는 가락에 맞춰 엉덩이에서 비파소리가 나도록 신명을 푸는 한 떼의 실성한 반나체들의 군무에 기가 질려 처음에는 그저 넋을 잃고 바라만 보던 미군들이 흰둥이 검둥이 가릴 것 없이 한꺼번에 달라붙으면서 아무렇게나 상대를 골라잡고 나서기 시작했다. 미군들이 어울리면서 갈수록 분위기가 뜨겁게 달아올라 금방이라도 사면 벽과 천장이 날아가 버리고 노천 무도장으로 바뀔 것만 같은 빽적지근한 광경이었다. 내 설움 네 설움 풀겠다고 즉흥적으로 시작한 합창과 춤판이 의외의 결과를 몰고 왔다. 이렇게 해서 발렌티노클럽 소속의 특수업태부 사십여 명은 하룻밤 또 요란하게 애국사업을 벌일 수 있을 것이었다. 드디어 임씨의 입에서 이런 고함이 터져나왔다.

"야 이년들아, 대강대강 추고 어서 술을 처먹어라! 술을 마셔줘야 장사가 되지, 춤만 추다간 우린 굶어죽는다!"

"선자 너 그 몸뚱이 허구서 손님 받을 수 있겠냐?"

임씨가 에레나를 손짓해서 한쪽으로 따로 부르더니 은근히 물었다.

"작은오빠가 먹여주고 입혀만 준다면 손님 안 받겠어요."

"오늘 하룻밤쯤은 그럴 수 있어. 일 않고도 일당으로 오버나잇값을 주겠다는 사람이 있는데, 생각 있냐?"

에레나는 홀 안을 한 바퀴 둘러보았다. 조금 전까지도 눈에 띄던 청년의 모습이 아무 데서도 안 보였다.

"아까 그 청년 뭐 하는 사람예요? 또 그놈의 신문기자?"

"학생이야. 사회사업과 졸업반인데 기지촌 문제로 논문을 쓸 작정이래. 좋은 사람을 소개시켜 달라는데 우리 클럽에선 너 말고 누가 또 있냐? 그래서 네 얘길 했더니 시간을 빌리고 싶다는구나."

"학생이 무슨 돈으로 내 시간을 사죠?"

"그거야 뭐 너나 내가 상관할 일 아니잖아. 조용한 데서 몇 시간 묻는 말에 대답만 하면 만 원을 주겠다니까 한번 해보라구."

"좋아요. 일루 데려오세요."

"여기보담 네 방이 좋겠어. 피곤할 테니 일찍 들어가서 쉬구 있어. 그럼 내 이따가 이군을 글루 데려갈 테니까."

그것이 처음은 아니었다. 몇 달 전에도 역시 임씨의 소개로 어떤 잡지사 기자하고 인터뷰를 한 적이 있고 또 그전엔 신문사 기자하고도 잠깐 얘길 나눈 경험이 있었다. 학생이라는 말에 약간 신경이 쓰였으나 에레나는 임씨의 권고에 따라 일찌감치 옷을 빠져나갔다.

방에서 기다리고 있는데 잠시 후에 임씨가 학생을 꽁무니에 달고 나타났다. 학생은 방 안을 힐끗 둘러보고 나서 수줍은 표정을 얼른 임씨의 등 뒤에 가렸다.

"뭘 묻든지 사실대로 솔직하게 얘기해 드려라. 물론 우리 사장님이나 내 욕은 빼고 말이다."

"알았어요. 어서 들어오세요. 우리네 사는 꼬라지가 이렇답니다."

"그럼 잘해 봐."

임씨가 가고 나자 학생이 마치 감추어진 함정이나 없는지 살피는 눈으로 쭈뼛쭈뼛 들어왔다. 학생이 앉기를 기다려 에레나는 문에다 고리를 걸고는 형광등을 꺼버렸다.

"불은 왜 끄십니까?"

어둠 속에서 학생이 잔뜩 겁먹은 소리로 항의하듯이 물었다.

"한국인하고 같이 있는 걸 알면 저쪽 애들이 질색을 해요. 그래서 엄마가 한국 남자는 절대로 방 안에 못 들여놓게 하죠. 또 컴컴한 데서 얘기하는 게 피차간에 편리하구요. 이러구 앉아서 조용조용히 얘기하면 아마 누가 봐도 일찍 불을 끄고 자는 줄 알 거예요. 편히 앉으세요."

에레나는 삼단요에 등을 기대고는 편안한 자세를 취했다. 아직도 긴장이 덜 풀렸는지 학생이 앉아 있는 윗목에서는 움직이는 기척을 들을 수가 없었다.

"본적지, 집주소, 부모님 성명만 빼군 뭐든지 물어보세요. 할 수 있는 데까지 정직하게 말씀드리겠어요."

"방금 엄마라고 얘기한 사람이 누굽니까?"

"포주예요."

"그럼 시작할까요? 먼저 취지부터 말씀드리죠. 제 전공이 워낙 사회사업과에다가 요즘 한창 주한미군 철수 문제로 나라 안이 떠들썩하잖습니까? 그래서 미군 철수에 따르는 최근의 기지촌 실태를 파악해서 졸업논문을 꾸며볼 생각인데요. 기지촌이라면 여러 가지 복잡한 사회적 문제가 있지만 그중에서도 제가 특별히 중요시하는 건 양……."

"망설일 필요 없어요. 그냥 양갈보라고 부르세요. 다들 그렇게 부르니까요."

"실례했습니다. 엉겁결에……."

"정직한 대답을 듣고 싶으시거든 댁에서두 정직하게 물으세요. 괜찮다니까요. 그래서, 양갈보가요?"

"그래서 특히 미스 박 같은 사람들 문제를 중점적으로 다루고 싶습니다. 그런데 막상 여기 와서 제가 목격한 것은 예상하곤 전혀 딴판이어서 아직도 어리둥절합니다. 밖에서 보기엔 역사의 수레바퀴에 깔린 가장 억울한 희생자로서 뭔가 발언권을 내세우고 대책을 요구할 줄 알았는데……."

"말씀 도중에 죄송해요. 역사의 수레바퀴니 억울한 희생자니 하는 거창한 말들은 될수록 피해 주셨으면 해요. 저를 깔구 넘어간 수레바퀴 같은 건 없어요. 단순히 개인적인 불행일 뿐예요. 개인적인 불행들이 모여서 기지촌을 이루고 민들레회 같은 단체도 조직한 거예요. 그걸 듣기 좋은 말로 역사 탓, 남의 탓으로 돌린다 해서 조금도 위로될 게 없어요. 어쩌다 길을 잘못 들어서 요 모양 요 꼴이 됐다 생각하면 오히려 맘이 편해져요."

"물론 그러실 테죠. 밖에서 구경하는 입장이 아니라 안에서 직접

당하는 사람들 심정을 이해는 합니다. 하지만 아무리 그렇더라도 사회가 책임을 벗을 수는 없는 법입니다. 개인적인 불행을 끌어들일 소지를 마련하고 일단 마련된 소지로 또 다른 불행한 개인들을 유혹한 혐의는 분명히 역사에 누어야만 합니다. 그리고 그 역사를 만든 범인이 바로 그 사회입니다. 주둔군이 있는 곳에 위안부가 따르는 건 역사적 사실이면서 동시에 필연적인 결과입니다. 외국인 주둔군을 받아들인 사회에서는 그들을 받아들였다는 약점 때문에 누군가는 그런 일을 하지 않으면 안 됩니다. 누군가 꼭 해야만 하는 일을 바로 미스 박 같은 여자들이 맡아서 하고 있는 겁니다. 말하자면 흔한 말로 십자가를 지고 있는 셈이죠. 미스 박은 「비곗덩어리」라는 소설 읽으신 적 없습니까? 지배인한테서 대학을 중퇴했다고 들었습니다. 그 정도 학력이라면 미스 박도 아마 읽어볼 기회가 많았을 겁니다. 거기 보면 비곗덩어리라는 별명을 가진 여자가 우연히 일행이 된 마차 승객들을 구출하기 위해서 적군 장교한테 누군가 꼭 하지 않으면 안 되는 그 역할을 떠맡고 나서잖습니까. 그런데도 비곗덩어리 덕분에 무사하게 빠져나온 신사 숙녀들은 그 여자를 어떻게 대접했습니까. 똑같은 일이 지금 이 땅에서도 벌어지고 있는 겁니다. 제가 미스 박 같은 사람들을 논문 대상으로 삼게 된 이유도…….”

“말씀 참 고마워요.”

에레나는 청년이 보이는 순진성 때문에 몹시 화가 나고 비위가 상했다. 아마 그것은 그의 진심일 것이었다. 그렇다면 그는 꿈을 꾸고 있는 셈이었다. 그 꿈을 깨워줄 필요가 있었다. 꿈과 현실 사이가 얼마나 먼 것인가를 알려줄 필요가 있었다. 더러운 것 가까이 깨끗한 것이 있다는 사실은 흔히 깨끗함에 대한 모독으로 생각되기 쉽지만, 더러운 입장에서 보자면 반드시 그렇지만도 않다. 그것은 곧 더러움에 가해지는 모독일 수도 있다. 에레나는 표정을 알아볼 수 없는 시커먼 실루엣으로 단정히 앉아 있는 청년을 쳐다보면서 어둠 속에서 실실 웃었다. 상대가 학생 신분이란 말이 마음에 걸려 사례금을 받아야 좋을지 어쩔지 망설이던 참이었다. 그러나 이젠 망설일 이유가 없어졌다. 에레나는 그걸 기꺼이 받기로 생각을 정해 버렸다. 그러고는 음모를 꾸미기 시작했다. 그 음모를 실천에 옮길 일을 생각하니 맥이 빠져 있던 사지에 별안간 힘이 솟는 듯했다.

"기지촌 밖에 있는 분들이 우릴 꼭 동정해야만 고상한 사람 축에 낄 수 있다면, 좋아요, 얼마든지 동정하세요. 하지만 댁은 기지촌 바깥 사람들이 파견한 대표는 아네요. 마찬가지루 저 역시 양갈보 대표는 아네요. 우린 어디까지나 개인 대 개인으로 만났을 뿐예요. 동정심을 받아들이구 안 받아들이는 건 제 맘에 달렸다는 사실을 명심해 주시기 바래요. 미리 한 가지 물어두겠는데요, 저 말고도 다른 애들 더 만나실 작정이세요?"

"가능한 한 많이 만나서 많은 얘길 듣고 싶습니다."

"그럼 걔들한테두 다 시간값을 계산해 주실 건가요?"

"뭐 꼭 그런 건 아닙니다. 미스 박 얘길 토대로 해서 통계자료를 뽑는 정돕니다. 저한테는 미스 박 얘기가 제일 중요하기 때문에 작은 성의를 표시하는 거니까 언짢게 생각 마십쇼."

"됐어요. 이젠 물어보세요."

"동두천에 오게 된 동기하고 과정을 들었으면 합니다."

"그러실 줄 알았어요. 다른 사람들도 그것부터 묻더군요. 말씀드리죠. 중학교 일학년 때 고등학교에 다니는 오빠 친구한테 첫 번째루 일을 당했어요."

실은 국민학교 오학년 땐데 상대방이 거짓말로 알아들을까봐 이년이나 높여 말했다. 무척 숙성한 편이어서 그 무렵에 벌써 가슴이

나왔다. 어느 날 여드름쟁이 오빠 친구가 자전거를 태워줬는데, 그는 휘파람을 불면서 인적이 뜸한 산길을 달리다가는 느닷없이 숲속에 내려놓더니 눈을 감으라고 말했다. 불로 지지는 듯한 아픔만이 기억의 전부로 남았다. 두 번째는 여고 이학년 때였고, 문간방에 세들어 사는 중년의 홀아비가 상대였다. 그 후 아버지가 사업에 실패해서 빚쟁이에게 집까지 넘어가 버리자 학교를 그만두고 고속버스 안내양이 되었다. 명함 또는 4절로 접은 고액권을 명함 밑에 받쳐 내밀면서 유혹하는 승객들이 많았다. 막차를 뛰고 지방 영업소에 묵게 되는 날은 운전기사들이 새벽까지 집적거렸다.

오래되지 않아 회사 안에 소문이 퍼져 안내양을 계속할 수 없게 되었다.

"어렸을 때부터 사내를 끌어들이는 뭐를 타고났나 봐요. 가는 곳마다 사내들이 절 가만 내버려 두지 않았어요."

신문에서 월수 삼십만 원 이상을 보장하는 웨이트리스 모집 광고를 보았다. 다방에서 소개장이와 대면했을 때 단순한 웨이트리스 아닌 위안부로 팔려가는 자신을 충분히 예감할 수 있었다. 그러나 선불로 받은 몸값을 되돌려주지 않고 살림에 보태쓰라고 집으로 부쳐버렸다. 그동안 많은 사내들로부터 무수히 받아온 실망과 혐오감이 결국 자기를 동두천 바닥까지 끌어오고 말았다.

"그렇다고 지금 와서 새삼스럽게 후회는 안 해요. 후회한들 별수 없구 후회 안 한들 별수 없다면 후회 안 하는 쪽이 조금이라도 이익일 테니까요. 사내들을 끌어들이는 뭐를 타고난 것 같다고 얘기했지만, 따지구 보면 이건 운명이 아녜요. 피하려면 얼마든지 피할 수도 있었어요. 그런데두 제 스스로가 선택한 길이기 땜에 누굴 원망할 수도 없어요."

가장 길고 하기 힘든 이야기가 끝났다. 그다음부터는 물음과 대답이 짧고 간편해졌다.

수입은?

화류계 생활도 일종의 투기사업이라 대중이 없다. 어쩌다 물봉이 얻어걸리면 지값 외에 값비싼 선물까지 덤으로 받기도 하고 병에 걸리거나 몸을 다치거나 순악질 노랭이를 만나 뼁 먹으면 적자를 볼 때도 많다. 대개 오버나잇에 십오 원(달러) 내지 이십 원, 쇼트 타임이 칠, 팔 원. 그러나 미군 철수가 확정된 요즘엔 마구 덤핑들을 하는 바람에 날로 시세가 떨어져 극단적인 경우 단돈 오 원에 오버나잇을 뛰거나 해피 스모크 한 대에 쇼트 타임을 뛰어주는 예도 허다하다. 한 달에 10~15일을 뛴다 치고 평균 월수 7~10만 원.

지출은?

밥값 이만 원, 방값 일만 오천 원, 딸라빚 이자 이만 원가량. 그밖에 화장품값, 옷값, 약값, 만화 대본료, 군것질(주로 오징어 튀김) 등으로 적자일 경우가 많으며, 적자를 메우려고 별수 없이 또 빚을 지게 되는데, 꾸는 사람이나 꾸어주는 사람이나 이것이 투기사업인 줄 알기 때문에 내일에다 막연한 희망을 걸고 거래를 한다. 극소수의 예이긴 하지만 능숙한 여자도 있어, 철퍼덕이란 별명을 가진 고참은 순전히 딸라기계만 돌려 이익을 벌어서 서울에다 예금을 해놨기 때문에 주말이면 은행 차들이 서로 모셔가려고 줄을 선다는 소문이다. 한 번만 붙었다 하면 떨어질 줄 모른대서 붙여진 별명이다.

여가 선용은 어떻게 하는가?

끼리끼리 모여서 남 욕하고 흉을 보거나 전축을 듣거나 만화를 보거나 낙서, 화장, 빨래 등을 하거나 낮잠을 잔다. 선용이란 말이 안 어울리는 일뿐이다. 점을 치러 다니거나 창가학회에 미쳐날뛰는 애들도 많다.

동료들간의 친분 관계는?

내일을 믿을 수 없는 처지들이기 때문에 자연 각박해질 수밖에 없다. 아주 작은 일에도 서로 감정을 상하고 이해득실을 따진다. 예를 들어, 민들레회에서 말죽고개로 풀베기 노력 동원을 나가는데, 클럽으로 차출 인원이 배당되면 무슨 수를 써서든 거기에 걸리지 않으려고 터무니없이 생떼를 쓰는 따위가 그것이다. 그러나 약쟁이들끼리는 의리가 강하다.

민들레회를 어떻게 생각하는가?

민들레회는 민들레의 모임이다. 아무리 짓밟혀도 죽지 않고 다시 살아나는 민들레의 끈질긴 생명력을 우리의 상징으로 삼겠다는 뜻이다. 하지만 실제로 우리는 민들레처럼 그렇게 강하지 못하다.

습관성 약물을 복용하는 이유가 뭔가? 그걸 끊을 수는 없는가?

…….

"미군이 떠나고 나면 동두천에 공업단지가 들어설 거라는 풍문이 돌던데 혹시 들으신 적 있습니까?"

"얼핏 들었어요. 하지만 저하곤 아무 상관도 없는 일예요. 제 손으로 미군들 호주머니에서 빼낸 딸라가 정작 저를 위해선 별로 혜택을 안 줬듯이 공업단지 역시 저를 위한 게 아니랍니다."

"민들레회에서 철군 후의 자활대책을 세우고 회원들이 사회로 되돌아가 새로운 삶을 개척할 수 있도록 돕기 위해서 자체 기금을 확충해 나가는 중이라고 들었습니다. 그 계획에 대해서 미스 박은 어떻게 생각하십니까?"

"새로운 삶요?"

에레나는 아직도 단정한 모습 그대로인 실루엣을 노려보면서 소리없이 웃었다. 그니는 웃으면서 스타킹을 벗었다. 상대방이 눈치채지 못하게시리 상체를 경제적으로 움직이면서 조심조심 긴팔티

셔츠를 벗었다.

"왜 그러십니까?"

어둠 속에서 갑자기 청년이 물었다. 조심을 했는데도 뭔가 심상 찮은 낌새를 챈 목소리였다.

"아무것도 아녜요. 잠깐만 기다리세요."

에레나는 서둘러 스커트를 벗었다. 마침내 실낱 하나 가린 것 없는 맨몸뚱이가 되어 벌떡 일어서면서 형광등을 켰다.

"자아, 보세요!"

눈을 가늘게 뜨게 만드는 부신 불빛 아래 여체의 굴곡이 고스란히 드러났다. 고함이라도 지를 것같이 입을 떡 벌리더니 이윽고 청년의 시선은 에레나의 얼굴에 고집스럽게 붙박혀버렸다.

"보라니까요! 이건 껌둥이가 재크나이프로 찌른 자리예요. 이 상처에 대한 보답으로 나두 껌둥이 팔을 찔러줬어요. 그러구 여긴 면도칼루 동맥을 짜른 자리죠. 동맥을 짜르구 거기다 옵타리돈을 열알이나 먹었었는데 재수없이 같은 약쟁이 친구한테 들켜서 미수에 그치고 말았답니다. 자아, 이번엔 오른쪽 무릎을 보세요. 도나쓰만한 흉터가 있죠? 이층에서 뛰어내렸다가 다리만 분지르고 말았는데, 그때 기부스 밑에 구더기가 생겼잖아요. 구더기가 파먹은 자리예요. 깨진 맥주병으로 긋고 담뱃불로 지진 자리는 일일이 지적할 수 없어요. 이런 몸뚱이를 갖구서 새로운 삶을 개척해요? 이런 몸뚱일 받아줄 만한 자리가 아직두 사회 어느 구석에 남아 있을 것 같나요? 새로운 삶 좋아허시네! 댁이 날 웃기셨어!"

에레나는 이미 대학 중퇴의 학력자가 아니었다. 동천 바닥에서 그 흔해빠진 삼천여 양갈보 중의 하나일 뿐이었다. 그런 여자가 시방 짝없이 순진하기만 한 대학생을 상대로 잔뜩 겁을 줘가며 꿈과 현실과의 거리가 그 얼마나 먼가를 차갑게 일깨우고 있었다. 청년의 고개가 수그러졌다. 그리고 끔찍스러운 흉터투성이의 볼륨이 큰 나체로부터 결사적으로 외면하려 했다. 참담하리만큼 일그러진 표정인 청년을 내려다보며 에레나는 한바탕 웃음을 터뜨렸다.

"괜히 동정해 주는 척 말아요! 동정 같은 거, 대책 같은 거 다 필요없어요! 양키아이들 부웅 뜨고 나면 우리 클럽 사장님은 홀을 개조해서 양계장을 차리겠대요. 우리 포주는 코쟁이를 상대하던 솜씨를 이번엔 엽전들한테 발휘해 보인다구 벌써부터 별러요. 내 운명이 어떤 식으로 낙착될지는 나 자신두 몰라요. 마지막 미군이 떠나고 난 바로 그 이튿날 결정하겠어요. 내 운명은 내가 결정해요. 그때까진 벌 수 있는 데까지 버는 거예요."

청년이 서류봉투 속을 뒤져 편지봉투 하나를 꺼내놓았다. 그러고는 후닥닥 몸을 일으키면서 문 쪽으로 돌아섰다. 에레나가 사람과 봉투를 거의 동시에 붙잡았다.

"그냥 가시면 어떡해요. 돈을 냈으니까 본전을 뽑으셔야죠. 그러구 화대는 그렇게 방바닥에다 던지는 법이 아네요. 보세요, 코쟁이들은 이렇게 해요."

에레나는 부들부들 떨리는 청년의 손을 봉투와 암냥해서 잡아 양쪽 젖둔덕 새에다 넣었다.

"이러시면 안 됩니다!"

터무니없이 큰 소리로 부르짖으면서 청년이 황급히 손을 빼내려 했으므로 에레나는 더욱 단단히 죄어잡고는 이번엔 둔덕 위에다 얹었다.

"정말 이러시면 곤란합니다! 안 된다니까요!"

"엄마가 시키는 대로 해요. 그래야 착한 사람이지. 우리 뻬이비!"

에레나는 청년을 덥석 껴안고는 역시 동양인답게 맨숭거리는 턱과 뺨과 이마에다 마구 키스를 했다. 청년이 이리저리 머리를 뒤틀고 몸을 피하는 바람에 표적을 맞히기가 어긴민 힘들지 않았나. 에레나는 청년의 혁대를 붙잡아 바지 속으로 손을 쑤셔넣었다.

"너 이 새끼, 아까 비곗덩이 얘길 들먹거렸지? 주둥이로만 나불대지 말구 어디 몸으루 실천해 봐! 병신이 아니라면 요 모양 요 꼴로 된 몸뚱이두 받아들여 보란 말야!"

"선자야 이년아, 너 이년 이리 좀 나오너라."

포주 엄마의 목소리가 빠르게 다가왔다. 고리가 잠긴 방문이 덜컹덜컹 흔들렸다.

"문까지 걸어닫고 자알들 논다! 이년아, 시조가 밥 멕여주니? 풍월이 옷 입혀줘?"

에레나가 문고리를 땄다. 그러자 서슬이 퍼래서 뛰어들던 포주 엄마의 표정이 돌처럼 굳어졌다. 그 틈에 청년이 허둥지둥 방 안을 빠져나가버렸다. 포주가 에레나의 뺨을 철썩 갈겼다. 엄마가 딸의 머리채를 끌어당겼다. 딸이 웃었다. 이쪽 뺨 저쪽 뺨을 왕복으로 얻어맞으면서도 에레나는 흉터투성이의 알몸을 뒤틀어가며 깔깔깔 소리내어 웃고만 있었다.

다쳐서 그런다며 아랫도리로 자꾸만 손이 가던 미경이는 검진에서 끝내 걸리고 말았다. 슬라이드 검사는 용하게 통과했는데 배양(培養)검사에 덜컥 임균이 나와 낙검된 것이다.

"어떡허니, 어떡해. 삼박사일 코스래. 그 식인종 같은 깜둥이 새끼 처음 수작 걸어올 때부터 엉덩일 어기적거리는 게 어쩐지 수상쩍더라니!"

낙검자들을 몽키하우스까지 실어나를 사단 차량을 기다리는 동안 미경이는 진료실 장의자 위에 걸터앉은 채 창문 너머로 같이 온 동료들을 바라다보며 발을 동동 굴렀다. '금주의 전염병 예방법의

적용 검진'란에 아직은 깨끗함을 보증하는 '배양 H·C'라고 적힌 고무인이 하나 더 추가된 검진패스(건강진단증)를 받아 들고 성병 진료소를 나오면서 에레나는 몸과 마음이 다 무거웠다.

소헌이 우울증이 오후까지 이어져 홀에 나와서 시무룩해 있는 판인데 천만 뜻밖에도 사라 언니가 말쑥하게 한복차림을 하고 나타났다. 꼬마를 가슴에 안은 꺽다리 남편과 함께였다.

"이게 얼마 만이우, 언니!"

너무너무 반가운 김에 에레나는 사라 언니한테 달려들어 뽀뽀를 했다.

"얘얘, 남세스럽다. 여자들끼리 이게 무슨 짓이니."

에레나를 밀어내면서 사라 언니는 일제히 자기를 주시하는 계집애들한테 차례로 눈인사를 했다. 계집애들이 사라 언니네 일가를 빙 둘러싸면서 연두색 한복을 만져보기도 하고 파란 눈을 데굴데굴 굴리는 토실토실 살찐 꼬마를 어르는 둥으로 한바탕 법석을 떨었다. 화류계에 나와 성공한 대표적인 케이스였다. 현역으로 뛸 당시에도 사라 언니는 미군들이나 동료들 사이에 가장 인기가 높았다. 정식으로 결혼을 하고 살림을 차린 뒤에도 사라 언니를 시샘하는 계집애는 하나도 없었다. 오히려 전보다 더욱더 존경들을 했다. 비록 동생들을 가르치기 위해서 딸라기계는 돌렸지만, 아무리 흉포하기로 소문난 검둥이일지라도 사라 언니한테만은 함부로 대하지 못했다. 다른 양색시들이 과다한 노출과 간드러진 웃음으로 미군을 낚으려 하는 반면에 사라 언니는 풍부한 인정과 어디다 내놔도 손색이 없는 교양으로 늘 레이디 소리를 들어가며 제발로 미군들이 찾아들도록 만들곤 했다.

"미경이가 또 소요산 들어갔어."

자리를 잡고 앉기 무섭게 에레나는 뉴스부터 전했다.

"갠 누슨 애가 그리 조심성이 없니? 들어가기 전에 면회 갈 일 하나가 더 생겼구나."

사라 언니가 혀를 찼다.

"들어가다니? 어딜?"

에레나의 가슴이 별안간 벌렁벌렁 놀기 시작했다.

"어딘 어디겠니, 데이비네 아빠 귀국 날짜가 결정됐다. 그래서 이렇게 인사차 들른 거야."

"며칠 남았어?"

국제결혼한 여자가 남편 따라 미국 들어가는 건 정한 이치다. 그런데 왜 멀쩡한 가슴이 뛰는지 모르겠다.

"보름 조금 못 남았어."

아아, 보름! 보름도 못 남았단다. 이제 보름 후면 사라 언니는 미국 땅에서 밥도 먹고 똥도 누게 된다! 에레나는 목이 꽉 막혀옴을 느꼈다.

"너 몸조심해라. 죽을 때 죽더라도 살아 있는 동안은 건강해야 된다. 얼굴이 형편없이 야위었구나. 네가 건강할 때 떠나면 내 맘이 훨씬 가벼울 텐데……."

눈치를 챈 사라 언니가 일 년 열두 달 긴팔 옷만 입고 사는 에레나의 어깨를 쓰다듬으며 위로를 했다. 에레나는 맞은편 좌석에 앉은 꺽다리로부터 데이비를 넘겨받았다.

"언제까지고 이런 생활 계속할 순 없잖겠니. 더 늦기 전에 지금부터라도 마음을 잡고 좋은 사람 물어봐라."

"낚싯밥이 좋잖나봐. 잉어는 언니 같은 사람한테 다 물리고 나한텐 피라미새끼 하나 안 걸려."

에레나는 양털담요에 싸인 데이비를 얼굴 가까이 들어올렸다. 사라 언니가 에레나의 말을 꺽다리에게 영어로 옮겼다. 그러자 꺽다리 입에서 너털웃음이 터져 나왔다.

"캄사해요, 처제."

한국어로 말한 다음 껑다리는 옆 테이블에 앉아 있는 웨이트리스한테 마실 것을 주문했나.

"넌 그 자존심부터 먼저 죽여야 돼. 자존심을 죽이는 것이 멀리 보면 바로 자기 자존심을 살리는 길이야. 너보다 훨씬 못 배우고 모자라는 애들이 어째서 먼저 미국에 들어가는지 아니? 걔들은 써비스할 줄 알기 때문이야. 입으로 해달라면 입으로 해주고 뒤로 하자면 뒤를 대주는 그런 써비스가 아니라 이쪽 자존심을 죽여서 저쪽 자존심을 살려주는 마음의……."

사라 언니의 말을 에레나는 귓등으로 흘리고 있었다. 아이의 몸에서 풍기는 살냄새가 향긋했다. 구슬처럼 파란 눈이 저를 말똥말똥 올려다보고 있었다. 정말 눈에 넣어도 아프지 않을지도 모른다. 그 순간 에레나는 벤을 생각했다. 그리고 아직은 태어나지 않은, 그러나 언젠가는 태어날 벤의 아이를 생각했다. 난데없이 아이를 갖고 싶다는, 어머니가 되고 싶다는 생각이 성욕과도 같이 맹렬한 기세로 에레나에게 왔다.

보름, 미국 그리고 아이.

벤의 아이를 가진 어머니로서의 자기.

에레나는 비로소 미국이란 나라를 구체적으로 생각해 보기 시작했다. 에레나한테 미국이 가치있어 보이는 건 단순히 그곳이 벤이 살고 있는 나라라는 그 이유 때문이었다. 데이비의 연분홍에 가까운 매끈한 뺨 위로 눈물방울 하나가 똑 떨어져 목덜미 쪽으로 굴렀다.

사라 언니네가 돌아가고 나자 홀이 더욱 한산해 보였다. 미경이는 소요산 아래 철망이 쳐진 이층 방에서 삼박사일 예정으로 원숭이 흉내를 내러 가고 없다. 금련이는 잘하면 살림 나가게 될지도 모른다면서 능능 뜬 표정으로 검능이하고 데이트하러 다니느라고 연이틀째나 코빼기조차 안 보인다. 더 이상 갑갑증을 견딜 수가 없어 에레나는 작정 없이 홀을 뛰어나오고 말았다.

귀후비개는 드문드문 어쩌다 눈에 띄고 간판 불빛만 요란한 길가에 하릴없이 나와서 서성거리는 귓구멍들만 득시글거리는 을씨년스러운 텍사스골목을 피해 에레나는 샛길로 들어섰다. 어두컴컴한 샛길을 꼬불꼬불 빠져 조금 불빛이 환한 큰길로 나서면서 그니는 사지에서 맥을 빼고 방심 상태로 흐늘흐늘 걸었다. 갈 곳도 정하지 않은 채 그렇게 걷기만 하다가 불현듯 생각나는 게 있어 걸음을 멈추었다. 그러나 다음 행동으로 옮기려는 바로 그 순간에 방금 뭘 생각했는지를 벌써 까맣게 잊어먹고 말았다. 대체 내가 뭘 하려고 그랬을까. 주위 사람들한테 물어볼 작정인 듯이 그니는 사방을 둘러보았다. 그러자 서너 걸음 앞에서 어서 오라고 손짓하는 약국 간판이 눈에 띄었다.

그 버릇 끊지 않으면 넌 결국 폐인이 되고 만다. 왜 너도 잘 알잖니, 약쟁이들 최후가 말할 수 없이 비참하다는 거.

홀에서 나가기 전에 이렇게 신신당부하던 사라 언니의 말이 문득 떠올랐다. 에레나는 얼른 발길을 돌려 이번엔 철길 쪽을 향하고 걷기 시작했다. 철길 위에 앉아서 저녁바람을 쐬고 있던 사내들이 에레나를 보더니 휘파람을 휙휙 불었다.

"야, 질 난 솥에다 고구마 하나 삶자!"

철길을 따라 남쪽으로 걸으면서 에레나는 못 들은 척했다.

"엽전들 말은 말 같지두 않냐?"

"엽전들 ×은 물건 같지두 않단 말이지?"

보산리를 벗어나 생연리에 들어섰다. 에레나는 오랜만에 시내(읍내) 구경이 하고 싶어졌다.

결국 문화회관 앞에서 발걸음이 멎고 말았다. 매표구 옆에 붙은 프로 안내판을 읽고 「로키」라는 외화가 상영중임을 알았다. 미국에 있는 그 유명한 산맥만큼이나 거대한 체구의 사내들이 얼굴이 온통 피투성이가 되어 포스터 속에서 권투를 하고 있었다. 썩 마음이 내키는 내용일 것 같지는 않았으나 모처럼 시내 구경을 나온 김에 영화나 보고 돌아가기로 작정했다.

에레나가 처음 목격한 대목은 영화의 꼬리 부분이었다. 포스터 속에서 본 것과 흡사한 장면이었다. 백인 선수와 흑인 선수가 미국 독립 이백주년을 기념하는 권투시합을 하고 있었다. 주로 때리는 쪽은 흑인이고 맞는 쪽이 백인이었다. 잠자코 구경하는 사이에 시합의 내용이 차츰 밝혀졌다. 흑인이 챔피언이고, 백인은 도전자였다. 서로들 원없이 때리고 원없이 얻어맞았다. 눈두덩이 찢어지고 입술이 터져 피가 줄줄 흘렀다. 머리통만한 장갑을 낀 주먹이 남의 살에 가 닿을 적마다 끔찍한 소리가 울렸으며 쓰러지지 않으려고 비틀비틀 안간힘을 다하는 사람을 다른 주먹이 또 와서 갈겼다.

계속해서 치고받는 장면만 내비치는 화면에 에레나는 별다른 재미를 느끼지 못했다. 그러나 어느 순간부터인지도 모르게 그녀는 마음속으로 백인 선수를 응원하고 있었다. 자신의 응원 덕분에 로키라는 이름의 백인이 이겨 새로운 챔피언이 되기를 바랐다. 마침내 권투시합은 끝나고 잠시 후에 판정이 내렸다. 응원해 준 보람도 없이 백인이 지고 흑인이 이겼다. 어찌 된 셈인지 이긴 선수보다 진 선수 쪽에 더 많은 사람들이 몰렸다. 그러나 로키는 그들을 거들떠도 안 보고 오로지 링 아래 좌석만을 두리번거렸다. 누구를 애타게 찾는 눈치였다.

"애드리안!"

로키의 입에서 안타까운 부르짖음이 터져 나왔다. 이때부터 에레나는 바짝 긴장하지 않을 수 없었다.

애드리안이라면 여자 이름 아닌가. 화면 속에서 곧 놀라운 변화가 일어났다. 애드리안 바로 그 여자일 것이었다. 몸매가 가냘픈 여인이 링에서 멀리 외따로 떨어져 초조한 표정을 짓고 있다가 자기를 부르는 소리를 들었다.

"로키! 로키이!"

애드리안이 좌석과 좌석 사이 가파른 층계를 단숨에 뛰어내려 링을 향해 내닫기 시작했다. 두 남녀는 상당한 거리를 사이에 두고 앞을 막아선 사람들 틈서리를 비집으며 좀 더 가까이 빨리 다가가지 못해 애가 달았다.

"애드리안! 애드리안!"

아아, 애드리안! 애드리안!

"로키이! 로키이!"

아아, 로키! 로키!

에레나는 마음속으로 이렇게 부르짖었다.

아아, 벤! 베엔!

로키와 애드리안이 포옹을 나누는 순간이 왔다. 두 얼굴이 하나로 포개졌다. 그리고 영화는 끝났다.

영화가 끝나자 에레나는 뺨에까지 흘러내린 눈물을 지울 겨를도 없이 퇴장하는 관람객들 뒤를 따라 문화회관을 나왔다. 채 이십 분도 못 본 셈이었다. 그러나 그것으로 충분했다. 다른 것은 모두 마지막 장면 하나를 위한 군더더기에 지나지 않았다. 피투성이가 되어 여자 이름을 애타게 부르는 남자가 있고 맞받아 남자 이름을 부르며 달려가 껴안는 여자가 있다. 이 세상 전부가 온통 그들 두 남녀의 차지인데 거기에 또 무엇이 더 필요하단 말인가.

발렌티노클럽이 있는 보산리 텍사스골목을 찾아가는 에레나의 걸음걸이는 몹시도 조급했다. 마지막 포옹 장면의 감격이 사라지기 전에 클럽에 당도해 있어야만 했다. 클럽에서 맨 처음 마주치는 미군한테 구애를 할 작정이었다. 그가 흰둥이든 검둥이든 도무지 상관힐 바 아니있다. 에레나로서는 벤이 있는 미국 쪽에 한 길음이라도 더 가까이 갈 수만 있다면 머리를 짧게 깎아 꼬실꼬실 지지고 볶고 얼굴엔 검댕칠을 할 용의마저 이미 되어 있었던 것이다.

땔감

1

그런 일이 있을 줄 미리 예감이라도 했던 듯이 아버지는 당최 내키지 않는 표정이었다. 그도 그럴 것이, 내가 알기로는 난생처음 아버지가 저지르려는 나쁜 짓이었으니까.

그때 나는 알고 있었다. 이제부터 아버지와 내가 하려는 일이 일종의 도둑질에 해당된다는 사실을 알고 있었다. 좀 더 솔직히 얘기해서 그것은 일종의 도둑질에 해당되는 정도가 아니라 명명백백한 도둑질이 분명하다는 사실도 나는 알고 있었다.

"남에 물건은 터럭 하나라도 건디리는 법이 아니다."

언젠가 주인 모를 밭둑에서 손가락에 피가 맺히게 억세디억센 바랭이덩굴을 잡아뜯다가 오동포동 속살이 들어찬 무밭을 보고 불현듯 시장기를 못 이겨 내가 한 뿌리 뽑으려 하자 아버지가 불쑥 던진 말이었다. 그 말이 부끄러움을 모르는 내 식욕에 재를 뿌렸기 때문에 나는 단박에 무르춤해져 가지고 말려서 아궁이에 넣을 바랭이를 뜯는 일에 도로 기를 쓰고 매달릴 도리밖에 없었다.

그런데 무 한 뿌리에 견주면 이제 곧 우리가 훔치게 될 것은 그 북더기로 보나 무엇으로 보나 징역을 살린대도 싸개 났날 게 없을 지경이었다. 아버지도 참 많이 변했다. 어머니를 비롯하여 우리 식구 모두는 아버지의 변모를 하나같이 환영하고 있었다. 아버지의 변모를 안타까워하고 슬퍼하는 사람은 오로지 아버지 혼자뿐이었다. 구름 위로 우뚝 솟은 자기를 두엄자리까지 끌어내리려 음모하는 것들이 바로 우리라고 아버지는 굳게 믿는 눈치였다.

"든든히 먹어둬라. 사람이 뱃구레가 비면 담력도 자연 허해지는 법이니라."

밥덩이를 듬뿍 떠내 그릇에 덜어주면서 아버지가 말했다. 밥이라야 들척지근한 고구마투성이 진떡에 지나지 않는 것이었다. 이삭 바심으로 얻은 싸라기에다 고구마를 놓은 거라고 어머니는 곧잘 터무니없는 소리를 하곤 했는데, 사실은 어머니의 그 우겨대는 소리를 홀렁 뒤집어놓으면 그것이 바로 올바른 순서가 되었다. 다시 말해서 고구마 솥에다 약간의 싸라기를 섞어 지은 밥이었다. 하지만 뭐가 됐건 나는 사양하지 않았다. 아버지의 말이 옳았다. 만약 내 담력이 허해지는 날이면 일을 아주 그르쳐 젬병으로 만들어놓을 염려가 다분했다.

저녁을 그럭저럭 마쳤다. 아버지는 많이 모자라는 담력을 숭늉 대접을 벌컥벌컥 들이켜 빈 뱃구레를 채우는 것으로 벌충한 다음 곧장 깜깜한 마당으로 내려섰다. 뒤따라 내가 밖으로 나갔을 때 아버지는 이미 출발할 채비를 갖춘 채 어둠 속에서 나를 기다리고 있었다. 아버지가 걸머진 것은 발채를 얹은 본격적인 지게인 데 반해 내 것은 가마니였다. 해거름 전에 아버지가 가마니에 띠를 묶어 멜

빵을 달아놓았으므로 나 같은 약질이 짊어지기엔 아주 안성맞춤이었다.

"괜찮으요?"

어머니가 근심스러운 목소리로 물었다.

"하도 오랜만에 져보는 지게라서 어떨까 혔더니 슬슬 옛날 가락이 나올라고 허누만."

누가 들어도 그 과장기를 충분히 눈치챌 수 있게시리 아버지의 목소리는 예사롭지가 않았다. 얼굴 표정을 숨길 수 없는 훤한 달밤이 아니기가 참말 다행이었다.

"들키지 않게 조심허시우."

어머니의 목소리는 한꺼풀 더 근심스러워졌다. 식구들을 말짱 다 얼어죽일 작정이냐면서 무섭게 몰아세우던 때와는 딴판으로 정작 아버지와 나를 떠나보낼 임시에 어머니는 걱정도 팔자로 많았다.

"재숫머리 없이 초장부터 그렇게 참깨방정 들깨방정 떠는 법이 아녀!"

아버지가 평소의 그답지 않게 버럭 호통을 쳤다. 들킨다는 것, 들킬지도 모른다는 것은 참으로 곤란한 얘기가 아닐 수 없었다. 신경질을 부리는 정도가 지나친 점으로 미루어 아버지가 내내 속으로 가장 걱정한 것이 무엇인지를 짐작하기는 그다지 어렵지 않았다.

우리는 집을 나섰다. 아버지가 앞장서고 내가 그 뒤를 따랐다. 지척을 분간할 수 없는 어둠이 우리 부자 사이를 자꾸만 갈라놓으려고 덤볐다. 하늘에는 귀 떨어진 조각별 하나 안 보였다.

쌕쌕이처럼 기분 나쁜 휘파람소리를 지르며 들판을 온통 휩쓸고 오는 바람 끝엔 어김없이 칼날이 들려 있어 목도리를 친친 동여 감았는데도 쩍쩍 갈라지는 아픔이 콧마루와 뺨에서 떠나지를 않았다. 대단한 강추위였다.

"등 뒤에 바싹 붙거라."

바람이 아버지의 목소리를 흉내내어 내게 말했다. 나는 그 말대로 머리를 잔뜩 숙여 붙이고 바람의 등덜미로 바싹 따라붙었다. 그러자 그것은 바람이 아니었다. 아버지가 내 앞에서 바람의 칼날을 부러뜨려 양옆으로 흘려보내고 있었다. 아버지의 등이 전에 없이 커져서 갑자기 뒤에 매달린 바지게의 넓이하고 거의 비슷할 정도였다.

"춥지야?"

이번에는 아버지가 영락없이 바람의 목소리를 흉내내었다. 아니라고, 별로 추운 줄 모르겠다고 대답할 참이었다. 그런데 나는 엉겁결에 그만 커다란 실수를 저지르고 말았다.

"예."

"너 못할 일만 시키는갑다."

아버지는 대번에 풀이 죽었다. 우물쭈물하는 사이에 아버지가 또 말했다.

"얼어죽이지 않을라고 헌다는 풍신이 이 모냥이구나."

갑자기 고래가 막혀 아무리 불을 처때도 까까중이 이마 씻은 물만큼도 방바닥이 미적지근하지 못했다. 엄동의 한복판에서 졸지에 당한 일이라 방구들을 뜯어고칠 수도 없는 노릇이었다. 아궁이를 손보고 화덕 위에 구멍을 뚫어 손잡이가 긴 고랫당그래로 그을음덩어리도 대충 긁어내보고 굴뚝도 쑤셔보는 등등으로 별의별 수단을 다 써보았으나 헛수고일 뿐이었다. 한번 막혀버린 고래는 어거지로 우겨넣으려는 불길을 한사코 도로 아궁이 밖으로 내뿜기가 예사였다. 덕분에 식구들은 너나없이 고뿔이 들고 밤마다 고드름똥을 싸느라고 눈을 붙이지 못했다. 솥에다 끓일 게 없는 것도 문제려니와 구들장을 데울 수 없는 것은 더욱 심각한 문제였다.

그럴 무렵에 동네 사람 누군가가 뾰족한 수를 일러주었다. 화력이 유달리 센 청솔가지를 한바탕 기세좋게 태우다 보면 더러는 저절로 뚫리는 수도 있다는 것이었다. 그 말이 일차로 어머니의 귀에 솔깃하게 들렸던 것이고, 그래서 어머니는 양민증(良民證) 문제로 직장도 잃은 채 은둔 칩거하며 잔뜩 몸을 사리고 있는 아버지를 형편없이 우유부단하고 무책임한 게으름뱅이로 몰아붙임으로써 마침내 분발시키기에 이르렀던 것이다. 바로 그 청솔가지를 몰래 쳐 오기 위해서 한 집안의 가장인 아버지와 그의 장남인 내가 분연히 나선 길이었다.

원래의 목적지인 소라단까지 우리는 아무 탈 없이, 그야말로 무사히 도착했다. 거리도 상당히 멀 뿐만 아니라 야간 통행은 물론 대낮에 길거리에 나서는 것마저도 아직은 자유롭지 못한 아버지 입장에서 그것은 제법 위험이 따르는 모험이었다. 더구나 거기 소라단은 행방불명된 삼촌을 찾아 아버지 자신이 직접 시체 구덩이를 뒤지고 다닌 적이 있는 유명한 학살터였으므로 밤중에 남의 솔가지를 훔칠 요량으로 살금살금 숨어들어가는 그 심정이 어떨 것인지는 뻔했다. 다행히도 그 자리에서 삼촌이 시체로 발견되지 않았다 해서 가뜩이나 위축돼 있는 아버지가 크게 위안을 느낄 수는 없었을 것이다.

그럼에도 불구하고 우리는 끝내 소라단에 가지 않으면 안 되었다. 무엇보다도 우리에게 당장 시급한 것이 청솔가지였고, 들판에 자리잡은 우리 동네에서는 아무래도 거기 이상 만만한 솔숲이 없었고, 그걸 꼭 구하려면 상당한 위험과 고생을 무릅쓰고 거기에 가는 도리밖에 없었던 것이다.

산감(山監)의 눈을 피해 감시소와는 정반대 쪽으로 으슥한 골짜기에 지게를 받쳐놓은 다음 아버지는 곧 일을 시작했다. 낫이 한 자루뿐이라서 아버지가 솔가지를 치는 동안 나는 멀찌감치 떨어져 망을 보았다. 아무것도 안 보였으나 소리만은 잘 들렸다. 너무 잘 들려서 오히려 미칠 지경이었다. 낫질하는 소리가 바람소리를 도막도막 자르고 있었다. 그 소리는 먼저 바람을 자르고 다음 산자락을 한쪽서부터 차근차근 썰고 마지막으로 내 가슴에 부딪쳐와서는 그나마 남아 있던 콩알만한 담력을 가루로 으깨놓았다.

낫을 맞은 나뭇가지가 비명을 지르면서 땅바닥에 떨어질 때마다 온몸에 소름이 돋았다. 아버지는 작업을 너무 서두르고 있었다. 때문에 들킬 작정으로 일부러 그러는 것처럼, 곤히 잠든 소라단을 흔들어 깨우고 있었다. 아버지의 서투른 도둑질 솜씨를 원망하면서 돌을 쪼는 정만큼이나 딱딱 울리는 낫질 소리에 온통 정신을 팔다가 나는 망보기를 자연 게을리 해버렸다.

"꿈쩍 마라!"

느닷없이 호통소리와 함께 전짓불이 아버지를 환하게 사로잡았다. 너무도 놀란 나머지 아버지는 마치 헛불 맞은 노루와도 같이 펄쩍 한 차례 뛰는 것 같았다.

"으떤 놈이냐!"

그 소리가 골짜기에 메아리쳐서 금방 되돌아왔다. 으떤 놈이냐 아아아!

"불을 꺼야 대답을 허겄네."

눈이 부셔서 고개를 바룰 수가 없는지 아버지는 낫을 쥔 손으로 얼굴을 가렸다. 그 바람에 어찌 보면 대항이라도 할 것 같은 용감한 자세가 되었다.

"잔소리 말고 어서 양민찡이나 끄내!"

여전히 전짓불을 무자비하게 들이댄 채로 사내는 기다란 몽둥이를 휘둘러 위협적으로 좌우의 소나무 둥치를 후려갈기면서 아버지한테 다가섰다.

"자네가 누구간디 내 양민찡을 보자고 그러능가?"

양민증 소리 한마디에 벌벌 떨 줄 알았으나 아버지는 의외로 침착하고 능갈맞게 나오는 것이었다.

"보고도 몰라? 소라 산림감시소 산감님이다."

"없네. 집에다 두고 왔네."

"요놈 자식 좋게 말해서 안 듣누만. 감시소로 가자!"

"너 이노옴."

이번에는 아버지가 호통을 쳤다. 그 소리가 또 메아리쳐서 되돌아왔다. 너 이노옴옴옴.

"어려려, 도적놈이 감히 누구더러 됩데 큰소리여!"

"자식놈 듣는 자리서 어따 대고 함부로 놈짜를 팡팡 놓느냐!"

"허허허허……."

하도 어이가 없었던지 산감이 한참이나 너털웃음을 쏟아놓았다.

"그렇게 자식 어려운 줄 아는 놈이 자식까장 앞세우고 도적질 댕기느냐?"

"어허, 그 도적 소리 고만두지 못혀까. 우리 이럴 게 아니라 애나 먼저 보내놓고 단둘이서 죄용히 얘기허세."

"무신 소리! 애도 같이 끌고 가야지."

"자네는 자식도 없능가? 애비가 못 당헐 꼴을 당허는 걸 아무 죄도 없는 자식이 꼭 봐야만 자네 직성이 풀리겠능가?"

"아까부터 이놈이 누구보고 건방구지게 자네자네여!"

산감이 언성을 높였다. 그러나 나를 보내고 안 보내는 문제에 대해서는 더 이상 시비를 삼지 않으려는 기색이었다. 아버지가 나 있는 쪽을 어림으로 지목하면서 눈짓을 했다. 빨리 돌아가라는 신호였다. 걸음아 날 살려라고 숲 사이를 빠져 나는 골짜기 아래로 도망치기 시작했다. 산감의 눈이 미치지 않을 곳까지 멀찍이 도망친 다

음 아버지를 기다렸다. 나처럼 아버지도 도망쳐나오기를 이제나저
제나 하고 기다리고 있었다.

그렇게 한참을 기다려봐도 아버지는 돌아오시 않았다. 붙잡힌
아버지를 누고 나 혼자만 돌아갈 수 없는 일이었다. 집에 가서 어머
니한테 설명할 말이 없는 채로 그 자리를 떠날 수는 없는 노릇이었
다. 나는 발소리를 죽이고 아버지가 붙잡혔던 자리로 살금살금 다
가가기 시작했다. 만일 거기에 없으면 산림감시소가 있는 맞은편짝
산기슭까지도 가볼 작정이었다.

다행히도 중간에서 아버지를 만났다. 깜깜한 속에서도 나는 아
버지가 등에 지게까지 메고 있음을 알았다. 나는 잠자코 아버지의
등 뒤로 돌았다.

"괜찮다. 내가 그냥 지고 가마."

내 몫의 가마니를 내리는 걸 아버지는 허락하지 않았다.

"먼저 돌아가라니께 여태까장 안 가고 어디 있었냐?"

아버지의 힐책에 나는 아무 대꾸도 못했다. 내가 우물쭈물하고
있는 사이에 아버지는 다시 물었다.

"너도 봤쟈?"

그 말이 뭘 뜻하는 건지 새겨들을 겨를이 없었다. 아버지가 거푸
물어왔기 때문이다.

"아버지가 그 버르장머리 없는 산감녀석 혼내주는 것 너도 똑똑
히 두 눈으로 봤지야?"

나는 머리를 끄덕였다. 아버지의 그 말만은 어김없는 사실이었
다. 산감한테 큰소리치는 걸 분명 내 눈으로 보고 귀로 들었으니까.

"예."

어두워서 머리를 끄덕이는 걸 못 본 성싶어 나는 소리내어 대답
했다. 그러자 아버지의 목소리에 생기가 돌았다.

"사람이 그렇게 막뵈기로 뎀비는 법이 아니라고 알어듣게 혼을 내줬더니 나중판엔 잘못혔다고 미안허다고 그러드라. 한때 시국을 잘못 만나 운수 불길혀서 그렇지 야밤중에 나무나 허러 댕기는 그런 사람이 아니라고 혔더니 괜찮다고 그냥 가져가시람서 지게 우에다 얹어까지 주잖겄냐."

그 증거로 아버지가 어깨를 들썩이자 지게에 담긴 청솔가지가 제꺼덕 대꾸를 했다. 어쩐지 혼자서 도망쳐서 숨어 있길 참 잘했다는 생각이 자꾸만 들었다. 아버지가 산감을 결정적으로 꾸짖는 장면을 못 본 것이 조금도 섭섭지가 않았다.

"집에 가거든 느 에미한티 본 대로 얘기혀도 괜찮다. 아버지가 산감녀석 버르장머리 곤쳐놓는 얘기 말이다."

"예."

아버지가 앞장서고 내가 뒤를 따랐다. 귀 떨어진 조각별 하나 안 보이는 깜깜한 밤이었다. 어둠이 자꾸만 우리 부자 사이를 갈라놓으려 덤볐다.

"아버지 등 뒤에 바싹 붙거라."

칼날을 든 바람이 아버지의 목소리를 거의 그대로 흉내내어 말했다. 나는 아버지가 하라는 대로 했다. 그러자 그것은 어느새 바람이 아니었다.

"되게 춥지야?"

이번에는 아버지가 휘파람 같은 바람소리를 쏙 빼닮게 흉내내었다.

"예."

엉겁결에 대답하고 나서 나는 내가 또다시 실수를 저질렀음을 얼른 깨달았다.

2

역(驛) 구내로 숨어들던 첫날의 그 호된 떨림은 가위 살인적이었다. 철도경찰이 종을 들고 보초를 서는 판이었다. 입환선 레일 위로 차갑게 내리쏟치는 탐조등 불기둥을 우회하여 자갈바탕을 기고 침목과 침목 사이를 건너뛸 때 마구잡이로 벌렁벌렁 노는 심장을 나로서는 다스릴 재간이 없었다.

"넌마 소리내지 마!"

일행의 맨 앞에 있던 우리의 우두머리 길봉이가 갑자기 뒤처져 내게로 엉금엉금 기어오더니 이를 갈아붙이는 소리를 했다. 아무런 소리도 낸 기억이 없었으므로 나는 곧바로 항의를 했다.

"내가 언제?"

"이따가 갈 때 보자. 한 번만 더 소리냈다간 죽여!"

길봉이는 내 눈앞에 주먹을 흔들어 보이면서 다시 낮게 이를 갈았다. 허리춤에 각기 자루 하나씩을 꿰차고 손에는 쇠갈고리를 쥔 채 땅바닥을 벅벅 기는 일행의 꽁무니를 따르는 동안 그런 일에 난생처음인 나는 엉뚱한 생각을 했다. 정거장으로 석탄을 훔치러 갈 때만은 심장을 꺼내어 집에다 놔둘 수 있다면 얼마나 편리할까.

"너 인마, 소리내지 말라니까!"

석탄을 잔뜩 실은 무개화차 조금 못 미친 데에서 나는 또 주의를 받았다. 이번에는 내 바로 앞을 기는, 나보다도 한 살이나 덜 먹은 송근이란 녀석한테서였다. 그제야 나는 방금 울린 자갈 구르는 소리가 내 갈고리 끝에서 난 것임을 간신히 알아차렸다.

화차 그늘 속으로 뛰어든 다음부터는 녀석들의 행동이 갑자기 기민해지면서 배짱도 보통이 아니었다. 큰 녀석들은 화차 위로 기어오르고 작은 녀석들은 약간 틈이 벌어진 문을 찾아 갈고리를 쑤

서넣었다. 특히 그 가운데서도 우리의 우두머리 길봉이의 활약이 가장 돋보였다. 그는 눈 깜짝할 사이에 화차 꼭대기까지 뽀르르 기어 올라가서 탄더미에다 납작 배를 깔고는 욕심껏 자루 속에다 조개탄을 퍼담았다. 우선 제 것부터 후딱 채워 아래에서 받아내리게 하고는 남의 자루까지 떠맡아 처리하기도 했다. 그러는 길봉이를 나는 존경하지 않을 수가 없었다. 도무지 손발이 떨리고 가슴이 두방망이질을 해서 나는 그 속에 뛰어들 엄두도 못 낸 채 다른 아이들이 땅바닥에 흘리는 거나 옆에서 간신히 주워담는 정도에 그치고 말았다.

첫날 나는 배당을 받지 못했다. 각자 짊어지고 갈 수 있을 만큼 자루를 채워 안전한 장소까지 운반한 다음에 길봉이가 왕초 자격으로 부하들 개개인에 대한 신임의 정도와 나이에 따른 능력의 개인차를 십분 참작하여 낱낱이 재분배해 주는 형식인데, 맨 꼴찌로 내 차례가 당하자 그는 석탄 대신 내 눈두덩을 불이 번쩍 일도록 후려갈기는 것이었다. 그럼에도 불구하고 나는 길봉이를 향한 존경심을 거두지 않았다.

그다음부터 길봉이는 나를 패거리 속에 일절 끼워주지 않았다. 그가 나를 거부하는 한은 어쩔 도리 없는 일이었다. 그의 지휘와 보호 없이 나 혼자서 단독으로 석탄을 훔치러 들어간다는 건 상상도 못했다. 하루속히 노여움이 풀려 전처럼 다시 그가 관대하게 대해 주기만 바라면서 나는 기관차가 선로 위에 흘리고 간 낱알의 석탄덩이나 코크스를 줍는 것으로 아쉬움을 달랠 도리밖에 없었다.

변함없는 충성을 보인 보람이 있어 마침내 나한테 재차 기회가 주어졌다. 첫날처럼 또 시끄럽게 굴거나 바보짓을 하는 날이면 내 입을 찢어도 좋다는 다짐을 받고서야 길봉이는 마지못해 나를 용납해 주었다. 그 은혜에 보답하기 위해서라도 나는 이를 악물고 견디지 않으면 안 되었다.

차츰 횟수가 늘어남에 따라 내 솜씨는 눈에 띄게 달라져갔다. 하루가 다르게 배짱도 두둑해졌을 뿐만 아니라 처음에는 주리를 틀어대는 고문 바로 그것이던 작업이 이젠 그 무엇과도 바꿀 수 없는 비밀스러운 쾌감을 만끽하는 신신한 모험으로 변했다. 일이 끝난 후에 내게 돌아오는 배당도 다른 녀석들이 시샘하고 선망할 정도로 많아졌다. 능력과 신뢰도에 따라 응분의 보상을 받는 건 너무도 당연하고 공평한 처사였다. 침착하고 그러면서도 약삭빠른 점에서 나를 덮어누를 사람이 있었다면 그것은 오로지 길봉이 하나 정도였다.

그래서 사변 직전까지 나하고 같은 반이었던 진권이가 제발 좀 끼워줄 수 없느냐고 길봉이한테 알랑방귀를 뀔 때 신출내긴 위험하니까 곤란하다고 누구보다 앞장서서 반대한 사람이 바로 나였다. 진권이는 결국 내 제의에 따라 만일의 경우 입을 찢어도 좋다는 맹세 끝에 가까스로 우리들 축에 드는 영광을 누리게 되었다.

유난히도 안개가 자우룩한 밤이었다. 화물을 싣고 풀기 위해 이쪽에서 저쪽으로 또는 저쪽에서 이쪽으로 선로를 바꾸느라고 기관차들이 빼액빽 거푸 기적을 뽑으며 푹푹거릴 때 내뿜는 무더기무더기 하얀 증기가 전혀 안 보일 정도로 밤안개가 칙칙했다.

석탄을 때뽀하기엔 아주 안성맞춤인 밤이었다. 우리들 사이에 도둑질은 달리 고상한 말로 때뽀라고 불리고 있었다. 실탄을 장전한 카빈을 들고 섰다가 얼핏 수상쩍은 기척이라도 비칠라치면 마구 허공을 향해 빵빵 쏴대는 신경질투성이 철도경찰을 피하여 조개탄이 실린 무개화차로 접근하는 동안 진권이의 입은 내 수중에 맡겨졌다. 여차만 했다 하면 나는 달려들어 녀석의 주둥이를 찢어놓을 작정이었다.

그러나 진권이는 의외로 잘하는 편이었다. 화차 근처에 바투 다가갈 때까지 아무 일도 벌어지지 않았다. 이제 선로 하나만 타넘고 나면 다음부터는 누워서 떡 먹기였다. 그런데 이때 재수 옴붙게도 바로 귓가에서 철커덕 소리가 요란하게 울렸다. 멀리서 수동으로 원격조종되는, 우리가 흔히 뽀인또라고 부르는 전철기(轉轍機)가 휘꺼덕 젖혀지면서 끝이 뾰족한 가동궤조(可動軌條)가 본궤조에 들러붙는 소리였다. 철커덕 소리와 거의 동시에 진권이란 녀석이 느닷없이 귀청이 째지는 비명을 지르기 시작했다. 기적 소리만큼이나 크고 긴 비명이어서 참으로 낭패스러운 순간이었다.

"아가리 닥쳐, 개새끼야!"

앞쪽에서 길봉이가 이를 갈았다.

"넌마, 소리지르지 마!"

나 역시 이를 갈았다. 그런데도 녀석은 비명을 그치지 않았다.

"이런 벼엉신 같은 자식!"

주둥이를 닥치게 하려고 나는 녀석 옆으로 불불 기어갔다. 그러자 이때 길봉이가 벌떡 몸을 일으키면서 소리쳤다.

"오늘은 다 틀렸다! 튀자!"

덩달아 나도 몸을 솟구치면서 이렇게 협박했다.

"진권이 너 인마, 이따가 죽는 줄 알어!"

겨우 비명이 멎었다. 하지만 녀석은 다들 똥줄이 당기게 도망치는 판인데도 선로 위에 엎드린 채 죽은 듯이 꼼짝달싹도 하지 않았다. 비로소 의심이 부쩍 들었다. 어쩐지 별안간에 울린 철커덕 소리에 혼이 달아나서 지른 비명만은 아닐지도 모른다는 생각이 어렴풋이 떠올랐던 것이다. 그러나 그때는 이미 길봉이의 꽁무니를 쫓아 나는 정신없이 뛰고 있는 참이었다.

철조망이 뚫린 개구멍을 빠져나온 다음 뒤를 돌아다봤으나 진권이는 끝내 따라오지 않았다. 멀리 북쪽에서 달무리처럼 뿌옇게 테를 두른 전조등(前照燈)을 밝힌 채 하행열차가 안개 속을 뚫고 덜커

덩덜커덩 내려오고 있었다. 그것이 조금 전에 우리들 귓전에서 철커덕 바뀐 선로를 타고 플랫폼으로 돌진한 것임을 그 순간 나는 직감했다.

진권이가 죽었다는 소식이 신해시사 동네가 온통 발칵 뒤십혔다. 떨어져 있던 레일과 레일이 갑자기 들러붙어 하나로 합쳐지는 바람에 그 틈바귀에 발목이 물린 진권이는 거기서 끝내 빠져나올 수가 없었던 것이다.

동네 어른들이 뒤늦게야 떼뭉쳐 정거장으로 달려가 봤으나 진권이는 하행열차가 통과한 뒷자리에 남아 있지 않았다. 진권이는 이미 없어졌으면서도 그 주변에 널려 있었고 주변에 있으면서도 실상은 이미 없어져버렸다.

그날 밤이 늦도록 아버지는 회초리를 들고 내 종아리를 때렸다. 회초리를 일단 내렸다가 다시 드는 그 사이사이에 아버지는 똑같은 말을 골백번이나 되풀이하고 있었다.

"이놈아, 누가 너더러 도둑질허는 자리 따러댕기라고 시키드냐? 느 애비가 시키디야, 느 에미가 시키디야?"

그러다가 아버지는 막판에 가서 회초리를 내 손에 건네주고는 자신의 바짓가랑이를 돌돌 걷어올리기 시작했다. 놀랍게도 아버지는 소리 한마디 없이 눈물을 흘리고 있었다.

3

이듬해 초봄부터 늦가을에 걸쳐 때 아닌 토탄(土炭) 바람이 우리 동네를 왁자하게 휩쓸었다. 배산(盃山) 뒤편짝 논바닥에서 나로서는 생전 듣도 보도 못한 그 희한한 연료가 새로 발견되었기 때문이다.

참으로 알다가도 모를 일이었다. 솥에다 삶을 것도 별로 없는 처지이면서 웬일로 그토록 땔감 때문에 늘 쩔쩔매는 살림을 겪어야만 했는지 도무지 이해가 안 가는 생활이었다.

전쟁이 물러간 지 꽤 오래인데도 그 무렵 아버지는 여전히 새로운 직장을 구하지 못한 채 집에서 빈둥빈둥 세월을 보내고 있었다. 인공 치하에서 있었던 삼촌의 그 되똑 솟은 부역행위로 말미암아 아버지는 옴치고 뛸 수도 없는 입장이었다. 가뜩이나 옹색스러운 형편에 어려운 일들이 한두 가지가 아니었다.

그런 판국에 얻어들린 토탄 소문은 그냥 무심히 들어넘기고 말 성질의 것이 아니었다. 북더기에 비해 값이 상대적으로 헐할 뿐더러 야금야금 마디게 타는 것이어서 한바탕 또 요란하게 경제적인 땔감이었다. 비싼 장작은 우리 형편에 그림의 떡인 데다가 풀을 베어다 말려서 때는 일에도 이젠 넌덜머리가 나 있던 참이었다. 그럴 때 아버지 입에서 불쑥 토탄 얘기가 나왔다.

"우리도 식구대로 가서 파오자."

그날 중으로 아버지는 어디서 기다란 장대를 구해다가 끝을 죽창같이 날카롭게 다듬었다. 그걸로 논바닥을 푹푹 쑤셔보면 어떤 자리가 토탄이 많이 들고 적게 들었는지 고대 알 수 있다는 설명이었다.

"사람은 무신 일이고 머리를 잘 써야 허는 법이니."

아버지는 매우 의기양양했다.

"어따따, 고렇게 머리 잘 쓰는 양반이 오늘날 뜨뜻더운 오뉴월에 토탄이나 파러 댕기게 됐구만이라우?"

언제나 그랬듯이 어머니가 또 입바른 소리를 했으나 아버지는 아무런 대척도 하지 않았다. 다만 좀 가소롭다는 듯이, 어디 한번 두고만 보라는 듯이 희미하게 미소지을 따름이었다.

끝간 데 모르게 펼쳐진 백산 뒤쪽 들판에 사람들이 와글와글 들 끓고 있었다. 논바닥 여기저기에 수없이 네모반듯한 구덩이들이 파져 있고, 그 안에서 삽질로 토탄덩이를 떠올리는 사람, 그걸 받아서 그릇에 담아 이고 지고 나르는 사람들로 꼭 장바닥 같았다.

논 임자가 눈치채지 못하게 아버지는 장대로 빈 논바닥을 조심조심 쑤시고 다녔다. 흥정이 이루어지기 전에 속을 파보는 짓을 논 임자는 엄격히 금했다. 대충 눈짐작으로 아무 데나 골라잡아야 하는 조건이기 때문에 땅거죽으로만 보아서는 어디가 좋고 나쁜 자린지 알 도리가 없었다. 순전히 재수 나름이었다. 따라서 아버지의 그 독특한 식별방법은 아무튼 높이 평가받을 만한 것으로 생각되었다. 드디어 흙이 얕게 덮이고 토탄층이 두껍게 깔린 좋은 자리 물색이 끝났다. 아버지는 논 임자를 불러다 흥정을 해서 한 평을 샀다. 웃옷을 벗어부치고 아버지와 나는 곧 작업에 착수했다.

우선 네 귀퉁이에 말목부터 지른 다음 삽으로 표토를 벗겨내기 시작했다. 뙤약볕 밑에서 구슬땀을 흘려가며 열중한 보람이 있어 오래지 않아 누런 토탄층이 드러났다. 아버지가 뜨는 삽 위에 베갯덩어리만한 토탄이 올려지는 첫 순간, 옆에 지켜앉아 구경하던 어머니와 동생들이 일제히 환성을 올리며 손뼉까지 쳤다. 그것 보라는 듯이, 내가 뭐라고 그러더냐는 듯이 아버지는 만면에 미소를 짓고 있었다.

"역시 사람은 머리를 써야 허는 법이니!"

아닌 게 아니라 아버지는 기다란 죽창 형태의 머리를 잘 써서 결국 성공을 거둔 셈이었다. 다른 사람들이 파는 자리에 비해 얼른 알아볼 수 있게시리 표토층이 얇았던 것이다. 그렇게 땅잡는 자린 줄 까맣게 모르고 엉뚱한 데 가서 고생고생 흙을 걷어내기에 허팟살에 물집이 잡히는 불쌍한 사람들을 진정 동정하고 싶어질 지경이었다.

허허벌판 같은 논바닥에 우리 식구들만 외따로 떨어져 있는 셈이었는데, 그렇다고 외롭기는커녕 차라리 한갓지고 풍성스러운 즐거움뿐이었다.

"어디 가서 당신 막걸리나 한 납대기 받아오지그려."

수건으로 얼굴의 땀방울을 훔치며 아버지가 은근히 무리한 부탁을 말했다.

"삽질 조깨 허는 게 무신 베슬이라고 대낮부터 막걸리 노래는……."

어머니가 구덩이 속으로 하얗게 눈을 흘겼다. 그러나 말은 그렇게 하면서도 어머니는 한창 기분이 둥둥 뜨던 뒤끝인지라 더 이상 잔소리 없이 인근 마을을 향하고 핑 하니 달려갔다.

토탄이란 참으로 묘하게 생겨먹은 종류였다. 겉에서 파내는 것들은 찰흙처럼 몽글고 물컹거리면서 시궁 썩는 냄새를 풍기는 거무죽죽한 물이 찌걱찌걱 비어져나왔다. 그러나 구덩이 속으로 깊이 파들어갈수록 차차로 물기가 가시면서 갈색을 띤 보송보송한 진짜 토탄이 나왔다. 틀림없이 몇만 년은 땅속에서 묵었을 이상야릇한 형태의 나뭇가지들이 모양도 선명하게 노출되기도 했는데, 그걸 손으로 주무르면 소리도 없이 흙덩이처럼 부서지곤 했다. 흙도 아니고 석탄도 아닌 그 어중간이었다.

토탄을 삽으로 떠서 구덩이 밖으로 내보내는 작업은 일단 그렇게 나온 토탄을 집에까지 운반하는 수고에다 견주면 실상 아무것도 아닌 셈이었다. 아버지를 제외한 모든 식구들이 저마다 한 개씩 토탄 자루를 메고 일렬로 서서 쨍쨍한 뙤약볕 속을 걸어 먼 길을 몇 왕복이나 하는 사이에 아주 녹초가 돼버렸다. 자루 자체가 들독처럼 무겁기도 하거니와 마대천 사이로 스머나오는 걸쭉한 진액과 악취가 땀띠투성이 등덜미로 흘러내리고 코를 찔렀다. 세상에 그런 고역이 어디 다시 있을까.

두 왕복을 하고 나서 나는 갑작스레 복통을 일으켜버렸다. 그리고 그 복통은 논바닥에 남아서 아버지가 하는 일을 설렁설렁 거드는 동안에 씻은 듯이 스러져버렸다. 아버지는 알맞게 오른 취기에 힘입어 신이야 넋이야 부시던이 삽을 놀렸다.

"쪼깨 기력이 부쳐서 그렇지 노동도 아주 못 혀먹을 노릇은 아니구나."

어느새 그렇게 자신이 붙었는지 아버지는 흰소리를 늘어놓으며 한 삽 듬뿍 퍼서 올렸다. 구덩이 깊이가 벌써 아버지의 허리를 넘어 있었다. 방금 밖으로 내던져진 토탄을 무심코 내려다보다가 나는 약간 이상한 징조를 발견하고는 깜짝 놀랐다. 모르는 사이에 빛깔이 변해 있었던 때문이다. 검누른 빛을 띤 양질의 토탄층이던 것이 어느 겨를에 갑자기 끈적끈적 물기 먹은 저질의 진흙 같은 모양을 덮어쓰고 나오는 중이었다. 너무 일에만 열중한 나머지 아버지는 그와 같은 변화를 전혀 알아차리지 못하는 눈치였다. 내가 마악 입을 열어 그 점을 지적하려는 참인데 때마침 논 임자가 뒷짐을 진 채 어슬렁어슬렁 다가왔다.

"이보쇼, 당신 거그서 시방 뭐 허는 게요?"

구덩이 속을 굽어다 보며 논 임자가 소리를 꽥 내질렀다.

"뭐 하는 게요라니, 몰라서 묻소?"

삽자루를 세우면서 아버지는 계제에 잠시 쉴 참을 즐길 작정인 듯이 걸어오는 농담을 맞받아 튀길 만반의 자세를 갖추었다.

"내 눈엔 당최 알 수가 없구만. 남에 논 가운데다 조상님 산소라도 뫼실 작정이유? 비싼 밥 묵고 씨잘디없이 웬 구덩이는 그리 짚이 파는 게요?"

"예끼 여보슈!"

아버지는 약간 비위가 상한 표정이었다. 아버지가 다시 말했다.

"농담도 유분수지, 산소를 뫼시다니 말이나 되우? 아무리 땅 쥔이라지만 내 돈 내고 내가 산 토탄 내가 파는디 사람이 그러면은 덜 좋은 법이오."

"당신 말이 옳긴 옳으요. 그래, 토탄이나 파랬지 남에 귀헌 논바닥 흙까장 말짱 들어 가랬소?"

"흙이라……."

그 순간 아버지의 시선이 구덩이 바닥으로 달꼭 쏟아졌다. 한 차례 심호흡인지 한숨인지 끝에 아버지는 허리를 새우등으로 만들었다. 그리고 손아귀에 진흙 한줌을 집어올려 요모조모로 찬찬히도 살피기 시작했다. 그것만으로도 부족해서 아버지는 양손을 싹싹 비벼보다가 코끝에 대고 냄새를 맡아보다가 필경에는 혓바닥으로 핥아 맛까지 확인해 보는 것이었다. 아버지는 결국 손에 쥔 걸 무섭게 태질을 치면서 바닥에 털썩 주저앉고 말았다. 정녕코 그것은 토탄이 아니었다. 의심의 여지 없는 진흙이었다.

"팔 만침 팠으면 고만 나오시오. 내년 요맘때는 봄보리가 시퍼렇허게 모가지 내밀고 섰을 땅이오."

논 임자는 다시 뒷짐을 지고서 어슬렁거리며 멀어져 갔다. 아버지는 숫제 흙반죽으로 질컥거리는 구덩이 바닥에 늘펀하게 드러눠 버렸다. 벌겋게 취기가 기승을 올리는 얼굴이었다. 도무지 말이 없는 채 아버지는 멀거니 하늘만 올려다보고 있었다. 그러는 아버지를 두고 나는 아무 말도 꺼낼 수가 없었다. 다른 자리에서 다른 사람들이 파는 분량의 겨우 삼분의 일에나 미칠까 말까 하는 수확이었다. 아버지의 머리가, 아버지의 장대가 바로 아버지 자신을 배반하고 능멸한 결과였다.

"너도 그렇다고 믿냐?"

한참 만에 아버지가 하늘을 상대로 밑도 끝도 없는 질문을 던졌다.

"이 애비가 아무짝에도 쓸모없는 어리석은 인간이라고 믿고 있냐?"

아버지는 다름아닌 나를 상대로 묻고 있었다. 엉겁결에 나는 전에 사수 틀은 붕월을 끄내로 옮겨버렸다.

"안 그래요! 시국을 잘못 만나서 운수가 불길혀서 그래요!"

"허허, 고녀르 자식!"

웃었다. 아버지가 피식 웃었다. 내가 아버지를 웃겼다. 장남인 내가 마침내 내 힘으로 아버지를 웃게 만든 것이다.

"너 욜로 좀 들어오니라. 부자지간에 어디 한번 짱짜란히 둔눠서 하늘이나 구경허자. 요렇게 네모틀 너머로 보니께 하늘이 여간만 곱들 않구나."

나는 아버지의 분부를 감히 거역할 수가 없었다. 아버지의 눈은 조금도 틀린 데가 없었다. 정말로 하늘은 고왔다. 드높이 매달린 파란 하늘을 소담한 구름덩이 하나가 한가하게 질러가고 있었다. 아버지 말마따나 네모틀 안에 가두고 바라보기 때문에 더욱더 곱게 느껴졌는지도 모른다.

"실은 말이다, 시국 탓도 운수 탓도 아니란다. 느이 애비가 아직도 사람이 덜된 탓이란다."

일차로 술냄새부터 확 다가왔다. 그리고 이차로 아버지의 음성이 귓바퀴에 소곤소곤 감겨왔다. 등덜미를 축축히 적시는 진흙바닥에 드러누운 채로 나는 아버지의 귀엣말에 무조건 머리부터 끄덕여 보였다.

"자아, 인자 그만 이놈의 조상님 산소자리 같은 구뎅이서 슬슬 나가보자. 별수 있냐. 손해본 토탄은 이 애비가 무신 수로든 벌충혀야지. 까짓것 또 땔감이 떨어지는 날이면 내 몸뗑이를 태워서라도 느이들을 따숩게 맹글 작정이다."

아버지가 앞장서서 구덩이 밖으로 기어나가고 아버지의 장남인 내가 그 뒤를 바짝 따랐다. 아버지의 궁둥이가 내 코앞에서 커다랗게 얼씬거렸다. 구덩이 밖으로 나가기 위해 배비작거리는 그 궁둥이의 움직임을 보고 있노라니 갑자기 목구멍이 깜북 잠겨오는 기분이 드는 것이었다.

무제(霧堤)

　따지고 보면 그것은 전혀 우연에 불과한 노릇이었다. 까마귀 날
자 배 떨어진 격이었다. 고모부가 까마귀라면 봉무제(奉霧堤) 씨는
꼭지 썩은 한 알의 배였다.

　금년 들어서만도 벌써 몇 번째인지 모르겠다. 시골에 있는 고모
부한테서 또 편지가 날아들었다. 언제나 그렇듯이 나에게 구원을
청하는 딱한 내용이었다.

　고모부의 편지를 접할 때마다 내가 섬뜩할 정도로 놀라고 심히
딱하게 여기는 까닭은 우선 나한테 그 양반을 구원하고 자시고 할
아무런 힘이 없는 탓도 있으려니와 편지 문면에 선연하게 드러나는
어딘지 모르게 귀기 어린 체취 때문이기도 했다. 고모도 없고 그 고
모의 오빠인 아버지도 돌아가신 지 이미 오래인 지금, 지금은 거의
남남지간이나 다름없는 나한테 머리 허연 영감이 근천스럽게 구원
이나 청하는 주제에 웬 체면은 또 그리 차려쌓는지 글자 하나하나
에 품위를 잃지 않으려는 그 양반 특유의 노력이 칼로 새긴 듯이 역

넉했다.

足下, 四面楚歌에 처한 이 姻叔을 부디 거두어주시기 切望일세. 내가 以後 餘生이 길면 얼마나 길겠는가. 내 나이 벌써 還曆이 과했네. 甲日을 맞던 날 아침에 인근에서 식은밥을 얻어먹으면서 足下를 생각했네. 足下가 아니고는 세상천지에 내 困苦한 餘生을 거두어주실 사람이 아무도 없네…… 운운.

고모부의 편지를 받고 나서 잠시 후에 나는 편집부장으로부터 업무지시를 받았다. 나더러 직접 공장에 나가 오케이 교정을 보라는 이야기였다. 기일이 너무 촉박한 탓에 어쩔 수 없이 쓰는 편법이었다. 역사학의 권위인 어떤 교수의 회갑기념 논문집 납품기일이 닷새 후로 박두해 있었다.

지시에 따라 인쇄소로 향하면서 나는 나도 모르는 사이에 잠시 기묘한 착각에 빠지고 있었다. 처음으로 직접 공장에 나가 일하게 된 이번 기회에 기필코 봉무제를 만나보겠다고 속으로 단단히 별러대고 있었다. 아울러서 나는 지금 나한테 방금 전에 구원을 청하는 편지를 띄운 고모부를 만나기 위해 공장으로 가고 있는 중이라고 거의 확신에 가까운 생각을 하고 있었다. 내 의식의 한귀퉁이에서 결국 봉무제 씨와 고모부는 동일인으로 치부되고 있었던 셈이다.

어째서 그와 같은 착각을 하게 되었을까. 도대체 그런 식의 착각이 나한테 가능하게 된 이유가 무엇일까. 잠시나마 나로 하여금 흐린 의식을 갖게 만들고 그 의식에 단단히 사로잡힌 바 되도록 충동질한 예의 그 착각의 정체는 어떤 말로 설명해야만 될 것인가.

자문은 가능할지 몰라도 자답은 불가능했다. 내가 자신있게 말할 수 있는 것은 고모부와 봉무제 씨가 생판 별개의 인물이라는 사실 정도였다. 그토록 별개의 두 인물을 감쪽같이 동일인으로 혼동하고 있는 나 자신을 어느 순간에 퍼뜩 깨달았을 바로 그때 나는 하마터면 발을 헛디딜 뻔했다.

마지막 교정지가 성판 중이어서 내 손에까지 들어오려면 힘침을 더 기다려야만 했다. 공장 안에 가득 찬 윤전기의 소음과 느글느글한 인쇄 잉크의 기름냄새를 겨우 칸막이 하나로 가려놓은 외빈용 교정실에 앉아 교정지가 빠지기를 기다리는 동안 나는 안면이 있는 정판과장과 요즘의 날씨에 관해서 잠시 의견을 나누었다. 아침저녁으로 일교차가 심한 변덕 많은 기후에 건강에 유의하지 않으면 안 되겠다는 데 그와 나는 전적으로 의견이 일치했다.

"그런데 말입니다, 교정지에 봉이라고 싸인해서 내보내는 사람이 어느 분입니까?"

애먼 날씨 이야기 끝에 나는 지나가는 말처럼 과장에게 물었다. 그러자 정작 과장은 가만 있는데 그때까지 한쪽 구석에서 교정작업에 열중해 있던 사내가 갑자기 허허허 웃음을 터뜨렸다.

"거 듣자 하니 봉무제 선생을 말씀하시는 것 같은데요, 댁의 출판사 안에서도 그 사람이 화젯거린가요?"

웃음을 그치고 사내가 나한테 묻는 말이었다. 나는 고개를 끄덕여 주었다. 다른 출판사들 사이에서도 역시 봉씨는 유명 인물인 모양이었다. 약간 다른 점이 있다면 그것은 우리 회사에서 그를 가리켜 봉무제 씨라고 부르는 데 반해 사내의 회사에서는 봉무제 선생이라고 좀 더 높여 부르는 그런 차이라고나 할까.

"차라리 일찌감치 포기하시는 게 좋을 겁니다. 봉 선생을 만나는 것보다는 손으로 구름을 잡는 쪽이 더 빠를 테니까요."

사내의 충고가 과히 틀리지 않은 말임을 과장이 행동으로 증명하고 나섰다.

"혹시 그 사람한테 항의할 말이 있거든 나한테 하십쇼. 괜히 그 영감님 복장을 긁어서 아까운 숙련공 하나 놓치고 싶지는 않으니까요."

"항의라기보다……."

어쩐지 말이 좀 삐딱하게 나간다 싶어 나는 이렇게 얼버무렸다. 그러는 사이에 과장이 내 말에 쐐기를 박아버렸다.

"항의가 아닙니까? 그럼 됐어요. 어때요, 그 영감님? 무제만 접어주고 본다면 아주 기똥차게 일을 잘하죠? 봉무제라고 부르는 걸 본인이 끔찍하니 싫어해요. 엄연히 조현봉이라고 이름이 있거든요."

물론 그러려니 생각은 했었다. 봉무제란 그가 서명하고 동그라미로 테를 둘러 보내는 받들 봉자에다 그가 어떤 특정 어휘와 대체해서 습관적으로 집어넣는 '무제'라는 단어를 합쳐 우리가 임의로 붙인 이름이었다. 그의 괴벽이 너무도 유난해서 다른 출판사에서도 그런 식의 별명으로 똑같이 부르고 있다는 사실이 내게는 조금도 어색하지 않게 받아들여지는 것이었다.

"우리 조 영감 때문에 설마 작업 진도에 차질이 있는 건 아니겠죠?"

과장이 물었다.

"그런 일은 없습니다. 오히려 그분이 짠 꼭지를 서로 차지하려고 교정장이들이 야단입니다. 옥에 티처럼 박힌 무제란 말만 다른 말로 일률적으로 바꾸고 나면 거의 완벽에 가까운 교정이 되기 때문이죠. 봉자 싸인이 든 꼭지는 누워서 떡 먹기고 땅 짚고 헤엄치기라는 평판이 자자합니다."

나는 대답했다. 내 대답은 조금도 과장이 아니었다. 사실 그대로였다. 과장은 만족스러운 표정이 되었다.

"맞습니다. 바로 그 점입니다. 정말 우리 조 영감만큼 유능하고 노련한 문선공은 아마 대한민국에 또 없을 겁니다. 출판사 데스크에서 원고교정 때 미처 못 잡아낸 오류까지 미리 다 알아서 척척 고

처놓을 정도니까 더 말해 뭐 합니까. 서당개 삼 년이면 어쩐다더니 삼십 년 경력이 쌓이니까 이젠 영어 일어까지 눈에 익혀서 뜻은 몰라도 스펠링 하나 맞고 틀리는 것쯤은 귀신같이 알아내죠."

과장의 말 역시 어김없는 사실이었다. 봉무제 씨 서명이 든 초교지와 원고를 대조해 나가는 과정에서 이따금씩 이쪽에서 아무런 수정지시가 없었음에도 불구하고 틀린 곳이 옳게 고쳐진 사태를 발견하게 될 때마다 나는 속으로 감탄하지 않을 수 없었다. 비단 맞춤법뿐만이 아니라 여간해서 일반인은 눈치 못 채는 전문지식의 오류마저 족집게처럼 정확히 집어내는 대목과 턱 마주칠 때는 차라리 감탄의 경지를 넘어 교정쟁이로서의 고유의 권리를 침해당했다는 느낌과 함께 단단히 수모를 받은 기분이어서 도리어 분노마저 느낄 지경이 되곤 하는 것이었다.

"우리 회사가 금쪽같이 아끼고 자랑하는 인물이죠. 만약 그놈의 빌어먹을 무제란 물건만 안 들어간다면 처음부터 디제로 딱지를 달아서 완전무결을 보장하고 비싼 조판료를 받아낼 수도 있는데 말입니다. 참으로 애석한 일입니다."

기왕 말이 나온 김에 과장은 봉무제 씨 자랑에 한바탕 자지러졌다. 그러나 나는 봉무제 씨의 숨은 실력자랑을 들으려는 게 목적이 아니었다. 그에 관한 이야기는 내가 지금 몸담고 있는 출판사에 입사하던 당시부터 회사 안에 간간이 떠도는, 어떤 의미에서는 거의 신화적인 존재로 그를 과장하고 미화시키는 심심찮은 소문과 일화들을 통하여 한 괴짜 늙다리 문선공이라고 이미 익히 들어온 처지였다. 때마침 공장을 방문한 김에 내가 바라는 것은 그와의 직접 대면이었다.

"그 정도 유능한 문선공이라면 대우도 상당하겠군요. 월급이 얼마나 됩니까?"

나는 출판사에서 술상나온 사내가 과장에게 물었다.

"보수 얘긴 피차 덮어두기로 합시다. 잘 아시다시피 인쇄업은 사양산업 아닙니까? 물론 출판업도 마찬가지 사정일 테지만 기계화 추세에 따라서 모든 산업이 자본집약적으로 변해 가는 마당에 유독 우리만이 작업 내용상 수공업 형태로 주저앉아서 영세성을 벗지 못하고 있다는 건 일종의 비극이죠. 기계한테 편집이나 교정을 맡길 수 없듯이 우리도 기계를 시켜서 사람 대신 활자를 줍게 할 수는 없습니다."

자기가 뭐 기업주나 되는 양 그는 변명을 늘어놓고 있었다. 규모의 대소에 관계없이 한 회사의 과장쯤 되면 그 위치가 공원보다는 십분 경영자 쪽에 가깝다는 말투로 들릴 법도 했다.

"아무리 형편이 그렇더라도 그만한 작업 능력에 그만한 경력이라면 우대를 해주는 게 도리 아닐까요?"

"인건비 압박 때문에 우리 왕초께서 보통 고민이 아닙니다. 유능한 인재는 한 푼이라도 더 주는 직업을 찾아서 속속 빠져나가는 바람에 이젠 사람 구하기도 몸살이 날 지경이죠. 물론 다른 데로 뺏기지 않기 위해서라도 조 영감만은 가급적이면 특별대우를 해주려고 노력하고 있어서 왕초께서 조 영감한테 조건을 제시한 적이 그간 여러 차례 있었습니다. 그놈의 빌어먹을 무제만 제거해 준다면 디제로 가격으로 생기는 수익을 상여금으로 얹어주겠다고 말입니다."

"그런데 봉무제 선생이 자기한테 유리한 제의를 깨끗이 거절했다 이런 얘깁니까?"

"거절하는 정도가 아니죠. 그런 조건만 제시했다 하면 당장 그 이튿날부터 출근을 않는 겁니다. 무제를 포기하느니 차라리 직장을 때려치우겠다는 무언의 시위죠."

"그건 말도 안 되는 얘깁니다. 당연히 우대받을 자격이 있는 사람한테 본인이 굳이 싫어하는 조건을 까다롭게 고집할 이유가 없습니다. 그 나이에 부양가족도 있을 테고 자식들 학비 걱정도 있을 텐데……."

"그 섬은 김 신생이 과히 험티하지 않아도 됩니다. 그 영감은 삼팔따라집니다. 이북에서 단신으로 넘어온 사람인데 이렇다 할 연고자가 한 사람도 없답니다. 자기 신상 문제는 일체 입을 봉하고만 있어서 사정을 자세히 아는 사람이 아무도 없긴 하지만 뭔가 말 못할 내력이 있는 것 같습니다. 장가를 들라고 주위에서 그렇게 권하는 것도 다 물리치고 이십여 년을 여일하게 홀애비로 늙어온 외고집이지요. 영감이 고자라는 소문도 더러 들리지만 확실한 내막은 아무도 모릅니다."

"역시 말이 안 되는 것이, 홀애비 살림이라고 보수를 적게 줘도 좋다면 그럼 절제수술을 받아서 위가 절반밖에 안 남은 사람한테는 보수를 절반으로 줄여도 좋다는 얘기나 마찬가지 아닙니까?"

"이러다가 우리 싸우겠습니다. 박봉에 시달리긴 김 선생이나 나나 피차일반일 겁니다. 이제 그런 얘긴 서로 묻어둡시다."

김 선생이란 사람이 시퍼렇게 들이대는 칼끝을 정판과장은 얼렁뚱땅 웃음으로 피해 버렸다. 자기하고는 아무런 상관도 없는 사람의 보수 문제에 김 선생은 지나치리만큼 집착하고 있었다. 생각이 너무 일방통행만 하는 나머지 그는 과장의 입에서 무심결에 흘러나오는 어떤 중요한 암시를 자꾸만 놓치고 있는 듯했다.

보수도 보수려니와 내가 듣기엔 그들의 대화에서 보다 더 중요한 것이 바로 봉무제 씨가 지닌 기인의 풍모였다. 자기 밥줄인 직장하고 맞바꿀 만큼, 어떤 의미에서는 직장 이상으로 그에게 귀중한 것이 그놈의 무제를 향한 집념임을 알았을 때 나는 마치 고모부의 편지 문맥에서 보이는 그 귀기에 다시 접하듯이 섬뜩한 기분이 들었다.

　더더욱 내가 예사롭지 않게 여긴 것은, 물론 얼마든지 있을 수 있는 우연의 일치에 지나지 않는 일이겠지만, 봉무제 씨 그가 고모부와 마찬가지로 이북 출신이며 홀아비라는 사실이었다. 그들 두 가지 공통점이 어딘지 모르게 그들 두 사람을 하나로 비끄러매고 있다는 인상을 나는 강하게 받았으며, 따라서 내가 회사를 출발하여 인쇄소로 향해 오면서 얼핏 겪었던 착각 내지는 혼동이 반드시 착각이나 혼동만은 아닐 뿐더러 고모부와 봉무제 씨가 동일인임을 뒷받침하는 유력한 방증이 바로 그와 같은 공통점이었구나 하는 다른 또 하나의 기묘한 착각 속에 나도 모르게 빠져 들고 있었다.

　이번에는 내가 화제 속에 끼어들 차례였다.

　"조현봉 씨가 물질적인 손해를 감수하면서까지 무제를 고집하는 이유는 뭘까요?"

　앞서 과장의 지적도 있고 해서 나는 늙다리 문선공을 구태여 본인이 싫어한다는 별명으로 부르지 않으려고 신경을 가외로 써야만 했다. 사실 봉무제란 별명이 나에겐 그럴 수 없이 친숙한 반면에 조현봉이란 본명은 너무 생소한 것이었다.

　"그 영감 속셈이 워낙 굴속 같아서 어느 누구도 짐작을 못하죠. 무제란 말이 무슨 뜻인지는 알고 있겠죠?"

　"알고 있습니다."

　"인생무상쯤으로 우리는 추측하고 있어요. 어쩌면 그게 맞는 해석일지도 모르죠. 영감이 느끼는 허무주의가 그런 식으로 표현되는 것 같습니다."

　"그렇게 거창한 내용이 아니라 매일 되풀이되는 단순한 작업에서 오는 무심한 장난이나 악의없는 사보타주 같은 건 혹 아닐까요?"

　"한 선생이 조 영감한테 직접 질문해 보시지요."

"제가 물어보면 제대로 대답을 해줄 것 같습니까?"

"아마 하긴 할 겁니다. 영감은 틀림없이 이렇게 나올 겁니다. 갑자기 이맛살을 잔뜩 찌푸리면서 아무 말도 없이 돌아선 다음에 작입을 꽁틴하고 유령끝이 흐느직기리면서 밖으로 나가버립니다. 그것이 바로 영감의 대답인 셈입니다."

말을 마치고 과장은 자기 휘하의 공원들을 감독하기 위해 외빈용 교정실을 떠났다. 그가 떠나고 난 자리에 커다란 의문부호 하나가 덩그렇게 남았다.

기계 돌아가는 소리가 꽤나 요란했다. 잠시 잊고 있던 인쇄잉크 냄새도 다시 맡을 수 있었다. 활자들이 풍기는 납냄새도 그 속엔 섞여 있을 거라고 나는 막연히 짐작을 해보았다. 납 같은 비철금속에도 과연 냄새다운 냄새가 있을까? 나는 틀림없이 있을 거라고 멋대로 단정을 내리고 있었다. 틀림없이 있어서 그 돌덩이처럼 무거운 냄새가 사람을 타고 누르면서 납작하게 바닥으로 끌어내리고 있을 거라고 생각했다.

처음 출판사에 입사해서 내 몫의 교정지를 받아보고 나는 적잖이 당황했다. 페이지마다 곳곳에서 발견되는 '무제'를 나는 이해할 수가 없었다. 그처럼 생경한 단어는 솔직히 말해서 난생 처음 대하는 처지여서 담당 문선공의 기계적인 실수 아니면 억지로 두들겨맞춘 조어로만 알았다.

뭔가 심상찮은 조짐을 느끼기 시작한 것은 초교 한 꼭지를 다 떼고 나서부터였다. 무제가 무슨 말이냐고 나는 옆자리의 동료에게 슬쩍 물어보았다. 그 동료는 대뜸 입가에 쓴웃음을 머금는 것이었다. 그리고 가벼운 핀잔이 따랐다. 사전은 그런 때 안 쓰고 언제 쓸 거냐는 이야기였다. 듣고 보니 지당하신 말씀이기도 했다.

부제(霧堤) 〔명〕【해】 배 위에서 보면 마치 육지처럼 보이는 먼 바다의 안개.

이희승 씨의 『국어대사전』을 뒤져본 결과 이런 설명이 나왔다. 이를테면 전문어에 속하는 해사·항해 용어의 일종이겠는데, 다시 말해서 사막이 아니라 바다에 떠 있는 신기루 같은 현상을 의미하는 모양이었다.

만약 그 말이 시중에 흔히 나도는 어떤 물건이거나 우리나라의 어딘가 한구석에 박혀 있는 실제 지명 따위를 가리키는 그런 종류의 단어였다면 나는 그 말을 대수롭지 않게 여기고 그냥 지나쳐버렸을지도 모른다. 그런데 단어에도 빛깔이 있고 냄새가 있는 법이다. 무제란 말이 뒤집어쓰고 있는 빛깔은 원색처럼 짙고 자극적인 것으로 보였다. 그리고 그 말의 체취는 절정이 지나 이제 한창 시들어가는 중인 어떤 꽃이 풍기는 향기처럼 나에게 무척 아쉬운 감을 남겨주고 있었다. 그것은 어딘지 모르게 내부에 비극을 잉태하고 있는 듯한 말이었다. 그것은 당초부터 전혀 생명이 없는 또는 꺼져가는 생명이 마지막 한순간에 확 피워올리는 변칙적인 아름다움을 띤 말이기도 했다. 그래서 그 말을 껌처럼 질겅질겅 씹고 나서 확 뱉으면 깔축없이 입 안에 슬픔이 남을 것이었다. 그리고 그 슬픔은 곧이어 공허감을 몰고 올 것이었다. 모든 꺼져가는 것, 모든 손에 잡히지 않는 것들이 지니는 일종의 비극미를 그 말은 대변하고 있었다. 무제란 단어는 피곤한 자들의 전유물이면서 흔들리는 자들의 끝내 보상받을 수 없는 동경 때문에 일어나는 부정적인 시각 현상을 총칭하는 매우 상징성이 농후한 말이라고 나는 나름대로의 해석을 붙였다.

봉무제 씨가 그 말을 사용하는 경우는 예를 들어 대략 이러했다.

한국의 霧堤에서 세계와 인간은 신에 앞서 존재하고 있다. 세계가 있고 인간이 있은 연후에 신은 하늘에서 하강한다. 단군의 아버지 환웅이 그렇고 수로와 혁거세가 그렇고 주몽의 부친 해모수 또한 예외는 아니다. 이것만으로 한국 霧堤가 인문主의적인지 어떤지는 말할 수 없다. 따라서 한국의 문헌 霧堤에서는 신이 인간을 창조한 얘기도 없고 세계를 만들었다는 얘기도 없다. 세계의 개벽霧堤가 없으니까 그 짝인 종말霧堤도 없다.

여기서 쓰이는 무제는 신화였다. 무제란 말을 신화로 바꾸어놓기만 하면 거의 완벽한 교정이 이루어지는 셈이었다.

현대의 고도로 합리화된 산업조직과 극도의 霧堤 이용과 직무의 세분화 속도작업화 등은 불가피하게 근로자를 생산霧堤의 일부분처럼 만들어버렸다. 어찌 보면 霧堤 앞에서는 만인이 평등과 자유를 부르짖을 수 있을 듯하나 이것은 한갓 관념일 뿐 사실은 霧堤처럼 세찬 힘을 가지고 인간을 지배하는 것도 없다. 더욱이 그것이 단지 생산고를 증대시키기 위한 수단으로 사용될 경우 霧堤는 바로 거대한 지배와 압제의 상징이라고 할 수밖에 없는 것이다.

이것은 기계라는 단어와 무제가 질서정연하게 뒤바뀌어 있는 예였다.

이처럼 봉무제 씨는 자기가 마음만 먹으면 얼마든지 완벽한 문선을 할 수 있는 놀라운 능력의 소유자임에도 불구하고 남들이 보기엔 분명히 고의적인 행위라고 혐의를 받아 마땅한 실수를 저지름으로써 번번이 자기 자신을 우스꽝스러운 괴짜의 의자에 앉혀놓곤 했다.

그는 자기가 맡은 저서의 내용 중에서 가장 핵심이 될 만한 몇 개의 단어를 용케도 골라 그것을 모조리 무제로 바꾸어버리는 것이었다. 책에 따라서 무제로 둔갑되어 나타나는 단어는 때문에 늘 일정치가 않았다. 때로는 사랑이 바다의 안개가 되기도 하고 또 때로는 역사나 경제가, 민족이나 인격이나 조경(造景) 혹은 종묘(種苗)가 번차례로 안개에 싸여 가공의 육지를 형성하기도 했다.

금년 들어서만 벌써 몇 번째인지 모른다. 시골에 있는 고모부한테서 또 편지가 왔다. 한때 우리 고모하고 살았었다는 인연밖에 없는, 그래서 나하고는 남남이나 다름없이 된 지 이미 오래인 늙은 사내 하나가 거미줄 같은 과거의 끈을 동아줄 삼아 붙잡고 매달리면서 자꾸만 구원을 요청해 오고 있었다.

고모부의 편지 내용에 약간의 변화가 보였다. 자신의 여생을 의탁할 사람으로 꼭 나만을 지목하지는 않고, 정 무엇하다면 서울엔 양로원도 많다니까 그곳에라도 들어갈 수 있게 어떻게 손을 써줄 수 없겠냐는 뜻이었다. 그것만으로도 어느 정도 나에게는 숨통이 트이는 타협안이었다.

"고모부한테서 또 편지가 왔어."

퇴근해서 집에 돌아와 나는 아내에게 넌지시 말을 건네보았다. 그러자 아니나 다를까, 아내는 고모부의 고자만 듣고도 벌써 온 얼굴에 그늘이 지기 시작했다.

"이번엔 양로원에 들어갈 수 있게 나더러 주선해 달래."

나는 아내를 대하기가 민망스러워서 서둘러 이렇게 말했다. 사실을 그대로 이야기하면서도 나는 도둑이 제 발이 저려 오금을 펴듯이 변명처럼 중얼거리고 있었다.

"우리 집에 있으나 양로원에 있으나 그 양반이 서울바닥에 있긴 마찬가지 아녜요?"

표정이 한결 더 어두워진 아내한테서 한참의 침묵 끝에 나온 대꾸는 그지없이 싸늘하기만 했다. 아내의 말에도 일리는 있었다. 아니다. 아내의 말이 전적으로 옳았다. 고모부가 서울에서 기거한다는 것은 실과석으로 우리에게 시한폭탄이 봄 가까이 있어 언제 터질지 모르는 엄청난 위험을 항상 염두에 두고 살아야 된다는 이야기로 곧장 통했다. 교도소를 제집 드나들듯이 하는 고종사촌 녀석이 하루가 멀다고 서울에 나타나 우리한테 행패를 부릴 것이 불을 보듯이 뻔했기 때문이다.

미우나 고우나 그래도 친척어른인데 불행한 노인한테 너무 야박스럽게 군다고 아내를 탓할 수만도 없는 문제였다. 아내하고 고모부 사이를 잇는 인연의 두께를 따지는 이야기가 아니라 피부에 와닿는 위험의 농도를 나는 아내의 얼굴에서 재고 있었다. 고모부가 우리 집에 피신해 와서 며칠을 묵는 동안 아내는 곧 뒤쫓아 올라온 내 고종사촌이 제 아비를 무지막지하게 구타하는 현장을 똑똑히 목격할 수 있었던 것이다. 패륜을 말리고 꾸짖는 나를 향해 그 녀석이 등산용 칼을 들이대는 순간에 아내는 기절해 버렸기 때문에 우리 집 안의 가재도구가 와장창 부서져나가고 기둥뿌리가 흔들리는 모양은 다행히도 목격하지 못했다.

"오늘 인쇄공장으로 출장 나갔다가 왔어."

나는 화제를 얼른 고모부로부터 봉무제 씨 쪽으로 돌려놓았다.

"모처럼 출장나간 기회에 봉무제 씨를 꼭 만날 생각이었는데 결국 그럴 수가 없었지."

"당신 지금 무슨 얘길 하는 거예요?"

"어째서 그렇게 만나고 싶어 했는지는 나도 몰라. 허지만 꼭 만나고 싶었어. 이유야 어쨌든 말이지. 그런데도 나는 끝내 봉무제 씨를 대면하지 못하고 말았어. 일단 그 양반을 알고 난 다음에 나한테

놀아올 어떤 부담이 미리부터 겁났던 거야."

"대관절 봉무제 씨가 누구죠?"

아내가 눈을 모로 치켜세우면서 정색을 하고 물었다. 아내의 태도가 일부러 꾸미는 놀라움으로 그렇게 과장해 보이는 것만은 아님을 나는 직감했다.

"당신 봉무제라고 몰라?"

"글쎄 그게 누구냐니까요!"

"전에 내가 그 사람 얘기 한 번도 한 적이 없었던가?"

아내는 어처구니없다는 표정이었다. 내가 또다시 착각에 빠져 있음이 분명했다. 고모부를 이야기하면서 내내 그림자처럼 봉무제 씨를 동시에 의식해 왔기 때문에 나는 그에 관해서 아내한테 이미 설명한 적이 있고 그래서 아내는 그를 잘 알고 있으려니 믿고 있었던 것이다.

"배고파 죽겠어. 빨리 밥상이나 들여와!"

아내한테 버럭 짜증을 부리는 것으로 나는 내가 저지른 실수를 얼버무렸다.

이튿날 나는 일과 중에 짬을 내어 시청에 근무하는 친구를 만났다. 그를 통해서 고모부가 양로원에 들어갈 수 있는지의 여부를 소관 부서에 알아보았다. 그 결과는 더 이상 재고의 여지도 없는 비참한 것이었다. 그가 제시하는 몇 가지 기본적인 자격요건 가운데서 고모부는 아무리 서발막대 휘둘러봤자 무엇 하나 걸릴 게 없는 완전한 열외자였다. 서울 시내에 주민등록이 되어 있지도 않았고, 호적상 슬하에 자식이 없는 무의무탁할 처지도 아니었고, 만 나이로 65세 이상이 되려면 아직도 한참을 더 부지런히 늙어야만 되었다.

나는 기가 죽어 친구 앞에서 아무 말도 할 수가 없었다. 친구의 말에 의할 것 같으면, 서울 시내 양로원의 수용 인원이 겨우 이삼백

명 정도에 불과하다는 것이었다. 그런데 제반요건을 빈틈없이 갖추고 거주지 통반장의 확인과 추천을 거쳐 동사무소에서 순번을 탄 다음 누군가 한 사람이 죽어 빈자리가 생기고 그 자리로 자기가 들어살 수 있게 될 때까지 줄을 서서 기다리는 노인들이 수천 명을 헤아린다는 것이었다.

팔백만과 이삼백, 이삼백과 수천 명, 수천 명과 팔백만……

마치 추석 귀성 열차표를 사겠다고 서울역 광장에 몰려들어 장사진을 이루고 있는 수많은 인파 속에 쓰리꾼과 암표상을 가려내려는 노력과도 같이 나는 세 개의 숫자를 서로 엇섞어 가며 그것들 사이에 도대체 얼마만한 연관성이 숨어 있는지를 곰곰 되새겨보았다. 그리고 너무도 어울리는 구석이 전연 안 보이는 그들 세 가지 숫자에 다시 한번 기가 질려 내 무딘 숫자 개념에 빵점을 매겨놓았다.

팔백만은 서울시의 인구였다. 서울시의 인구가 팔만쯤으로 줄어들지 않는 한 고모부는 양로원과 인연을 맺을 수 없는 사람이었다. 고모부가 앞으로 할 수 있는 일은 결국 두 가지뿐이었다. 시골에 남아 계속 망나니 아들 녀석으로부터 주먹질과 발길질을 받아가며 나한테 구원을 호소하는 편지나 뻔질나게 적어 보내고 앉았든지, 아니면 품위고 나발이고 다 팽개쳐버리고 무작정 밀고 들어와 조카며느린지 인질부(姻姪婦)인지의 눈총을 눈 딱 감고 견디면서 죽는 날까지 애면글면 연명하든지…….

퇴근해서 버스를 타려고 길을 걷다가 나는 문득 봉무제를 머릿속에 떠올렸다.

그를 만나고 싶다는 생각이 갑자기 나를 조바심치게 만들었다. 인쇄소의 퇴근은 대개 출판사보다 늦으니까 지금쯤 아마 공장 안에 남아 작업하고 있을 것이다. 일단 그렇게 생각하자 그를 만나지 않고는 도저히 집으로 들어갈 수 없다는 다급한 마음이 앞섰다. 나는 그 순간 엉뚱하게도 이렇게 다짐하고 있었다. 그렇다. 고모부의 양로원행이 확실히 좌절된 지금 나는 어떤 일이 있더라도 반드시 봉무제를 만나지 않으면 안 된다.

인쇄소의 공장 안으로 들어서면서 나는 눈으로 봉무제 씨를 찾았다. 놀랍게도 나는 그때 만나는 사람 아무나 붙들고 봉무제 씨가 누구냐고 묻고 싶은 생각이 추호도 없었다. 역시 엉뚱한 배짱이 나로 하여금 봉무제 씨를 찾아내는 것쯤은 일도 아니라고 자신만만하게 만들고 있었다. 나는 마치 무슨 믿음과도 같이 고모부의 얼굴만을 염두에 두고 있었던 것이다. 문선과 소속 공원들 틈에서 쏙 고모부를 빼닮은 얼굴만 찾으면 된다고 나 자신에게 거듭 귀띔해 주면서 나는 층층이 쌓인 나무상자 사이를 헤집고 다녔다.

봉무제 씨는 어렵지 않게 내 눈에 띄었다. 왼손에 원고를 들고 오른손으로는 열심히 활자를 집어담는 반백의 노인 하나가 유독 내 눈길을 끌었다. 그의 옆얼굴이 내 시야에 들어오는 순간, 고모부한테는 없는 안경이 버젓이 콧잔등에 얹혀 있음에도 불구하고 나는 그가 틀림없는 봉무제 씨라고 단정을 내려버렸다. 이렇다 하게 고모부하고 닮은 구석이 별로 없었으나 나는 조금도 실망하지 않았다. 그의 몸에서 풍기는 전체적인 인상이 영락없는 고모부였기 때문이다.

나는 대여섯 걸음 간격을 두고 서서 노인이 작업하는 광경을 한동안 주목해 보았다. 도수 높은 안경알을 투과하는 그의 시선이 왼손에 들린 원고지 위에 고정되어 있었다. 그리고 오른손이 마치 그 자체의 독자적인 의지나 안목이라도 지니고 있는 듯이 활자가 담긴 숱한 칸막이들과 왼손에 원고지하고 암냥해서 쥐고 있는 목판 사이를 연락부절로 왕래하고 있었다. 높은 경지에 다다른 피아노 연주자가 건반에 전혀 신경을 쓰지 않아도 음정 하나 안 틀리게 대곡을 소화할 수 있듯이 그는 한 번도 활자함 속으로 눈을 줌이 없이도 맡은 작업을 기민하게 수행해 나갔다. 도무지 그가 반백의 노인이라고는 믿어지지 않을 그런 몸놀림이었다. 멀리 있는 활자를 집기 위해 게처럼 옆으로 움직일 때의 걸음걸이가 젊은 사람 뺨칠 지경이었다. 그의 오른손이 신들린 듯이 집어내는 무수한 활자들 가운데는 더러 원고에도 없는 무(霧)자와 제(堤)자도 틀림없이 섞여 있을 것이었다. 정말이지 그가 작업에 열중해 있는 모양은 사이비종교의 광신도만큼이나 열렬하고 몰아의 경지에 가까운 것이라서 감히 그가 누리는 고유의 영역 안으로 내가 틈입할 여지를 한 치도 주지 않았다.

"무슨 일로 오셨습니까?"

기름때가 묻은 공원 복장을 까맣게 한 젊은이가 매우 수상쩍다는 눈초리로 나에게 용건을 물어왔다.

"누굴 찾으시죠?"

나는 젊은이를 향해 얼핏 웃어 보이고 나서 마음을 가다듬어 노인한테 다가갔다. 곁에 낯선 사람이 있는 줄도 모르고 그는 오로지 원고지 위에다가만 시선을 파묻고 있었다. 젊은이의 추격자 같은 눈초리에 몰려 나는 더 이상 망설이고 있을 계제가 못 되었다.

"실례지만 저어……."

비로소 노인의 고개가 곧추 들려지면서 내 얼굴 위에 간신히 시선이 모아졌다.

"영감님이 바로 봉무제 씨죠?"

그러자 노인의 표정이 단박에 험상으로 일그러졌다. 이미 젊은 사람처럼 활력에 넘치는 팽팽한 얼굴이 아니었다. 광신도같이 자신의 영육을 마구잡이로 불태워 무분별하게 날뛰는 신 지핀 모습이 아니었다. 피곤에 지쳐 짜증으로 똘똘 뭉친 추악한 모습의 늙은이 하나가 나를 향해 맹렬한 적의와 증오의 감정을 노골적으로 내뿜고 있을 뿐이었다.

"아, 이거 제가 그만 실례했군요."

실수를 깨닫고 나는 재빨리 사과했으나 이미 엎질러진 물이었다. 전에 정판과장이 귀띔해 준 대로 나는 그를 조현봉이라는 본명으로 불렀어야 옳았던 것이다. 그는 내가 내미는 화해의 몸짓을 무참히 거절해 버렸다. 그가 일언반구 대꾸도 없이 작업을 중단하고 흐느적흐느적 내 시야에서 사라져버렸을 때 나는 결코 후회스럽지만은 않았다. 내가 저지른 크나큰 실수를 후회하기보다는 오히려 봉무제 노인의 작업 현장을 바로 지척에서 엿보면서 받은 얼얼한 감동이 더 진하게 나를 사로잡고 있었다. 귀기어린 그 분위기가 어쩌면 그리도 고모부를 방불할 수 있을까. 친자식한테 무수히 구타를 당하면서도 고모부가 보이는 그 차라리 넋빠진 태도에서 나는 뭉클한 감동을 받곤 했던 것이다.

아들의 손찌검을 피해 고모부가 우리 집에 와서 은신하고 있는 동안의 일이었다.

만날 때마다 전에도 늘 고모부는 얼굴이나 몸뚱이 어딘가에 한두 군데는 두들겨맞은 흔적으로 생채기를 달고 있었는데, 그때도 역시 예외는 아니었다. 잔뜩 부어터진 볼과 시퍼렇게 멍이 잡힌 눈두덩을 보면서 나는 사촌동생의 솜씨가 과거에 비해 훨씬 더 거칠어졌음을 실감했다. 고향에서 집안 어른들이 녀석의 행패를 풍문을 통하여 낱낱이 올려보내는 한편, 제발 나더러 어떻게든 손을 써보라고, 그대로 가만 놔뒀다간 그 사람 제명대로 못 살 거라고 은근히 압력을 넣어오곤 해서 사정은 대강 짐작하고 있었으나 막상 고모부를 직접 대하고 보니 실상은 짐작을 훨씬 앞지를 정도로 사태가 험악했던 것이다.

그간의 경위에 대해서 고모부는 아무 말도 하지 않았다. 비록 얼굴이 엉망이긴 했어도 그는 마치 서울 구경 하러 손아래 친척집을 방문한 하릴없는 시골 영감 행세를 천연스럽게 하고 있었다.

나 또한 경위에 대해서는 아무것도 묻지 않았다. 경위야 뭐 뻔한 것이었다. 그토록 뻔한 것을 뻗은 왜 그렇고 눈두덩은 또 어째서 그 모양이냐고 그 양반한테 대답을 강요하기란 정말 사람 못할 노릇이었다. 잘 오셨다고, 마음 놓고 며칠 푸욱 쉬다가 내려가시라고 이르고 나서 나는 이제 완연히 노경에 든 고모부의 잔약스럽기 짝이 없는 몰골에 멀뚱멀뚱 눈을 팔고 있었다.

육십객이 아니라 칠십객 팔십객이라 해야 곧이들을 얼굴이었다. 이빨이 거의 다 빠져 합죽한 입두덩을 열면 그 안에 동굴 같은 어둠이 도사리고 있는데 그 흔한 틀니 하나 끼워본 적이 없었다. 없어져 버린 앞니 중 대부분은 아들의 주먹질에 의해 나간 것이었다. 아직도 숱이 상당한 머리털은 완전한 은발이었으며 상고머리로 짧게 치올려 깎은 탓에 햇빛이 닿으면 털끝이 유난히 반짝거렸다. 시력이 형편없이 쇠해 버려 상대방의 얼굴을 정시할라치면 어리보기처럼 맹한 표정이 되곤 했으나 이 세상에서 특별히 눈을 사용할 일이 자기에겐 별로 남아 있지 않다는 핑계로 돋보기를 한 번도 쓰지 않았다.

아내가 마루 한쪽에 서서 고모부와 함께 방 안에 있는 나를 소리없는 손짓으로 부르고 있었다. 내가 마루로 나가자 아내가 내 귓전에 대고 가쁜 숨결을 덮씌워왔다. 도대체 어쩔 작정으로 저런 양반을 며칠씩이나 쉬었다 가라고 그러냐는 이야기였다. 전적으로 나만 믿고 서울까지 올라온 양반인데 그럼 나더러 어떻게 하란 말이냐고 나는 아내에게 짜증을 부렸다. 아내 또한 맞받아 소가지를 부렸다. 늙은이 하나 며칠 먹이고 재우는 거야 어렵지 않지만 그 며칠의 몇 며칠이 될지 누가 아느냐. 불씨가 저렇게 올라와 있으니 그 사이에 틀림없이 불길도 뒤쫓아 올라와 언젠가는 우리 집에 옮겨붙을 것이다······.

아내가 무엇을 가장 두려워하는지 나는 알고 있었다. 아내도 귀는 열려 있으니까 고종사촌의 소문을 모를 리 없었다. 아내를 안심시키기 위해 나는 흰소리를 내내 했다. 내가 있는데 지까짓게 감히 우리한테 와서까지 어떻게 행패를 부릴 것이냐. 눈곱만치도 걱정할 것 없다. 내가 다 알아서 처리할 테니 안심해라. 한번 입장을 바꿔 놓고 생각해 봐라. 네가 만약 고모부라면 넌 어떤 심정일 것 같으냐. 따지고 보면 그만큼 불쌍한 인간도 없을 것이다. 얼굴은 고사하고 뒤통수 한 번도 본 적이 없는 시고모의 남편이라 해서 그렇게 용천뱅이 대하듯이 박절하게 굴 일만은 아니다. 따지고 보면 고모부나 고종사촌만을 나무랄 수도 없는 일이다. 어떤 의미에서는 책임의 절반을 역사가 져야만 하는 일인지도 모른다…….

나는 알고 있었다. 아내가 열심히 핑곗거리를 찾고 있음을 나는 벌써부터 알고 있었다. 마침내 마땅한 핑곗거리가 아내한테 걸렸다. 잔인하고 난폭한 고종사촌이었다. 아내가 고모부를 용납할 수 없는 이유는 바로 그놈의 고종사촌 때문이었다.

그러나 실인즉 아내는 처음부터 고모부를 본능적으로 싫어하고 있었다. 마치 무슨 끔찍한 괴물이나 되는 듯이 고모부와 얼굴이 마주치는 기회를 극력 회피하려 했다. 나한테 시집오고 나서 얼마 안 되어 고모부의 전신이 자수간첩이었다는 이야기를 들은 그 직후부터 아내는 그와 같은 기피증상을 보이기 시작했던 것이다. 그때부터 아내는 고모부의 이마에 왜 도깨비뿔의 흔적이 안 남아 있는지, 왜 눈꼬리가 위로 잔뜩 치켜올라간 세모눈이 아니고 몸에는 왜 부얼부얼 털이 없는지를 이상하게 여기는 눈치였다.

아내의 염려는 오래지 않아 금방 현실로 나타났다. 불씨가 들어온 지 사흘 만에 드디어 불길이 우리 집에 옮겨붙었던 것이다.

"잘들 논다, 자알들 놀아!"

벼르고 별러 마신 술이 머리꼭지까지 뻥뻥해져 가지고 대문 안으로 들어서면서 고종사촌이 대뜸 지르는 소리였다. 간담이 서늘해지도록 놀란 것은 우리 내외뿐이었다. 정작 혼줄이 빠지게 놀라야 할 고모부는 으레 그런 결과가 올 줄 신작부터 알고 있었다는 듯이 의외로 담담한 표정이었다.

"한가네 집구석엔 뭣 빨다고 올라왔냐?"

한가란 사촌형인 나를 두고 하는 말이었다. 그리고 말상대는 바로 제놈의 아버지였다. 고모부는 아무 말도 하지 않고 그저 먼산바라기만 했다.

"사람 말이 말 같지도 않아? 어째서 대답이 없냐?"

사촌동생이 한 걸음 앞으로 다가서며 히쭉 웃었다. 고모부는 여전히 아무 말이 없는 채 시선을 아들의 어깨 너머로 멀리 두고 있었다.

"이놈의 뭣 같은 늙은이가 아직도 매를 덜 맞아서 정신을 못 채리나, 왜 그렇게 넋나간 놈같이 버티고 서만 있냐?"

이때 나는 보았다, 고모부의 입이 아주 느릿느릿 열리는 것을.

"죽, 여, 라. 죽, 여, 라."

들릴락 말락 한 낮은 소리로 음절 하나하나를 도막도막 끊어 고모부가 똑같은 말을 정확히 두 번 되풀이했다. 단지 그것뿐이었다. 그러고는 고모부의 입이 다시 굳게 닫혀졌다.

"내가 널 엿장수 맘대로 그렇게 쉽게 죽일 것 같냐? 죽이드라도 두고두고 대꼬챙이같이 꼬장꼬장 말려서 죽일란다."

한 걸음 더 다가서며 동생 녀석이 또 정나미 떨어지는 웃음을 히쭉 웃었다. 아내 앞에서 미리 큰소리쳐 둔 가늠도 있고 또 녀석의 언동이 워낙 사람 같지가 않아서 나는 부득불 그 괴상한 아비와 자식 사이로 뛰어들지 않으면 안 되었다.

"승필아!"

성은 이고 이름은 승필이었다.

"왜 불러?"

"아버지한테 무슨 말버릇이 그 모양이니?"

"아버지 좋아허시네!"

"잘났든 못났든 그래도 네 아버지 아니냐!"

그렇게 하면 녀석이 잔뜩 겁을 집어먹고 뒤로 물러서려니 하고 기대하지는 않았지만 아무튼 나는 형으로서의 위엄을 보이느라고 두 눈을 한껏 부릅떠 보였다.

"오오냐, 너 이 새끼 말씀 한번 좋구나!"

흉터투성이 안면 근육을 실뱀처럼 틀면서 녀석이 코웃음을 쳤다.

"맞었다. 그래, 바로 저 물건이 내 부친님이시다. 오늘날 내 신세를 요 모양 요 꼴로 조져놓은 어른이시다. 너는 팔자가 좋아서 아버지를 잘 만나 높은 학교 나오고 가벼운 펜대 굴리지만 나는 팔자를 더럽게 타고나서 저런 것을 아버지라고 뒀다가 이렇게 곤한 신세가 되었다. 한가야, 너 이 새끼 괜히 잘난체하고 끼어들다간 코피 터질 줄 알어라."

"죽, 여, 라. 죽, 여, 라."

고모부의 입에서 다시 나지막한 중얼거림이 흘러나오고 있었다. 녀석의 어세에 그만 기가 꽉 질려 나는 달리 어떻게 해볼 도리가 없었다.

"죽여도 모개로 죽이지는 않는다. 이렇게 한 번에 십 원어치씩 이십 원어치씩 죽일 작정이다."

녀석이 제 아비의 뺨을 철썩 후려갈겼다. 아내의 입에서 비명이 터져나왔다. 고모부의 눈에 서서히 불이 켜지기 시작했다. 비로소 고모부가 사태를 정확히 파악하기 시작한 증거라고 나는 생각했다. 녀석이 재차 주먹을 뻗었다.

"네 이놈, 이 천하에 고이연 놈!"

고모부가 녀석을 향해 이렇게 목청을 가다듬어 회심의 호통을 쳤다. 이글이글 불타는 눈으로 녀석을 태워 없앨 듯이 무섭게 노려보고 있다. 녀석과 마찬가지로 고모부 또한 광끼를 띠어가고 있었다. 나는 고모부의 분발에 박수라도 보내고 싶은 심정이었다.

"이놈아, 노상 죄없는 얼굴만 때리지 말고 다른 데도 좀 돌아가며 때려라!"

그 순간 나는 내 귀를 의심하지 않을 수 없었다. 그러나 다음 순간 내가 잘못 들은 게 아니라는 사실이 이내 밝혀졌다.

"지난번에 맞은 자리가 아직 풀리지도 않았는데 또 거기만 때리면 이 애비는 어쩌란 말이냐, 이놈아!"

하도 어이가 없어 나는 벌어진 입을 다물지도 못했다. 하지만 그런 식의 부자끼리만 통하는 대화에 동생 녀석은 이미 길이 들어 있는 모양이었다. 자식놈한테 얻어터지는 꼴 자랑하고 싶어 서울까지 원정왔느냐고 소리치면서 녀석은 아주 익숙한 솜씨로 레슬링이라도 하듯이 제 아비의 팔을 꺾어 메어다꽂는 것이었다.

"이놈아, 이 천하에 고이연 놈아!"

넉장거리로 나가떨어졌다가 비슬비슬 일어나더니 고모부는 또 호령이 추상 같았다.

"근근이 나은 오른팔을 또 부러뜨리는 날이면 이 애비는 영영 병신이 된다는 사실을 아느냐 모르느냐, 이 인정도 사정도 없는 불한당 같은 놈아!"

아비와 자식의 말이 그렇게도 제각각일 수가 없었다. 전혀 대화가 불통이었다. 아비는 아비대로 자기 말만 앞세우고 자식은 또 자식대로 자기 말만 앞세우는 것이었다. 나는 속수무책으로 우두커니 서서 폭포수처럼 쏟아지는 동생 녀석의 욕지거리와 도무지 이가 맞지 않는 고모부의 대거리를 암담한 심정으로 듣고 있었다.

녀석은 제 아비를 가리킬 때마다 번번이 인간한테 별로 대접 못 받는 갖가지 짐승 이름 아니면 입에 못 담을 인체조직을 들먹거리곤 했다. 녀석은 뭣 빤다고 간첩은 되고 뭣 났다고 삼팔선은 넘었느냐고 아비를 몰아세웠다. 녀석은 기를 능력도 없는 것이 뭣 빨라고 새끼는 내질렀느냐고 윽박질렀다. 엄마 찾아내라고, 엄마 엄마 우리 엄마 당장에 데려오라고 녀석은 엉엉 소리내어 울면서 주먹질도 하고 발길질도 했다. 이미 성년이 된 나이에 녀석은 아직도 남편과 자식을 버리고 일찌감치 팔자를 고쳐 달아나서 행방불명이 된 고모를 어머니 아닌 엄마라고 응석받이 소리로 부르고 있었다.

더 이상 매를 맞도록 방관했다가는 그예 우리 집 울안에서 일을 치르게 될 것만 같아 나는 녀석의 허리를 뒤에서 꽉 껴안아 버렸다. 그러자 녀석은 무서운 힘으로 내 팔을 간단히 뿌리치고 나서 주머니에서 칼을 꺼내들었다. 빽빽 비명을 지르며 마루방과 뜰 사이를 우왕좌왕하던 아내가 벌렁 기절해서 넘어져버린 것은 바로 이때였다.

우르르 몰려나와 구경하던 동네 사람들 가운데 누군가 파출소에 신고를 했기 때문에 녀석은 경찰관에게 붙들려 갔다. 파손된 가재도구로 쑥대밭이 된 집 안을 둘러보며 나는 다리가 허청거리는 허탈감에 빠져 있었다.

"생각이 안 나……."

이때 고모부는 간신히 파손을 면한 소파의 등받이에 옆얼굴을 기댄 채 녹초가 되어 앉아 있었다.

"생각이 안 나……."

고모부의 음성이 좀 더 또렷하게 들려왔으므로 나는 방금 전의 소리가 지금 것하고 똑같은 내용임을 짐작할 수 있었다.

"뭐가 생각이 안 난다고 그러는 거예요?"

나는 부앗김에 내 집 안에 화를 불러들인 장본인한테 이렇게 불퉁스러운 고함을 질렀다. 그러자 고모부가 꿈틀꿈틀 몸을 움직여 나를 비스듬히 돌아다보았다.

"승곤이 얼굴이 생각이 안 나."

나는 가슴이 꽉 막혀 숨조차 제대로 쉴 수 없는 형편이었다. 고모부가 간첩으로 내려올 때 이북에 두고 왔다는 막내아들 이름이었다. 자기가 삼팔선을 넘을 당시에 세 살이었다고 했다. 나하고 동갑내기였다. 마지막으로 처자식을 이별하던 날 밤에 승곤이는 깊이 잠들어 있어 차마 깨우지 못하고 그냥 넘어왔노라고 나한테 술회한 적이 있었다. 어렸을 때 고향에서 나를 만나면 고모부는 으레 승곤이 이야기를 슬그머니 비치곤 했다. 황해도 해주 근처에 지금도 살아 있다면 꼭 너만큼 자랐을 거라는 이야기였다.

"얼마 전만 하더라도 눈만 감으면 얼굴이 가물가물 떠올라줬는데 이젠 다 틀렸어. 눈깔을 아무리 후비고 파도 영영 생각이 안 나."

고모부의 눈에서 눈물방울이 주르르 굴러 떨어지고 있었다.

아침저녁으로 몸에 와닿는 기온이 급격히 차가워지고 건조해지고 있었다. 회사 앞 도로변의 가로수 밑에 낙엽이 듬성듬성 떨어져 내리고 있었다. 어느새 가을이었다.

가을로 접어들면서 회사로 배달되는 고모부의 편지가 그 간격을 촘촘히 좁혀 부쩍 잦아지고 있었다. 날로 차가워지는 날씨에 정면으로 육박해 오는 생명에의 위협을 감당할 수가 없는 모양이었다. 무의무탁한 고모부의 처지로서는 올겨울을 시골에서 무사히 넘기기가 어렵다고 판단되는 모양이었다. 그와 같은 냄새를 고모부는 편지마다 낱낱이 풍기고 있었다. 무전취식 및 상해치상죄로 진주교도소에서 복역 중인 승필이 녀석의 출옥일자가 추위와 함께 다가오고 있음을 나는 편지 문면의 행간에서 고딕체의 무성한 활자로 읽어내고 있었다.

순전히 자업자득이었다. 오랜 실직 끝에 그것도 직업이랍시고 출판사에 취직해서 제법 의젓하게 차리고 모처럼 고향에 내려갔을 때 친구들한테 허풍만 떨지 않았던들 오늘날 이런 고통은 겪지 않아도 좋았을 것이다. 나를 부러워하는 눈초리로 쳐다보는 친구들 앞에서 나는 우쭐한 김에 내가 거국적으로 얼마나 중요한 일을 맡고 있는가를 진실에다 잔뜩 물을 타고 바람을 넣어 한바탕 장황하게 늘어놓은 적이 있었다. 그들이 학교에서 배운 교과서의 저자나 필자 따위 유명한 학자들 이름을 대면서 내가 바로 그런 사람들을 불러다 앉혀놓고 얼이 쑥 빠지게 틀린 데를 지적해 주고 고치도록 해서 그럭저럭 너희들이 읽기에 손색이 없는 책을 만들어내는 사람이라고 자기 소개를 하는 식이었다.

이런 일이 있고 난 다음 얼마 지나지 않아서부터 '족하' 운운하는 고모부의 편지질이 시작되었던 것이다. 누군가 집안에서 출세한 아무개한테 도움을 청해 보라고 넌지시 고모부에게 귀띔해 준 순진한 작자가 있는 모양이었다.

그러나 설령 나한테 그런 실수가 없었다 해도 고모부는 나를 남달리 살갑게 느끼고 있었을 것임이 분명하다. 이북에다 두고 온 막내아들과 동갑내기라는 그 한 가지 이유만으로도 옛날부터 고모부는 나를 범상치 않은 눈으로 대해 왔기 때문이다. 결국 그 양반은 나를 자기 막내아들 승곤이의 뒤에 드리워진 그림자의 일종으로 간주하고 있었던 셈이다. 철이 들고 나서 나는 그와 같은 고모부의 속셈을 알아차릴 때마다 머리끝이 쭈뼛해지는 섬뜩한 기분과 함께 불쾌감을 느끼곤 했던 것이다. 내가 고모부를 내 집 안에 허심탄회하게 받아들일 수 없는 이유는 아내의 눈치나 우유부단한 내 성격이라기보다 다분히 그 귀기 어린 고모부의 나를 바라보는 시선 탓이었다. 고모부를 위하여 승곤이의 대역을 맡고 싶은 생각이 나에겐 추호도 없었다.

고모부의 편지가 잦아질수록 어쩐 일인지 내 흉중엔 다시 한 번 봉부제 씨를 만나보고 싶다는 욕구가 점점 강해져 갔다. 형편없는 실패작으로 끝난 그와의 대화를 어떤 일이 있더라도 꼭 성사시키고 싶었다. 만나서 그를 어쩌겠다는 생각까지는 없었다. 만나서 무슨 이야기를 할 것인지도 구체적으로 계획을 세운 바 없었다. 다만 호젓한 장소에서 우리 둘이서만 조용히 시간을 보내고 싶었다. 만약 그렇게만 된다면, 그럴 기회만 온다면, 나는 어떤 내용이 됐든 무슨 말인가를 하게 될 것이고, 따라서 봉무제 씨 그도 한두 마디쯤 내 말에 대꾸하게 되고야 말 것이었다.

어느 날 저녁, 나는 인쇄소에 전화를 걸어 그날 밤에 공장에 야근이 있음을 확인한 다음 야근이 끝날 만한 시간에 맞추어 인쇄소 근처로 나갔다. 직원들 통용문이 있는 공장 옆 골목길에 때마침 포장마차가 있어 나는 무슨 흥신소 사설탐정이나 된 기분으로 포장 안쪽에 잠복을 했다.

한참 후에 골목 안이 와자지껄 소란해졌다. 자릿값을 하느라고 빈대떡 한 접시를 안주로 하여 혼자서 소주잔을 홀짝거리고 있던 나는 황급히 의자에서 일어나 포장을 들치고 밖을 내다보았다. 인쇄소 건물의 비좁은 통용문으로부터 한 떼의 젊은이가 쏟아져나오고 있었다. 그들 중 몇몇은 내가 들어 있는 포장마차집으로 벌써 들어서는 중이었다. 나는 봉무제 씨가 불시에 나타나 사라져버릴 경우에 대비하여 미리 계산을 마쳐둔 다음 눈이 빠지게 골목을 지켰다.

일단의 젊은 공원들을 다 내보내고 나서도 한참이 지나서야 겨우 공장의 비좁은 통용문은 낯익은 모습의 늙은이 하나를 골목길로 토해 놓았다. 희미하게 내리비치는 외등빛을 백발이 성성한 머리통

위에 누렇게 받으며 봉무제 씨는 꾸부정한 몸뚱이를 좌우로 지축지축 놀려 큰길로 향해 가고 있었다. 상대방이 눈치채지 않도록 일정 간격을 유지하면서 나는 그의 뒤를 신중하게 추적하기 시작했다. 말을 자연스럽게 붙일 수 있는 어떤 계제만 잡히면 용감하게 그를 불러세울 작정이었다. 큰길로 들어서자 밤길을 오가는 도심의 인파가 이내 그의 왜소한 체구를 삼켜버렸다. 그를 놓치지 않으려고 나는 거의 필사적이었다.

밤거리에다 그리는 봉무제 씨의 궤적이 심히 난조에 빠져 있음을 내가 깨달은 것은 종로통에 이르러서였다. 말하자면 갈피를 못 잡고 방황하고 있다는 이야기였다. 곧장 집이면 집, 그 나이 되도록 혼자서 홀아비로만 지낸다니까 하숙방이면 하숙방으로 들어갈 생각이 아닌 듯했다. 발길 닿는 대로 아무렇게나 걸으면서 끊임없이 좌우를 두리번거려 뭔가를 열심히 찾는 눈치였다. 때로는 갑자기 걸음을 멈추고 길가 상점의 조명이 화려한 진열창을 넋을 잃은 채 들여다보기도 하고 길가는 행인들의 얼굴을 유심히 뜯어보기도 하는 것이었다.

봉무제 씨는 어느새 질질 끌리는 듯한 느린 발걸음을 종로통으로부터 학원가 골목 쪽으로 옮기고 있었다. 때마침 골목길은 학원이 파해서 나오는 재수생들로 대로보다 오히려 더 붐비고 있었다. 한창 나이의 젊은이들의 시장기와 야합하려고 토스트나 햄버거나 삶은계란 따위 간식들을 먹음직스럽게 차려놓은 수레행상들이 골목 안에 즐비했다. 질 나쁜 싸구려 식용유가 시커먼 번철 위에서 지글지글 끓으면서 화섬 종류의 옷감이 타는 것과 흡사한 냄새를 골목길에 덤턱스럽게 퍼뜨리고 있었다.

골목 안쪽으로 차츰 깊숙이 들어가면서 봉무제 씨는 만나는 수레마다 차례로 기웃거렸다. 더러는 수레의 주인들 가운데서도 봉씨에게 가볍게 아는 체를 하는 사람이 눈에 띄었다.

어떤 수레 앞에서 봉씨가 걸음을 멈추자 연탄불 위에 얹힌 번철의 손잡이를 들어 속에 담긴 달걀부침을 솜씨좋게 홀링 뒤집어 공중삽이를 시키고 있던 사내가 만년에 만색을 했다.

"오늘도 나오시는 거유?"

봉씨는, 무제 씨는 사내의 인사에 대꾸도 하지 않고 수레 옆에 우두커니 섰다.

"야, 영감님이다!"

재수생 몇이 무제 씨를 발견하고 저쪽에서부터 소리치며 달려왔다.

"영감님, 나 샌드위치 하나 먹어도 좋아요?"

몹시 화라도 난 것처럼, 무례하게 구는 그 젊은이를 투박한 돋보기 너머로 매섭게 쏘아보며 그는 고개를 끄덕였다.

"고맙습니다, 영감님!"

"난 기왕이면 햄버거에 통닭부침이다!"

"야 인마, 공짜라구 얌체 부리지 마라! 영감님 호주머니 사정도 생각해 줘야지."

그들은 저마다 한마디씩들 지껄이고 나서 각자 식성에 맞는 음식물을 집어들고 더금더금 먹기 시작했다. 그들이 열심히 먹는 모양을 옆에서 무제 씨는 침까지 꿀꺽 삼켜가며 정신없이 구경하고 있었다.

"잘 먹었습니다, 영감님!"

"할아버지, 고맙습니다!"

"내일 밤에도 다시 나오시기 바랍니다!"

후딱 인사를 챙기고 나서 재수생들은 원기왕성하게 골목을 빠져나가버렸다. 그들이 사라진 쪽을 멀거니 바라보다가 무제 씨는 주머니에서 논을 꺼내어 남이 먹은 음식값을 군말없이 치렀다. 돈을 받기가 좀 미안했던지 사내가 쥐대구포 하나를 내밀었다. 그러나 무제 씨는 그것을 쳐다도 안 보고 발길을 돌려버렸다.

학원가 골목길을 다 지나 그는 또다시 큰길로 나섰다. 조금 전에 한 번 지나간 적이 있는 길을 그는 개미 쳇바퀴 돌듯이 또 반복해서 걷는 것이었다.

화신 앞에서 그는 갑자기 걸음을 멈추었다. 네댓 살이나 되었을까, 꼬마 하나가 젊은 아빠한테 매달려 떼를 쓰고 있었다.

"안 돼!"

아빠가 단호하게 말했다.

"한 번 아빠가 안 된다면 안 되는 거야!"

고집이 굉장히 센 녀석이었다. 아빠의 억눌림에도 아랑곳없이 녀석은 엉엉 소리내어 울면서 자꾸만 백화점 쇼윈도를 손으로 가리키는 것이었다. 갖가지 악기 종류가 유리창 안쪽에 진열되어 있었다.

"사람들 앞에서 마구 창피하게 굴면 사줄 줄 알지만 아빠한테는 어림도 없다!"

길 가던 사람들이 어른과 꼬마 사이에 벌어지는 진기한 싸움을 구경하느라고 잠시 인도가 막혔다. 무제 씨는 그중 가장 열렬한 구경꾼 중의 한 사람이었다. 그는 고집쟁이 꼬마녀석이 아빠의 바짓가랑이에 매달려 거위처럼 꺽꺽 울며 앙탈하는 모양을 신통하다는 듯이 물끄러미 굽어보다가는 슬그머니 백화점 안으로 들어갔다.

백화점 안에서 그가 악기를 고르는 모양이 길거리에서도 창유리 너머로 환히 보였다. 잠시 후에 그는 멜로디언이 든 자그만 상자를 안고 밖으로 나왔다.

"뭡니까, 할아버지?"

아직도 그 자리를 떠날 생각을 않고 징징 울기만 하는 꼬마의 손

에 불쑥 상자를 쥐여주는 그를 보더니 젊은 아빠가 단단히 따지는
투로 물었다.

"무슨 이유로 이걸 주시는 겁니까?"

잡담 제하고 돌아서서 가려는 그를 붙잡고 애아빠는 께치 힐문
했다. 어느새 꼬마의 울음은 뚝 그쳐 있었다.

"돌려드려!"

꼬마를 향해 아빠가 눈을 부릅떴다.

"할아버지한테 얼른 돌려드리라니까!"

그러자 꼬마의 입에서는 전보다 훨씬 더 큰 울음이 터져나왔다.
아빠의 고집도 사실 이만저만이 아니었다. 이럴 수도 없고 저럴 수
도 없는 난처한 입장에 빠진 무제 씨의 표정이 딱하게도 울상으로
변했다.

"친절은 고맙지만 애한테 못된 버릇을 길러주고 싶지는 않습니다."

젊은 아빠의 결의는 끝내 완강했다. 무제 씨의 입장이 더 이상
난처해지기 전에 나는 앞으로 나섰다.

"영감님 성의를 봐서라도 웬만하면 그냥 받아두시지 그래요."

당신은 또 뭐냐는 듯이 젊은 아빠의 올곧잖은 시선이 이번엔 내
얼굴에 와서 꽂혔다.

"이거 왜들 이러실까!"

그는 노골적으로 신경질을 부리고 있었다. 무척 자존심이 상했
다는 태도였다.

"내가 돈이 없어서 못 사주는 줄 아십니까? 내 자식 내가 잘 길러
보자는 겁니다. 자기 노력 없이 남의 도움을 바라는 건 거지근성입
니다. 어렸을 때부터 정당한 노력의 대가로만 살도록 가르치는 것
이 내 교육방침입니다."

"그만큼 울고 보챘으면 아드님도 많이 노력한 셈인데 뭘 그러

시우!

구경꾼들 가운데 누군가 이렇게 소리쳤다. 그 말에 더욱 자존심이 상한 젊은 아빠는 꼬마의 손에서 냉큼 상자를 빼앗아 무제 씨에게 강제로 떠안겨주었다. 그런 다음 엉엉 우는 꼬마의 손을 질질 끌면서 지하철 입구 쪽으로 사라져버렸다.

구경꾼들마저 다 돌아가고 난 다음에도 무제 씨는 악기가 든 상자를 품에 안은 채 얼빠진 사람처럼 백화점 앞에 서 있었다. 가까이 다가서는 내 얼굴을 보고도 그는 아무런 반응도 나타내지 않았다. 아마도 나를 전혀 기억하지 못하는 듯했다.

"젊은 사람이 영감님 마음을 조금도 몰라주는군요."

나는 위로삼아 노인에게 한마디 건네보았다. 그러자 그의 콧잔등에 올라앉은 돋보기가 차갑게 불빛을 반사했다.

"어디 조용한 데 가서서 저하고 술이나 한잔 나누실까요?"

그제야 정신이 드는지 그는 별안간 상자를 품 안에 꽉 껴안았다. 마치 내가 그것을 강탈이라도 하려 했던 것처럼 나를 몹시 경계하는 눈초리가 완연했다. 봉무제 씨하고 뭔가 대화를 나누고 싶었던 애초의 내 의도가 다시 실패했음을 나는 퍼뜩 실감했다.

"나중에 다시 기회가 오겠죠."

상대가 듣거나 말거나 나는 재회를 기약하면서 화신 앞을 벗어났다. 집으로 가는 버스를 타기 전에 나는 먼저 학원가 골목부터 다녀올 필요를 느꼈다. 문제의 행상수레는 아직도 그 자리에서 영업을 계속하고 있었다.

"아까 학생들한테 빵을 사준 할아버지 아시죠?"

나는 다짜고짜 수레의 주인한테 물었다.

"그런데요?"

카바이트 등 뒷전에서 얼핏 나이가 짐작이 안 되는 사내가 싱겁게 되물어 왔다.

"그 할아버지 여기 자주 나타납니까?"

"선생하군 어떤 사이시죠?"

"그저 약간 알고 지내는 성습니다만……."

"아아, 네에, 그러세요? 그 할아버지 여기가 좀 어떻게 된 거 아닙니까?"

사내는 머리 위에다 손가락을 세워 한 바퀴 맴을 돌렸다.

"뭐 꼭 그렇지는 않을 겁니다. 오랫동안 혼자서 지내다 보니 외로운 탓이겠죠."

"그렇다면 다행이지만 한 번씩 다녀갈 때마다 어쩐지 개운치가 못합니다. 돈이 얼마나 많은지는 몰라도 사돈에 팔촌도 안 되는 젊은 애들한테 그렇게 매일같이 헛돈을 내버려서야 어디…… 물론 내 물건 팔아주니까 나야 뭐 싫을 까닭이 없긴 하지만……."

"여긴 매일 나옵니까?"

"거의 그런 셈이죠. 한 보름 전쯤부터 이 골목에 나타나기 시작했어요. 처음에는 웬 허연 늙은이가 저만큼 앞에 와서 우물쭈물하고 떠나질 않길래 뭐가 먹고 싶어서 그러는 줄만 알았죠. 그런데 가만히 봤더니 젊은 애들 주전부리하는 데 정신이 팔려서……."

"많이 파시오."

나는 곧장 버스를 타고 집으로 가려다가 또 이상한 예감에 이끌려 다시 화신 앞까지 가보았다. 내가 예상했던 그대로였다. 나하고 헤어질 때의 자세 그대로 봉무제 씨는 상자를 가슴에 꽉 끌어안은 채 기세좋게 배기음을 토하면서 안국동 방면을 향해 달리는 차량들의 행렬을 물끄물끄 쳐다보고 있었다. 꾸부정한 허리를 하고서 안경알을 차갑게 빛내면서, 하얗게 센 머리에 고스란히 불빛을 받으면서, 아무도 자기를 주목해 주는 사람 없는 무심한 행인들 틈바구니에 끼여서, 시리의 소음과 혼잡 속에 자신을 무방비로 내맡긴 채로…….

그간 수차례 편지를 통해 나에게 암시해 온 바를 고모부는 끝내 실천에 옮기고 말았다. 내가 된통 기습을 당한 꼴이었다.

가을도 이미 고비에 다다른 어느 날이었다. 밖에 나가 있던 사환 애가 편집부로 들어서면서 나를 보더니 싱글싱글 웃었다.

"아래층에 내려가 보세요. 어떤 할아버지가 한 선생님을 찾아요."

가슴이 철렁 내려앉는 소리를 나는 실제로 듣고 있었다. 드디어 올 것이 왔다는 느낌이었다. 나는 애꿎은 사환한테 버럭 화풀이를 했다.

"인마, 찾았으면 찾았지 기분 나쁘게 웃긴 왜 웃니!"

"파지를 훔쳐가려는 사람인 줄 알았어요. 쓰레기통 옆에서 얼씬 거리길래 얼른 쫓아나가서 뭐 하러 왔느냐고 물었더니 어물어물 한 선생님 이름을 대데요."

"애애, 너 그 영감님 잘 대접해서 보낼 걸 그랬다. 한 선생하고 동업하는 분이다."

편집부 동료 하나가 이렇게 소리치고 그 말에 모두들 웃음을 터뜨렸다. 별로 그럴 일도 아닌데 나는 괜히 홍당무가 되어 사환 녀석의 방정맞은 입을 저주하면서 아래층으로 내려갔다. 하기야 출판사에서 나오는 파지 내지 폐지의 처분은 사환의 소관사이고 거기서 얻은 수익 또한 사환 차지니까 자신의 이익을 지키기 위해 눈을 부릅뜨고 넝마주이를 경계할 건 당연했다.

최초의 육감 그대로 고모부였다. 나를 보더니 고모부는 괜히 한 번 자기 옷섶에서 먼지를 떠는 시늉을 했다. 고모부는 몸에 맞지도 않는 아주 구식의 빛바랜 신사복을 푼더분하게 걸치고 있었다. 사환애가 넝마주이로 오해하기 딱 십상인 행색이었다. 그런 꼬락서니에 새롭게 부아가 치솟았다.

"이렇게 회사로까지 찾아오면 어떡해요!"

"집 안엔 자네가 없을 것 같아서……."

"그럼 언제는 근무시간 중에 제가 집에 있는 것 봤나요?"

서툴러는 뻔산에 고모부는 몹시 당황하는 표정이었다. 기왕 올라온 거니까 어차피 집으로 데려가긴 데려가지만 나는 그동안에 고모부를 실컷 당황하도록 만들고 싶었다.

"어디 가서 시간을 보내다 여섯시경에 다시 오세요. 일이 밀려서 도무지 지금은 빠져나갈 수가 없어요."

"자네 혹 기억나나?"

쩔쩔매기만 하던 고모부가 별안간 눈을 반짝 빛내면서 밑도 끝도 없이 이렇게 물었다.

"뭐가 기억나요?"

"자네가 물에 빠져서 허푸적거릴 때 내가 뛰어들어서 건져낸 일 말이네."

나는 사지에서 일시에 맥이 탁 풀려나가는 기분을 맛보았다. 물론 고모부는 그때의 기억을 언턱삼아 나더러 묵은 빚을 갚으라고 조르지는 않았다. 단지 그런 일이 전에 있었다는 기억만을 상기시킬 목적으로 구닥다리 옷까지 빌려입고 일부러 상경한 것처럼 말하고 있었다. 그것만으로도 내게는 충분했다. 나는 여섯시가 아니라 지금 당장에 고모부를 집으로 데려갈 수밖에 없게 된 내 입장을 깨달았다. 고모부는 어느새 아주 교활해져 있었다.

아주 어렸을 때였다. 고모가 폐인이 되다시피 한 남편을 버리고 달아나 버린 뒤로 고모부는 숭필이를 데리고 우리 집에 와 처 없는 처가살이를 하고 있었다. 그 무렵에 나는 거의 매일 마을 앞 샛강에 나가 여름내 벌거벗고 지내고 있었다.

하루는 헤엄을 치다가 갑자기 발에 쥐가 났다. 때마침 가까운 곳에 친구가 있어 그가 나를 구하려고 헤엄쳐 왔다. 나는 겁에 질려 그 애의 허리를 꽉 껴안고 늘어졌다. 두말할 나위도 없이 우리는 한 몸으로 엉겨붙어 물속에 가라앉았다 솟구쳤다 하기를 되풀이하고 있었다.

정신이 들었을 때 나는 내가 강둑 풀밭에 누워 있음을 알았다. 물에 흠씬 젖은 고모부의 얼굴이 하늘을 절반가량이나 가린 채 구름과 함께 둥둥 떠가고 있었다. 내가 눈을 뜨자 고모부가 엉덩이로 가로타고 앉았던 내 배 위에서 내려왔다.

나를 구해 주려고 헤엄쳐 왔던 친구의 모습은 어디에서도 안 보였다.

그 애가 죽은 후 사흘이 지나 그 애의 혼을 물속에서 건져올리는 무당의 푸닥거리가 강변 모래톱에서 베풀어졌다. 마을 사람들이 까맣게 둑 위에 서서 무당의 넋두리를 구경했다. 얼굴을 떳떳이 들고 다닐 처지가 못 되는 나는 고모부의 꽁무니에 매달려 벌벌 떨면서 이제 곧 물속에서 올라올 친구의 혼을 어떻게 대할까 걱정이 태산 같았다.

울긋불긋한 무복을 입은, 꼭 남자처럼 생긴 여자 무당이 북장단에 맞추어 목쉰 소리를 꽥꽥 지르며 길길이 뛰고 있었다. 흰옷을 입고 머리를 길게 풀어헤뜨린 아낙네가 모래바닥에 퍼지르고 앉아 두 주먹을 허공에 대고 흔들어가며 새빨갛게 울음을 토해 내고 있었다. 물결이 잔잔한 강물로부터는 미역냄새 비슷한 밍밍한 물 냄새가 둑을 향해 기어오르고 있었다. 바람 한 점 없는 무더운 날씨에 하얀 모래톱이 쨍쨍 내리쬐는 따가운 햇빛과 함께 무당의 푸짐한 넋두리와 아낙네의 새빨간 통곡을 사방으로 반짝반짝 튀겨내고 있었다.

무당은 마지막 순서로 밥을 퍼서 강물에다 고수레를 했다. 잠시 후에 그니는 긴 장대를 물속에 넣어 휘젓고 다니기 시작했다. 나중에 그니가 장대를 들어올리자 사람 머리카락 같은 게 장대 끝에 까맣게 걸려나왔다. 아낙네의 허겁스러운 울음이 한바탕 또 자지러지고 구경하던 마을 사람들 입에서는 일체히 탄성이 터져나왔다. 아낙네가 모래톱을 맨발로 달려 장대 있는 데로 덤벼들면서 길게 외마디 소리를 질렀다.

"정철아아아아아아······."

이때 내 바로 옆에서 뭐라고 중얼거리는 소리가 들렸다.

"승곤아아아아······."

소리는 낮았지만 발음만은 또렷했다. 고모부는 두 눈에 눈물이 글썽글썽해져 가지고 무당의 장대 끝을 탐욕스럽게 노려보고 있었다.

고모부를 결국 폐인으로 만든 범인은 어쩌면 바로 그 승곤이인지도 모른다. 다른 것도 다 마찬가지긴 하지만 고모부가 하는 짓거리 중 특히 고모가 참을 수 없었던 게 그 점이었다. 걸핏하면 자기하고 승필이를 이북에 두고 온 본처하고 승곤이에다 비교하는 바람에 고모는 넌덜머리를 냈던 것이다.

고모부가 간첩으로 삼팔선을 넘어온 것은 사변 바로 직후였다. 목숨을 걸고 넘어와서는 변변히 활동도 못해 보고 서울 근교 산속에 며칠을 숨어 있다가 곧바로 자수해 버렸다고 한다.

고모부의 자수는 서류상으로 검거로 처리되었다. 이북에 남은 자수간첩의 일가족에게 닥칠 보복을 염려한 나머지 고모부가 제발 검거로 처리해 달라고 당국에 탄원한 결과였다. 덕분에 그는 나라에서 자수자에게 주는 보로금을 받았다든가, 못 받았다든가.

고모는 처녀적부터 행실이 어지럽기로 마을에서 소문이 난 여자였다. 우리 집안엔 없는 돌씨 하나 났다고 늘 내쫓기다시피 바깥으로만 빙빙 도는 생활을 하다가 혼기를 놓치고는 혼자몸으로 대전인가 어디에서 술장사를 벌였다는 소문이었다. 하나는 거슬러 올라가고 다른 하나는 흘러내려오다가 어찌어찌 인연이 닿아 고모와 고모부 둘이서 대전에서 서로 눈이 맞고 배가 맞았다는 것이다.

고모와 고모부 사이에 한때나마 행복했던 시절이 과연 있었는지 모르겠다. 멀리 달아나버리기 직전에 고모는 친정에 와서 자기네의 결혼이 매우 불행한 것임을 올케인 우리 어머니한테 하소연한 적이 있었다. 그토록 불행을 겪으면서도 고모는 집안의 누구한테서도 동정을 얻지 못했다. 자기 자신이 선택한 불행이었기 때문이다.

살얼음 위를 걷듯이 아슬아슬하게 유지되던 가정이 승필이를 낳고부터 거덜나기 시작했다. 고모의 판에 박힌 푸념에 의할 것 같으면 고모부가 승필이를 무지하게 학대한다는 이야기였다. 그는 고모의 행실을 의심하고 있었다. 승필이가 자기 자식이 아니라고 억지를 썼다.

이때부터 고모부의 성격이 변하기 시작했다. 강연회 같은 데 연사로 참석하고 학교나 사회단체에서 거두어주는 성금을 받아 그는 수입이 괜찮은 편이었는데, 그 돈을 몽땅 주색잡기에 쓸어넣어 버렸다. 전혀 가정도 돌보지 않고 마냥 홍청거리며 다닌다는 소문이 우리 집에까지 들렸다. 그렇게 허랑한 며칠을 보낸 끝에 집에만 돌아오면 마구 트집을 잡아 마누라를 쥐어패고 새끼를 동댕이친다는 것이었다. 고모 같은 여자 열둘을 보태야 이북에 있는 본처 하나 겨우 당할까 말까 하다는 것이었다. 진짜 내 자식이 이렇게 멍청하고 못생길 리가 없다는 것이었다.

문란을 극한 생활 끝에 고모부는 마침내 부동산사기 및 취직사기로 피소되어 한동안 고초를 겪어야만 했다. 그사이에 고모는 승필이를 우리 집에 맡겨놓고는 행방을 감추어버렸다. 얼마 후 고모부는 폐인이 다 되어 우리 집으로 기신기신 기어들어와 온갖 눈치 고루 먹어가며 더부살이를 했다. 심신이 엉망으로 망가지긴 했어도 그는 비로소 정신적으로 안정을 되찾은 듯이 보였다. 적어도 다른 사람들이 겉으로 보기엔 그러했다. 자기를 버리고 멀리 달아나버린 고모한테 오히려 마음속으로 감사하는 듯했다. 승쓸이는 고아처럼 자랐다. 그리고 깜짝 놀랄 만큼 이른 나이에 유명한 문제아가 되었다. 국민학교만 간신히 마친 다음 가출해서 도회를 전전하다가 소년원에 출입하기 시작했다. 녀석이 제 아비를 최초로 구타한 것은 절도 초범으로서의 형기를 마치고 제집이나 다름없는 우리 집으로 다시 돌아온 바로 그날 밤이었다. 유년시절을 회상할 때 녀석이 가진 기억의 주머니는 온통 소위 아버지라는 사람이 저 자신과 '엄마'를 개돼지처럼 학대하는 장면들로 가득차 있었던 것이다.

나는 자기 발로 걸어들어온 고모부를 어떻게 처리해야 좋을지 몰라 전전긍긍했다. 아무리 뉘어놓고 생각하고 자빠뜨려놓고 생각해 봐도 그의 곤고한 여생을 선뜻 떠맡을 자신이 내겐 없었다. 내 고민의 흔적을 표정에서 읽은 모양이었다. 이튿날 조반을 들다가 고모부가 밥상머리에서 불쑥 말했다.

"양로원은 어떻게 알어봤는가?"

나는 그 문제에 관해서 대답조차 하고 싶지 않았다.

"고모부님한테 사실대로 말씀드리지 그래요?"

고모부하고의 겸상을 피하기 위해 밥생각이 전혀 없다는 핑계로 주방에서 어물거리고 있던 아내가 기회다 하면서 쑥 볼가졌다. 아내의 속셈은 빤했다. 철두철미 비관적인 결과만을 알림으로써 우리한테 의지하려는 생각을 근본부터 없애버릴 작정이었다.

"아무래도 어려울 것 같아요."

나는 에멜무지로 대꾸했다. 그러자 아내가 뽀르르 주방에서 내달아나왔다.

"어려운 게 다 뭐예요, 어려운 게!"

그러면서 아내는 양로원에 들어갈 수 있는 세 가지 조건을 단숨에 설명해 버렸다.

"하늘에 별 따기로 불가능하대요. 일찌감치 포기하시는 게 좋겠어요."

고모부한테서는 도통 쓰다 달단 말이 없었다. 뾰족한 대책이 없는 채로 고모부는 점차 우리 집에서 장기투숙할 채비를 갖추어갔다.

"밖에 공중전화에서 거는 거예요."

아내가 회사로 전화를 걸어왔다.

"이러다간 정말 머리가 어떻게 될 것만 같애요. 그 양반이 집 안에 떠억하니 버티고 들앉았으니 제가 안으로 들어갈 수가 있나요, 뜰에 나가 있으면 밖에 얼굴을 내밀 수가 있나요. 정말 미칠 지경이에요."

"그 양반이 뭐 당신한테 손찌검이라도 할까봐?"

"꼭 손찌검을 해야만 그러나요?"

"시끄러! 그런 일로 남편 직장에다 전화질하는 게 아니야!"

"제발 부탁해요. 그렇게 화만 내지 말고 무슨 수를 써보세요."

우울했다. 내가 아내한테 할 수 있는 일이라곤 고모부얘기를 꺼내기 무섭게 무조건 신경질부터 부리고 보는 것이 고작이었다.

아내의 전화가 있고 나서는 숫제 일손이 잡히질 않았다. 이때 옆자리의 최형이 그 옆자리의 김형에게 하는 소리가 얼핏 내 귀에 잡혔다.

"봉무제 씨가 요즘 웬일이지?"

그러자 김형이 이렇게 맞받았다.

"글쎄, 나 역시 어쩐지 좀 이상하다 생각하는 중이었어. 왜 그럴까?"

그 순간 나는 전신을 타고 전류가 흐르는 것 같은 긴장을 느꼈다. 그러고 보니 무의식중일망정 나도 뭔가 약간 이상한 예감을 줄곧 느껴온 터였다는 생각이 뒤늦게 드는 것이었다. 나는 허둥지둥 책상 위에 쌓인 조교지들 앞으로 끌어냉서 꼭시 하나하나를 짚어나갔다. 없었다. 근래에 들어온 교정지 가운데는 '봉(奉)' 이라는 낯익은 서명을 단 하나도 찾아볼 수가 없었다. 나는 실내에서 발에다 꿰고 있던 슬리퍼를 재빨리 구두로 갈아신고 서둘러 밖으로 나갔다.

거래처 인쇄공장은 오후의 작업이 한창이었다. 나는 기계의 소음과 잉크냄새 속을 한참이나 헤매며 봉무제 씨를 찾고 다녔다. 그러나 전에 봤던 자리에서 엉뚱하게 다른 사람이 활자를 줍고 있는 모양을 발견했을 때 나는 이미 포기한 거나 다름없는 상태였다. 결국 공장 안·어느 곳에도 봉무제 씨가 존재하지 않음을 확인한 다음 나는 안면이 많은 정판과장을 찾아갔다.

"벌써 닷새가 지났어요."

내가 묻는 말에 그는 떫디떫게 대답하는 것이었다.

"우리 공원들 손으로 화장을 해서 벽제 공동묘지에다 묻어드렸습니다만……."

"어떻게 돌아가셨죠?"

마구 뛰는 심장의 동계를 나는 거의 겉옷 위로도 느낄 수 있을 지경이었다.

"방 안에다 연탄불을 피웠다는군요."

"그게 언제적 일입니까?"

"별로 좋지도 않은 얘기 자꾸 들어서 뭐 할려구요?"

"며칠날 돌아가셨죠?"

"바로 그 이튿날 화장을 해버렸으니까 정확히 엿새 전 일이군요."

바로 그 이튿날 화장했다는 말이 마음에 걸려서인지 그는 이렇게 토를 달고 있었다.

"연고자 하나 없는 시체 더 둬서 뭐 합니까. 그래서 검시가 끝나는 대로 바로……."

엿새 전, 엿새 전…….

나는 마음속으로 날짜를 계산해 보았다. 그러자 내가 마지막으로 봉무제 씨를 만났던 날이 나왔다. 그날 밤에 내가 본 봉무제 씨의 모습이 망막 가득히 출렁거렸다. 꼬마의 아빠한테서 보기 좋게 퇴짜를 맞은 악기상자를 가슴에 꼭 끌어안은 채 망연자실하여 언제까지고 행인들 틈바구니에 서 있던 봉무제 씨의 그 짝없이 초라하기만 하던 모습에서 나는 일찌감치 어떤 비극의 서막을 능히 읽어낼 줄 알았어야만 했다.

"그랬었군요……."

정판과장에게 인사를 하고 나는 인쇄소를 나와버렸다.

봉무제 씨의 죽음이 가져다준 충격은 곧장 내 의식 속에서 한차례 굴절을 겪었다. 나는 그날 혼자서 술을 마셨다. 술기운에 힘입어 그의 최후는 마치 내가 떠맡고 있던 한 인간의 절반이 죽은 것으로 나에겐 자연스럽게 생각되었다. 나머지 절반이 문제였다. 그쪽도 언젠가는 먼저 죽은 다른 절반처럼 비극적인 종말을 맞게 될 것이었다. 고모부 역시 때가 되면 그 자신의 유골을 안듯이 어떤 상자 하나를 가슴에 안은 채 화신 앞 인도 위에 서서 가슴 섬뜩한 방식으로 나에게 영별을 고하고 말 것이었다. 나는 미리 선수를 쳐서 그때의 그 경우에 대비하지 않으면 안 되었다.

"봉무제 씨가 죽었어."

술김에 나는 아내한테 이렇게 말했다.

"대관절 봉무제 씨가 누구길래 지난번부터 자꾸 그 사람 애길 꺼내는 거예요?"

아내는 시큰둥하게 받았다.

"당신 봉무제 씨 몰라?"

"글쎄 누구예요, 그 사람?"

"누구긴 누구야, 고모부시!"

아내의 커다래진 눈을 보고 나는 내가 얼마나 놀라운 발언을 했는가를 깨달았다. 봉무제 씨의 죽음이 술기에 흠뻑 젖은 내 의식 속에서 다시 한 차례 굴절을 겪고 있었다. 바로 내 이웃방에 들어 있으면서 의뭉스러운 벌레처럼 죽은 듯이 아무런 기척도 내지 않는 봉무제 씨가 지금 이 세상을 어떤 눈으로 바라보고 있는지를 나는 거의 정확히 알고 있었다. 흔들리는 배 위에서 기나긴 항해에 지친 뱃사람은 흔히 먼 바다에 자우룩하게 끼어 있는 안개를 보고 육지처럼 착각하여 터무니없이 그곳을 동경하게 된다.

오오, 무제여! 무제여!

한 늙다리 문선공의 죽음을 확인하고 나서부터 나는 고모부에 관한 대책에 부쩍 부심을 했다. 당최 일손이 잡히질 않아 건성으로 교정지를 뒤적거리고 있는 나를 눈여겨보더니 옆자리의 최형이 불쑥 말을 건네왔다.

"한형, 요즘 무슨 고민거리라도 있어?"

동료들이 많은 편집실 안에서 구구한 사정을 털어놓을 수가 없어 나는 그저 씁쓰레하게 웃고만 있었다. 그러자 최형이 깨끗한 메모지 한 장을 나한테 디밀어왔다. 거기에다 적어보라는 뜻이었다. 나는 간단히 적어 보였다.

—노인 문제로 목하 고민 중. 오갈 데 없는 집안 어른 하나가 집에 와 있음. 본인은 양로원행이라도 희망하나 수소문해 본 결과 자격 미달임.

"고민이란 게 겨우 이거야?"

메모지를 받아 본 최형이 껄껄 웃었다. 다른 동료들이 일손을 놓고 모두 우리를 주목했다.

"이런 문제라면 진즉에 나한테 얘기할 것이지."

"한형한테 무슨 고민이 있대?"

김형이 끼어들었다.

"여자 문제로 부인이 보따리를 싸기 직전이래."

최형이 시침을 뚝 떼고 대답했다.

"그러면 그렇지. 어쩐지 좀 수상쩍더라니! 부인이 뻔질나게 회사로 전화를 걸어올 때부터 짐작을 했었다구."

"세상 남자들이라니!"

이번엔 사식(寫植)을 전문으로 취급하는 미스 오였다.

"한형, 그런 문제라면 최형보다는 나한테 상담을 받는 게 훨씬 돈이 덜 들걸."

"무슨 뾰족한 수라도 있어?"

나는 김형이 아니라 최형한테 물었다.

"오늘 저녁에 술만 사면 돼."

까짓것 일도 아니란 듯이 최형은 아주 자신만만했다. 이때 부장이 밖에서 돌아오는 바람에 이야기가 중단되었다. 최형이 슬그머니 메모지를 내 책상으로 보내왔다.

　　——부장은 한형을 노리구 있어. 그 문젠 아무 염려 말고 일이나 열심히 하라구.

약속대로 그날 저녁 퇴근 후에 나는 최형한테 술을 걸판지게 샀다. 그는 자기 주량이 충족된 다음에야 묘방을 털어놓기 시작했고,

그보다 술이 훨씬 약한 나는 몽롱한 상태에서 이야기를 들었다. 그는 노인 문제를 아주 간단히 처리해 버린 자기 친척의 실화를 나에게 소개하는 중이었다.

최형이 일러준 방법을 실전에 옮기는 네는 좀 너 정신을 흐리멍덩하게 가질 필요가 있었다. 아내를 시켜 술상을 보아오게 한 다음 나는 마침내 고모부하고 대좌를 했다.

"오해하지 말고 제 얘길 들으셔야 합니다. 여러모로 궁리해 봤지만 결국 고모부를 위해서는 그런 방법밖에 없다는 결론을 내리고 진심으로 하는 얘기니까요."

이야기를 듣고 난 다음에 혹 고모부가 받게 될지도 모르는 충격을 미리감치 완충시켜 놓은 다음 나는 벼르고 있던 이야기를 시작했다. 나는 먼저 시립갱생원이란 데가 어떤 곳인지 그것부터 설명했다. 양로원하고 조금도 차이가 없는 곳이 갱생원이라는 사실을 고모부가 납득할 때까지 나는 이야기를 계속했다.

"양로원이 불가능한 이상 거기라도 들어가 계시는 편이 좋을 것 같은데 고모부 생각은 어떠세요?"

"내가 무얼 아나. 자네가 어련히 다 알아서 조처허겠지."

내가 따라주는 소주잔을 받아 훌짝 들이켜고 나서 고모부는 의외로 고분고분하게 나왔다. 약간의 반발이나 푸념 정도는 미리 각오하고 있었던 만큼 나는 고모부가 싱겁게 무너지는 데 대해 오히려 불안을 느낄 지경이었다.

"그래 그 갱생원이란 데는 아무라도 들어갈 수 있다는 말인가?"

"거기도 물론 자격이 필요하지요. 하지만 양로원같이 까다롭지는 않아요."

"어떤 자격이 있어야 되는가?"

"글쎄요, 그게 좀 말씀드리기가……."

정작 그 방법을 일러주는 대목에 이르러서 나는 갑자기 망설이지 않을 수 없었다. 되레 고모부 쪽이 나보다 훨씬 더 담담했다.

"괜찮네. 나 같은 늙은이가 지금 와서 뭘 더 가리겠는가. 자네 처분에 그저 고맙게 따르겠네."

조용히 말을 마친 다음 고모부는 자작으로 술을 따라 마시고 있었다.

"사실은 말입니다, 원칙적으로 고모부는 갱생원도 해당이 안 돼요. 그렇지만 방법이 전혀 없는 건 아니죠."

그 방법에 관해서 나는 설명하기 시작했다. 순서대로 말한다면 고모부가 서울시립갱생원에 수용되기까지의 과정은 매우 복잡했다.

내가 고모부를 데리고 나가 미리 점찍어 두었던 적당한 장소에다 버리고 달아난다. 고모부는 거기서 하루나 이틀을 꼬빡 굶어가며 요지부동으로 버티다가 허기와 피로에 지쳐 벌렁 쓰러진다. 길 가던 행인들이 고모부를 발견하고 그를 업어다 병원이나 인근 파출소에 넘긴다. 병원이나 파출소에 들어간 후부터 고모부는 짐짓 기억상실자가 되어 매사에 어리석고 담담하게만 행동한다. 경찰관이 어떤 질문을 하더라도 무조건 모른다고만 뻗댄다. 며칠만 그런 식으로 잘 버티고 나면 경찰이 알아서 행려병자로 취급하여 갱생원에 수용시키게 된다…….

"처음에는 아마 무척 괴로우실 겁니다. 밥도 굶고 추위에 떨면서 시간을 보내자면 아무래도 힘드시겠죠. 허지만 오래가지는 않을 겁니다. 하루나 이틀, 길어봤자 사흘 정도만 참으시면 고생은 다 끝나는 겁니다. 문제는 고모부가 귀신같이 냄새를 잘 맡는 경찰관들 앞에서 얼마나 그럴듯하게 바보 환자 흉내를 낼 수 있느냐에 달렸지요."

"꼭 해야 될 일이라면 어떻게 해보겠네."

전혀 뒷단속이 필요없을 만큼 고모부의 태도는 선선했다. 술이 깨기 전에 나는 모든 걸 확실히 해두고 싶었다.

"기왕 말이 나온 김에 이 자리에서 아예 날짜까지 정해 버리죠. 앞으로 사흘 후가 어떨까요?"

"어차피 여기서 나가야 할 몸이니까 빠르면 빠를수록 피차간에 편리허겠지."

고모부는 여전히 남의 일인 듯이 담담한 어조로 말하고 있었다. 기분이 썩 좋지는 않지만 그렇다고 특별히 나쁠 것도 없다는 그런 표정이었다. 내가 시키는 대로 고분고분 따르는 고모부한테 나는 감사를 느끼고 있었다. 나는 사흘 후에 고모부를 화신백화점 앞에다 버릴 작정이었다.

그날 밤 잠자리에 들면서 나는 아내한테 단단히 일러두었다. 앞으로 사흘 후면 고모부가 우리 집에서 영영 나가게 되니까 돈을 아끼지 말고 그 양반을 융숭히 대접해서 모시라고.

아내는 내 지시에 충실히 따랐다. 끼니때마다 기름진 반찬에다 반주를 곁들여 올리는 것이었고, 내가 직장에 나와 집을 비우고 있는 동안이면 고모부를 모시고 외출해서 군것질도 시키고 극장이나 고궁도 구경시켜 드렸다.

고모부가 우리 집에서 맞는 마지막 밤이 왔다. 나는 아내를 시켜 닭을 잡고 쇠고기를 굽게 했다. 그리고 특별히 경주법주를 준비해 두었다.

밤이 깊기를 기다려 마루방 한가운데다 술상을 벌였다. 고모부와 나는 서로 주거니 받거니 대작을 시작했으나 어느 쪽도 섣불리 먼저 입을 열지는 않았다. 나는 더 빨리 취할 생각으로 잔을 비우는 속도를 무모하게 재촉하고 있었다.

"이번 일이 모두 다 고모부를 위해서 하는 일이란 걸 잘 아시겠죠?"

어느 정도 취기가 오르자 나는 비로소 말을 꺼냈다. 고모부는 마른 귤껍질 같은 얼굴을 들어 맹한 눈으로 나를 보고 나서 고개를 끄덕거려 보였다.

"아마 계획대로 잘 될 거예요. 조금도 걱정하실 것 없어요. 일단 갱생원에 들어가 계시기만 하면 제가 가끔 찾아가 뵙고 용돈도 드리겠습니다."

"나라에서 먹여주고 입혀주는 곳이라는데 용돈은 무슨……."

"거기서 있는 동안 품행이 우수해서 타인의 모범이 되면 만 육십오 세가 지난 다음에 양로원으로 보내주기도 한대요. 만일 양로원에 가게만 되는 날이면 그때부터 고모부는 여생을 편안히 마칠 수 있다 이겁니다."

술이 거나해짐에 따라 나는 점차로 말이 많아지고 있었다. 줄창 지껄여대는 한편 나는 내 행위의 동기가 흉포하기 짝이 없는 천하의 후레자식으로부터 살해의 위협마저 받고 있는 한 불쌍한 인생을 보호해 주려는 데 있음을 나 자신에게 끊임없이 주지시키고 있었다.

"저엉 견디기 어렵다 싶을 때면 승필이놈을 얼른 기억하세요. 그 녀석한테 앞으로 돌아가시는 그날까지 두고두고 당할 일을 생각해서라도 고모부는 맘을 독하게 잡수셔야 돼요. 경찰에서 뭘 묻든지 그저 난 아무것도 모르고 기억이 안 난다고 딱 잡아떼시라 이겁니다."

고모부는 내 말에 연신 고개만 끄덕거리고 앉아 있었다.

"본적도 모르고 주소도 모른다고 대답하시라 이겁니다. 이름이나 나이를 물어도 계속 도리질만 하고 계시라 이겁니다. 심지어는 자기가 남잔지 여잔지조차 모르는 것같이 얼뺑뺑하게만 처신하시면 된다 이런 말씀입니다."

고모부는 여전히 나를 향해 잠자코 고개만 끄덕여 보이고 있었다. 그렇게 열심히 고개를 끄덕이고 있는 사이에 시나브로 고모부는 정말 자신의 성별조차도 분간 못하는 속수무책의 반편이 되어가고 있는 듯한 느낌이었다.

밤이 깊었다. 술만 마셨다 하면 그대로 곯아떨어지는 체질이 어쩐 일로 그날 밤만은 완강히 잠을 거부하고 있었다. 이리 뒤척 저리 뒤척하는 나를 아내가 가만히 불렀다.

"여보……."

아내 역시 내처 잠을 못 이루고 있었던 것이다. 그녀는 내 손을 잡아 자기 잠옷 속으로 끌어들였다. 나는 그니의 불룩한 아랫배를 슬금슬금 쓰다듬어 보았다. 칠 개월째를 맞는 내 아이가 그 속에서 숨을 쉬고 있었다.

"우리 이러다가 혹 천벌받는 건 아닐까?"

아내가 가만히 소곤거렸다.

"뭐야?"

나는 정신이 번쩍 들었다.

"당신 방금 뭐라구 그랬지?"

"너무 잔인했어요."

그니는 다시 내 손을 붙잡아 잠옷 밖으로 추방했다.

"잔인하긴 뭐가 잔인하니?"

"당신 말예요."

"내가 잔인해?"

"그래요. 방 안에서 다 듣구 있었어요. 당신한테서 지금까지 내가 전혀 모르고 있었던 새로운 면을 발견하는 기분이었어요. 사람이 어쩜 그렇게 계획적이구 치밀할 수가 있어요? 이를테면 그것은 완전범죄였어요."

"이런 빌어먹을!"

나는 벌떡 일어나앉았다. 호되게 아내의 따귀라도 후려갈기고 싶은 심정이었다.

"당신 소원이 그거였잖아! 소원대로 한창 돼가는 중인데 완전범죄라니, 그럼 범인은 바로 당신이잖아!"

"전 워낙 어리석은 여자예요. 그래서 감정이 시키는 대로 시작은 제가 벌려놓고 판단은 모두 당신한테 맡겨나왔어요."

"변명 한번 좋구나. 그래 지금 와서 나더러 도대체 어떻게 하라는 거지?"

"물론 당신이 하시는 대로 저는 따라갈 뿐예요. 하지만 자꾸 이상한 기분이 들어요. 고모부를 모시고 시내 구경을 다니다가 문득 우리가 지금 이 양반한테 죄를 짓고 있는 건 아닐까 하는 생각이 들데요. 왜 제가 그런 생각을 하게 됐는지 그 이유를 방금 깨달았어요."

"말해 봐! 이유가 뭐지? 잔인한 사람을 남편으로 둔 탓인가?"

내 목청이 너무 컸던 모양이다. 옆방에서 고모부의 기침소리가 들렸다. 나하고 정면대결이라도 벌일 작정인 듯이 아내도 벌떡 일어나앉았다. 그러나 그니의 다음 말은 의외로 부드럽게 나왔다.

"당신 아이 때문예요. 내 아이 때문이기도 하구요."

"그 문제하고 우리 아인 아무 상관도 없어!"

"부모들이 저지른 죄 때문에 아이들이 벌을 받는 경우는 없을까요? 고모부네가 혹 그런 경우는 아닐까요?"

"다아 그 양반을 위해서 하는 일이야. 그 양반을 위해서는 방법이 그것밖에 없어. 내일 아침에 난 계획대로 일을 진행시킬 거야. 쓸데없는 생각 작작 하고 어서 잠이나 자!"

나는 아내를 윽박질러 다시는 입을 열 생각도 못하도록 만들었다. 나는 어떤 일이 있더라도 고모부를 갱생원에 집어넣는 음모를 결코 포기하지 않을 결심이었다. 만약 그걸 포기할 경우 나는 아내한테 내 의도가 애당초 불순한 것이었음을 자백하는 결과가 된다. 지금까지 전혀 몰랐던 잔인한 면모를 발견했노라던 아내의 말을 나는 잊을 수가 없었다. 그 말이 결국 나를 더 강퍅진 심정으로 무섭게 몰아가고 있었다.

잠결에 나는 얼핏 무슨 소린가를 들은 듯한 기분이었다. 흐느끼는 소리 같기도 하고 낄낄낄 웃는 소리 같기도 했다. 고모부의 소리 같기도 하고 아내의 소리 같기도 했다. 그러나 나는 심신이 말할 수 없이 고단한 상태에서 어렵사리 간신히 이룬 잠을 도로 물리치고 싶지가 않았다.

아내가 옆에서 마구 흔들어 깨우는 바람에 정신을 차리고 보니 어느새 새벽녘이었다. 창문에 희붐한 여명빛이 어리는 참이었다.

"이게 무슨 소리지?"

나는 깜짝 놀라서 소리쳤다. 난데없이 통곡소리가 집 안 가득히 진동하고 있었다. 아내는 옆방으로 손을 가리키면서 두려움에 떨고 있었다. 다름아닌 고모부였다. 고모부가 악머구리 소리로 동네가 떠나가게시리 목을 놓고 있었다. 그 귀기어린 통곡에 나는 가슴이 철렁 내려앉았다. 아내의 재촉을 받아 나는 허둥지둥 방문을 열고 마루로 나갔다.

옆방은 채광이 좋지 않아 아직도 껌껌했다. 고모부의 좌상임을 알리는 시커먼 실루엣 하나가 방 한가운데 동그마니 뭉쳐 있고 문제의 통곡은 어김없이 그 속에서 터져나오는 중이었다.

"고모부!"

방 안에 사람이 들어선 줄도 모르고 고모부는 계속 울기만 했다.

"웬일이세요, 고모부!"

나는 벽면에 붙은 스위치를 올려 전등을 켰다. 갑자기 방 안이 환해지자 꺼이꺼이 꼬리를 물던 울음이 뚝 그쳤다. 눈물과 콧물로 온통 끈끈이처럼 뒤발이 된 추잡스러운 얼굴을 그때 나는 보았다. 방바닥에 무릎을 착 꿇고 앉아서 고모부는 기도하는 자세로 가슴에 오그려쥔 두 주먹을 풀 생각은 미처 못하고 있었다.

"밤중에 웬 울음이세요?"

고모부는 오히려 나더러 웬일이냐고 묻는 표정이었다. 아직도 방울져서 떨어지는 눈물을 수습할 생각도 없이 고모부는 내 얼굴을 멀뚱멀뚱 올려다보았다.

"생각이 안 나……."

들릴락 말락 한 소리로 고모부가 중얼거렸다. 나는 하도 어이가 없어 전등 스위치를 내려버렸다. 그때까지 나는 스위치를 손으로 붙잡고 있었던 것이다.

"생각이 안 나……."

깜깜해진 방 안에서 도로 한 덩어리의 실루엣으로 돌아간 고모부가 나지막이 중얼거렸다.

"아무리 잠을 안 자고 머리를 쥐어짜 봐도 이름이 생각이 안 나……."

그 순간 나는 하마터면 아아 하고 큰 소리로 부르짖을 뻔했다. 이번에는 얼굴이 아니라 이름이었다. 지난번까지 하더라도 얼굴은 이미 잊어버렸지만 이름만은 똑똑히 기억하고 있었다. 그때는 얼굴 잊은 것만 가슴 아파하고 있었다.

"우리 그 셋째녀석 이름을 어떻게든 떠올려 보려고 밤새도록 방바닥에다 대가리를 찧어보고 머리털을 쥐어뜯어 봐도 끝끝내 알아낼 도리가 없어. 날이 훤히 밝아오는데, 날이 다 새기 전에 그 녀석 이름을 기억해 낼 작정이었는데 어디다 붙들어 맨 것같이 이놈의, 이 미련헌 놈의 대가리가 당최 꼼짝도 허질 않어."

한바탕 안타까운 중얼거림 끝에 퍽 하고 머리통을 방바닥에 부딪는 소리가 났다. 알리바바의 형 카심이 아마 그랬을 것이다. 주문을 까먹는 바람에 바위굴 안에 갇혀 도둑들한테 죽음을 당하게 된

카심 같은 꼴이었다. 나는 '열려라 참깨!' 대신 '이승곤!' 하고 큰 소리로 외치고 싶었다. 이북에 남겨두고 온 자신의 셋째아들의 이름을 두 번 다시 망각하는 일이 없도록 벽력같이 일깨워주고 싶은 심정이었다.

"고모부, 끝내 기억이 안 나는 건 어쩔 수 없는 거예요. 기억이 안 나도 그건 결코 고모부 잘못이 아닙니다. 지난일은 다 잊어버리고 앞일이나 생각하면서 사세요."

그러나 나는 어느 틈에 고모부한테 이렇게 말하고 있었다. 먼 바다의 안개를 육지로 착각하는 일이 고모부한테 다시는 없도록 하기 위함이었다. 이젠 이름조차도 기억이 안 난다고 울먹이는 소리를 들었을 바로 그때 나는 무슨 업보인지는 몰라도 고모부의 여생을 책임지는 일이 다른 누구 아닌 바로 내 발등에 떨어졌음을 이미 직감했던 것이다. 앞으로 내가 승곤이의 대역을 효과적으로 수행해 나가기 위해서는 나하고 동갑내기인 그의 이름을 끝까지 고모부한테 발설하지 않을 필요가 있었던 것이다. 심신이 극도로 피폐해진 그에게 언제가 될지는 몰라도 조국이 통일되는 그날까지 연명하며 승곤이를 기다리라고 위로한다는 건 어떤 의미에서는 오히려 더 잔인한 행위가 될 것이다.

"생각이 안 나……."

고모부의 중얼거림을 들으면서 나는 아내에게 갱생원이란 데가 지낼 만한 곳이 못 된다는 사실을 넌지시 귀띔해 주었다. 그러자 아내는 두 손을 포개어 불룩 나온 아랫배에다 조용히 얹고 있었다.

기억 속의 들꽃

한 떼거리의 피난민들이 머물다 떠난 자리에 소녀는 마치 처치하기 곤란한 짐짝처럼 되똑하니 남겨져 있었다. 정갈한 청소부가 어쩌다가 실수로 흘린 쓰레기 같기도 했다. 하얀 수염에 붉은 털옷을 입고 주로 굴뚝으로 드나든다는 서양의 어느 뚱뚱보 할아버지가 간밤에 도둑처럼 살그머니 남기고 간 선물 같기도 했다.

아무튼 소녀는 우리 마을 우리 또래의 아이들에게 어느 날 아침 갑자기 발견되었다. 선물치고는 무척이나 지저분하고 망측스러웠다. 미처 세수도 하지 못한 때꼽재기 우리들 눈에 비친 그 애의 모습은 거의 거지나 다름없을 정도였다. 우리들 역시 그다지 깨끗한 편이 못 되는데도 그랬다.

먼저 쫓기는 사람들의 무리가 드문드문 마을에 나타나기 시작했다. 그리고 곧이어 포성이 울렸다. 돌산을 뚫느라고 멀리서 터뜨리는 남포의 소리처럼 은은한 포성이 울릴 때마다 집 안의 기둥이나 서까래가 울고 흙벽이 떨었다. 포성과 포성의 사이사이를 뚫고 피난민의 행렬이 줄지어 밀어닥쳤고, 마을에서 잠시 머물며 노독을 푸는 동안에 그들은 옷가지나 금붙이 따위 물건을 식량하고 바꾸었다. 바꿀 만한 물건이 없는 사람들은 동냥을 하거나 훔치기도 했다. 그러다가 전보다 더 많은 사람들이 봇부니에 쏘성을 매단 채 새롭게 밀어닥치면 먼저 왔던 사람들은 들어올 당시와 마찬가지로 몇 가지 살림살이를 이고 지고 다시 홀연히 길을 떠났다.

어느 마을이나 다 사정이 비슷했지만 특히 우리 마을로 유난히 피난민들이 많이 몰리는 것은 만경강 다리 때문이었다. 북쪽에서 다리를 건너 남쪽으로 내려오다 보면 자연 우리 마을을 통과하도록 되어 있었다. 우리가 알기로는 세상에서 제일 긴 그 다리가 폭격에 의해 아깝게 끊어진 뒤에도 피난민들은 거룻배를 이용하여 계속 내려왔다. 인민군한테 앞지름을 당할 때까지 피난민들의 발길은 그치지 않았다.

어른들은 피난민을 별로 달가워하지 않았다. 난생처음 들어보는 별의별 이상한 사투리를 쓰는 그들이 사랑방이나 헛간이나 혹은 마을 정자에서 묵다 떠나고 나면 으레 집 안에서 없어지는 물건이 생긴다는 것이었다. 굶주린 어린애를 앞세워 식량을 애원하는 그들 때문에 어른들은 골머리를 앓곤 했다. 언제 끝날지 모르는 전쟁 때문에 뒤주 속에 쌀바가지를 넣었다 꺼내는 어머니의 인심이 날로 얄팍해져 갔다.

그러나 우리 어린애들은 전혀 달랐다. 어른들 마음과는 아무 상관 없이 누나와 나는 피난민들을 마냥 부러워하고 있었다. 세상의 저쪽 끝에서 와서 다른 저쪽 끝까지 가려는 사람들 같았다. 무거운 짐을 들고 불편한 몸을 이끌며 길을 떠나는 그들의 모습이 오히려 우리들 눈에는 새의 깃털만큼이나 가벼워 보였다. 그들처럼 마음 내키는 대로 세상을 여기저기 떠돌아다니지 않고 우리는 왜 마을에 붙박혀 살아야 하는지 도무지 이해할 수가 없었다. 그래서 우리도 피난을 떠나자고 아버지한테 조르기로 작정했다.

"밥을 굶어야 된다. 밥도 안 먹고 잠도 안 자고, 알었지야? 툇돌에서 오줌 누고 뜰팡에다 똥 싸고, 알었지야?"

삽짝 밖에서 누나가 내 귀에 대고 연신 끈끈한 목소리로 속삭였다. 집 안에서 내 청이라면 웬만한 것은 다 들어주는 아버지의 성미를 누나는 십분 이용할 셈이었다. 나는 누나가 시키는 대로 했다. 그러나 아무리 그렇게 울고 떼를 써도 아버지 입에서는 좀처럼 허락이 내리지 않았다.

아버지한테서 마침내 피난을 가도 좋다는 말이 떨어진 것은 만경강 다리가 무시무시한 폭격에 의해 허리를 잘리고 난 그 이튿날이었다. 아직은 제법 멀찌막이서 노는 줄만 알았던 전쟁이란 놈이 어느새 어깨동무라도 하려는 기세로 바투 다가와 있었으므로 우리 마을도 이젠 안심할 수가 없게 되었다. 그래서 아버지는 할머니 편에 우리 오뉘를 묶어 마을에서 삼십여 리 떨어진 고모네 집에 잠시 피난시킬 작정이었다. 아버지하고 어머니는 마을에 남아 집을 지키기로 이야기가 되었다.

간단한 옷보따리를 챙겨 누나와 나는 할머니의 손을 잡고 피난 길을 떠났다. 그토록 바라고 바라던 피난인지라 누나와 나는 원족이라도 떠나는 즐거운 기분이었다. 한길엔 한여름 햇볕만이 쨍쨍할 뿐 강아지 새끼 한 마리 얼씬하지 않았다. 소리개 한 마리가 멀리 보이는 길가 공동묘지 위에 높이 떠 마치 하늘에다 못으로 고정시켜 놓은 박제의 표본인 양 오랫동안 꼼짝도 하지 않았다.

다 늦게 피난을 떠나는 사람은 아무도 없었다. 더구나 여느 피난민의 물결을 거슬러 북쪽을 향해서 먼 길을 가는 사람은 우리들뿐이었다. 고모네가 살고 있는 마을은 북쪽 산골이었다. 거기 말고는 달리 피난갈 만한 데가 없었다.

적막에 싸인 공동묘지 옆을 지나면서도 나는 조금도 무서운 줄을 몰랐다. 남들처럼 우리도 지금 피난을 가고 있다는 흥분에 사로잡혀 임사 없는 무덤에 뻥 뚫린 여우구멍을 보면서도 아무렇지도 않았다. 누나는 오히려 한수 더 떴다. 길가 아카시아 나무에서 잎을 따 손에 들고 한 개씩 똑똑 떼내면서 누나는 학교 운동장에서나 하는 노래를 입속으로 흥얼거리고 있었다. 여우야 여우야 뭐허어니. 밥 먹는다. 무슨 반찬. 개구리반찬……. 이불 밑에 이 잡아먹고 송장 밑에 피 빨어먹고…….

갑자기 누나가 노래를 뚝 그쳤다. 그때 한길 저쪽 멀리에서 뿌연 먼지구름을 끌면서 달려오는 오토바이를 나는 보았다. 눈 깜짝할 사이에 나뭇가지와 잡초로 뒤덮인 두 개의 작은 언덕이 우리들 바로 코앞으로 확 다가들었다. 속력을 줄이는 척하다가 오토바이들은 양쪽 겨드랑이를 스칠 듯이 무서운 기세로 우리를 그냥 지나쳐갔다. 오토바이가 지나갈 때 나는 초록 덤불로 그럴싸하게 잘 위장된 그 가짜 언덕 속에 숨어서 우리를 뚫어지게 쏘아보는 날카로운 눈초리와 쇠붙이에 반사되는 햇빛의 파편들을 볼 수 있었다. 난생처음 인민군하고 맞닥뜨리는 순간이었다. 몸체 옆구리에 행랑채까지 딸린 괴상한 모양의 오토바이들이 지나간 다음에도 우리는 한동안 손과 손을 맞잡은 채 부들부들 떨면서 한길 복판에 오도카니 서 있었다.

"이불 밑에 이 잡아먹고……."

누나의 입에서 간신히 이런 중얼거림이 흘러나왔다. 그것은 이미 노래가 아니었다. 누나는 얼이 쑥 빠진 눈동자를 하고 있었다.

"송장 밑에 피 빨아먹고……."

그러자 할머니의 손바닥이 냉큼 누나의 입을 틀어막았다. 잔뜩 부르쥔 누나의 주먹이 스르르 풀리면서 형편없이 짓눌린 아카시아 잎이 땅으로 떨어졌다.

누나와 나는 할머니로부터 무섭게 지청구를 먹어가며 그러잖아도 빠른 걸음을 더욱 재우쳤다. 그러나 얼마 가지도 않아 우리는 다시 수많은 인민군들과 마주쳤다. 그들은 두 줄로 서서 양쪽 길가로 내려오고 우리는 그 사이를 뚫고 도무지 떨어지지 않는 다리를 간신히 움직여 복판을 걸어갔다. 참으로 어처구니없는 피난길이었다. 북쪽을 향해서 피난을 가는 우리를 인민군들은 아무도 시비하지 않았다. 그들은 그저 까맣게 그을린 얼굴을 들어 퀭한 눈으로 우리를 흘낏흘낏 곁눈질하면서 말없이 행군해 가고 있었다.

"죽어도 더는 못 가겠다. 해 넘기 전에 어서어서 집으로 돌아가자."

인민군의 굴속을 겨우 빠져나왔을 때 할머니가 말했다. 우리는 한길을 피해서 논두렁과 밭고랑을 멀리 돌아 깜깜해진 뒤에야 가까스로 마을에 닿을 수 있었다.

내가 소녀를 맨 처음 발견한 것은 한나절로 끝나버린 그 우스꽝스러운 피난길에서 돌아온 바로 그 이튿날이었다.

아침이었다. 마을엔 벌써 낯선 깃발이 펄럭이고 있었다. 마을 사람들이 재 너머 학교를 향해 몰려가고 있었다. 나는 삽짝을 젖히고 골목길로 나섰다.

"얘."

생판 모르는 녀석이 간드러진 소리로 나를 부르고 있었다. 주제꼴은 꾀죄죄해도 곱살스러운 얼굴에 꼭 계집애처럼 생긴 녀석이었다. 우선 생김새에서 풍기는 어딘지 모르게 도시아이다운 냄새가 나를 당황하도록 만들었다. 더구나 사람을 부르는 방식부터가 우리하고는 딴판이었다. 그처럼 교과서에서나 보던 서울말씨로 나를 부르는 아이는 아직껏 마을에 한 명도 없었던 것이다.

"왜 놀래니? 내가 무서워 보이니?"

조금도 무섭지 않았다. 다만 약간 얼떨떨한 기분일 뿐이었다. 피난민이 줄을 잇는 동안 갖가지 귀에 선 말씨들을 들어왔으나 녀석처럼 그렇게 착 삼기는 목소리에 겁없는 눈짓을 빈시는 아이는 처음이었다. 녀석은 토박이아이들이 피난민아이들한테 부리는 텃세가 조금도 두렵지 않은 모양이었다.

"너희 엄마 집에 계시지?"

내가 잠시 어물거리는 사이에 녀석은 계속해서 계집애같이 앵앵거리면서 앞으로 다가왔다. 나는 얼김에 고개를 끄덕였다.

"엊저녁부터 굶었더니 배고파 죽겠다. 엄마한테 가서 밥 좀 달래자."

오히려 녀석이 앞장을 서고 내가 그 뒤를 따랐다. 나는 녀석의 바지주머니가 불룩한 것을 보았다. 걸음을 옮길 적마다 불룩한 주머니가 연방 덜렁거리고 있었다. 틀림없이 간밤에 누구네 밭에서 서리를 한 설익은 참외 아니면 감자가 그 속에 들어 있을 것이었다.

"엄니! 엄니이!"

마당에 들어서면서 어머니를 거푸 불렀다. 부엌에서 기명을 부시던 어머니가 무심코 마당을 내다보다가 내 등 뒤에서 쏙 불가져 나오는 녀석을 발견하고는 대번에 질겁잔망을 했다.

"아줌마, 안녕하세요?"

녀석은 천연스럽게 인사를 챙겼다.

"아아니, 요 작것이!"

어머니가 소맷부리를 걷으며 단숨에 마당으로 내달아나왔다. 참외서리나 하고 다니는 피난민아이한테 어머니가 이제 곧 본때있게 손찌검을 하려나 보다고 나는 지레짐작을 했다. 그런데 웬걸, 어머니는 녀석 대신 내 귀를 잡아끌고는 뒤란으로 향하는 것이었다.

"요 웬수야, 지발로 들어와도 냉큼 쫓아내야 헐 놈을 어쩌자고, 어쩌자고……."

어머니는 내 머리통에 대고 거듭 군밤을 쥐어박았다. 도대체 어떻게 된 영문인지 전혀 깜깜이라서 울음보를 터뜨릴 수도 없는 노릇이었다.

"니가 상각(상객)으로 뫼셔왔으니께 니가 멕여살리거라!"

어머니는 다시 군밤을 먹이려다 뒤란까지 따라온 서울 아이를 발견하고는 갑자기 손을 거두었다.

"아침상 퍼얼써 다 치웠다. 따른 집에나 가봐라."

어머니는 얼음처럼 차갑게 말했다.

"사나새끼가 똑 지집맹키로 야들야들허게 생긴 것이 연락없는 물빤드기고만……."

혼잣말을 구시렁거리며 어머니는 한껏 야멸찬 표정을 하고 도로 부엌으로 들어가려 했다.

"아줌마!"

이때 녀석이 또 예의 그 계집애처럼 간드러진 소리로 어머니를 불러 세웠다.

"따른 집에나 가보라니께!"

"아줌마한테 요걸 보여줄려구요."

녀석은 엄지와 인지를 붙여 동그라미를 만들어 보였다. 그 동그라미 위에 다른 또 하나의 작은 동그라미가 노란 빛깔을 띠면서 날름 올라앉아 있었다. 뒤란 그늘 속에서도 그것은 충분히 반짝이고 있었다. 그걸 보더니 어머니의 눈에 환하게 불이 켜졌다.

"아아니, 너 고거 금가락지 아니냐!"

말이 채 끝나기도 전에 금반지는 어느새 어머니의 손에 건너가 있었다. 솔개가 병아리를 채듯이 서울아이의 손에서 금반지를 낚아

채어 어머니는 한참을 칩떠보고 내립떠보는가 하면 혓바닥으로 침을 묻혀 무명저고리 앞섶에 싹싹 문질러보다가 나중에는 이빨로 깨물어보기까지 했다. 마침내 어머니의 얼굴에 만족스러운 미소가 떠올랐다.

"아가, 너 요런 것 어디서 났냐?"

옷고름의 실밥을 뜯어 그 속에 얼른 금반지를 넣고 웅숭깊은 저 밑바닥까지 확실히 닿도록 두어 번 흔들고 나서 어머니는 서울 아이한테 물었다. 놀랍게도 어머니의 목소리는 서울아이의 그것보다 훨씬 더 간드러지게 들렸다.

"땅바닥에서 주웠어요. 숙부네가 떠난 담에 그 자리에 가봤더니 글쎄 요게 떨어져 있잖아요."

녀석이 이젠 아주 의기양양한 태도로 당당하게 대답했다. 그 말을 어머니는 별로 귀담아듣는 기색이 아니었다. 어머니는 연신 싱글벙글 웃어가며 녀석의 잔등을 요란스레 토닥거리고 쓰다듬어 주는 것이었다.

"아가, 요담번에 또 요런 것 생기거들랑 다른 누구 말고 꼬옥 이 아줌니한테 가져와야 된다. 알었냐?"

"네, 꼭 그렇게 하겠어요."

다음에 다시 금반지를 줍기로 무슨 예정이라도 되어 있는 듯 이 녀석의 입에서는 대답이 무척 시원스럽게 나왔다.

"어서어서 방 안으로 들어가자. 에린것이 천리타관서 부모 잃고 식구 놓치고 얼매나 배고푸고 속이 짜겠냐."

이런 곡절 끝에 명선이는 우리 집에서 살게 되었다. 마지막으로 마을에 남게 된 유일한 피난민이었다. 인민군한테 발뒤꿈치를 밟혀가며 피난을 내려왔던 명선네 친척들은 역시 인민군보다 한 걸음 앞서 부랴사랴 우리 마을을 떠나면서 명선이를 버리고 갔다. 그래서 명선이는 피난민 일가가 묵다가 떠난 자리에서 동네 사람들에 의해 하나의 골치아픈 뒤퉁거리로 발견되었다. 누나하고 내가 할머니를 따라 피난을 떠나던 바로 그날 아침의 일이었다.

명선이는 누나나 나하고 같은 방을 쓰기를 바라는 눈치였다. 그러나 어머니는 먼촌 일가로 어린 나이에 우리 집에 와서 말만한 처녀가 되기까지 부엌데기 노릇하는 정님이한테 명선이를 내맡겨 버렸다. 당분간 집안에서 머슴처럼 부리면서 제 밥값이나 하도록 하자고 어머니와 아버지가 공론하는 소리를 나는 밤중에 얼핏 들을 수 있었다.

애당초 명선이를 머슴으로 부리려던 어른들의 생각은 크게 잘못이었다. 세상의 어떤 끈으로도 그 애를 한 곳에 얌전히 붙들어 둘 수 없음이 이내 밝혀졌다. 쇠여물로 쓸 꼴이라도 베어오라고 낫과 망태기를 쥐여주면 그걸 그 애는 아무 데나 내버리고 누나와 내 뒤를 기를 쓰고 쫓아오곤 했다. 한 번도 해보지 않은 일이라서 죽어도 못하겠다는 것이었다. 그 애가 자신있게 할 수 있는 일이란 그저 먹고 노는 것뿐이었다.

흔히 닭들이 그러듯이 혹은 개들이 그러듯이 동네 아이들의 텃세가 갈수록 우심해져서 아무도 명선이를 패거리에 넣어주려 하지 않았다. 어느 날 명선이는 유독 가탈스럽게 구는 어떤 아이하고 대판거리로 싸움을 했다. 싸움을 하는데 역시 생긴 모양에 어울리게 상대방의 얼굴을 손톱으로 할퀴고 머리끄덩이를 잡는 바람에 우리 또래 사이에서 크나큰 웃음거리가 되었다. 서울아이들은 싸움도 가시내처럼 간사스럽게 하는 모양이었다. 상대방이 딴죽을 걸어 넘어뜨리고 위에서 덮쳐누르고 한창 열세에 몰려 맥을 못 추던 명선이가 별안간 날라리소리 비슷한 괴상한 비명과 함께 엄청난 기운으로 상대방의 몸뚱이를 벌렁 떠둥그뜨려 버렸다. 첫 번째 싸움에서 명선이는 승리자가 되었다. 그리고 그 후로 계속된 두 번째 세 번째 싸움에서도 으레 상대방의 밑에 깔렸다가 무서운 힘으로 떨치고 일어나서는 승리를 했다.

어느 날 명선이는 부모가 죽던 순간을 나에게 이야기했다. 피난길에서 공습을 만나 가까운 곳에 폭탄이 떨어졌는데 한참 정신을 잃었다가 깨어나보니 어머니의 커다란 몸뚱이가 숨도 못 쉴 정도로 전신을 무겁게 덮어누르고 있더라는 것이었다.

"그래서 마구 소릴 지르면서 엄마를 떠밀었단다. 난 그때 엄마가 죽은 줄도 몰랐어."

그리고 명선이는 숙부네가 저를 버리고 도망치던 때의 이야기도 들려주었다.

"실은 말이지, 숙부가 날 몰래 내버리고 도망친 게 아니라 내가 숙부한테서 도망친 거야. 숙부는 기회만 있으면 날 죽일라구 그랬거든."

숙부가 널 죽이려 한 이유가 뭐냐는 내 질문에 그 애는 무심코 대답하려다 말고 갑자기 입을 꾹 다물더니만 언제까지고 나를 경계하는 눈으로 잔뜩 노려보고 있었다.

같은 방을 쓰는 정님이가 어머니한테 불평을 늘어놓기 시작했다. 원래 잠버릇이 험한 정님이가 어쩌다 다리를 올려놓으면 명선이는 비명을 꽥꽥 지르며 벌떡 일어나 눈에다 불을 켜고 노려본다는 하소연이다. 오랫동안 옷을 갈아입지 않아 명선이 몸에서 지독한 냄새가 난다고 정님이는 오만상을 찡그리기도 했다. 갈아입을 여벌의 옷이 없는 줄 번연히 알면서도 정님이가 그처럼 사사건건 트집을 잡는 까닭은 나이 때문에 내외를 시작한 탓이라고 어머니가 말했다. 머슴애하고 어떻게 한방을 쓰란 말이냐고 정님이는 처음부터 울상을 지었던 것이다. 가슴이 얼른 알아보게 봉긋 솟고 엉덩이가 제법 펑퍼짐해서 정님이는 이제 처녀티가 완연해져 있었다.

오래지 않아 명선이를 머슴으로 부리려던 속셈을 어머니는 깨끗이 포기했다. 괜히 말썽이나 부리고 펀둥펀둥 놀면서 삼시 세끼 밥이나 축내는 그 뒤퉁거리를 어떻게 하면 내쫓을 수 있을까 하고 궁리하는 게 어머니의 일과였다. 아버지 앞에서 어머니는 그동안 먹여주고 재워준 값과 금반지 한 개의 값어치를 면밀히 따지기 시작했다.

"천지신명을 두고 허는 말이지만 가한티 죄로 가지 않을 만침 헌다고 혔구만요."

"허기사 난리 때 금가락지 한 돈쭝은 똥가락지여. 금 먹고 금똥 싼다면 혹 몰라도…… 쌀톨이 금쪽보담 귀헌 세상인디……."

"그러니 저녀르 작것을 어쩌지요?"

"밥을 굶겨봐. 지가 배고푸고 허기지면 더 있으라도 지발로 나가겠지."

"워너니 갸가 나가겄소. 물빤드기마냥 빤들거림시나 무신 수를 써서라도 절대 안 굶을 아요."

어머니의 판단이 전적으로 옳았다. 끼니때만 되면 눈알을 딱 부릅뜨고 부엌 사정을 낱낱이 감시하다가 염치 불구하고 밥상머리를 안 떠나는 명선이를 두고 우리는 차마 밥덩이를 목구멍으로 넘길 수가 없었다.

갈수록 밥 얻어먹는 설움이 심해지자 하루는 또 명선이가 금반지 하나를 슬그머니 내밀어왔다. 먼젓번 것보다 약간 굵어 보였다. 찬찬히 살피고 나더니 어머니는 한 돈 하고도 반짜리라고 조심스럽게 감정을 내렸다.

"길에서 주웠다니까요."

어머니의 다그침에 명선이는 천연스럽게 대꾸했다.

"거참 요상도 허다. 따른 사람은 눈을 까뒤집어도 안 뵈는 노다지가 어째 니 눈에만 유독이 들어온다냐?"

그러나 어머니는 명선이가 지껄이는 말을 하나도 믿으려 하지 않았다. 명선이가 처음 금반지를 주워왔을 때처럼 흥분하거나 즐거워하는 기색도 아니었다. 명선이의 얼굴을 유심히 들여다보는 어머니의 눈엔 크고 작은 의심들이 호박처럼 올망졸망 매달려 있었다.

그날 밤에 아버지는 명선이를 안방으로 불러 아랫목에 앉혀놓고 밤늦도록 타일러도 보고 으름장도 놓아보았다. 하지만 명선이의 대답은 한결같았다.

"거짓말이 아니라구요. 참말이라구요. 길에서 놀다가……."

"너 이놈, 바른대로 대지 못허까!"

아버지의 호통소리에 명선이는 비죽비죽 울기 시작했다. 우는 명선이를 아버지는 또 부드러운 말로 달래기 시작했다.

"말은 안 헜어도 너를 친자식 진배없이 생각혀 왔다. 너 같은 어린것이 그런 물건 갖고 있으면은 덜 좋은 법이다. 이 아저씨가 잘 맡어놨다가 후제 크면 줄 테니께 어따 숨겼는지 바른대로 대거라."

아무리 달래고 타일러도 소용이 없자 아버지는 마침내 화를 버럭 내면서 명선이의 몸뚱이를 뒤지려 했다. 아버지의 손이 옷에 닿기 전에 명선이는 미꾸라지같이 안방을 빠져나가 자취를 감추어버렸다. 그리고 그날 밤 끝내 우리 집에 돌아오지 않았다.

"틀림없다. 몇 개나 되는지는 몰라도 더 있을 게다. 어디다 감췄는지 니가 살살 알아봐라. 혼자서 어딜 가거든 눈치 안 채게 따러가 봐라."

입맛을 쩝쩝 다시던 아버지는 나한테 이렇게 분부했다.

"옷 속에다 누볐는지도 모른다."

어머니가 옆에서 거들었다. 어머니 역시 아버지 못잖게 아쉬운 표정이었다. 아버지의 이마에서는 땀방울이 찌걱찌걱 배어나오고 있었다. 아버지는 벌겋게 충혈된 눈을 등잔 불빛에 번들번들 빛내면서 숨을 씩씩거렸다. 꼭 무슨 일을 저지르고야 말 것만 같은 모습이었다.

그 이튿날 점심 무렵부터 명선이에 관한 소문이 마을에 파다하게 퍼졌다. 난리통에 혈혈단신이 된 서울아이가 금반지를 많이 가지고 있다는 이야기였다. 어떤 사람들은 그 아이가 열 개도 넘는 금반지를 저만 아는 곳에 꽁꽁 감춰두고 하나씩 꺼낸다더라고 쑤군거리기도 했다. 입이 방정이라고 정님이가 어머니한테 호되게 꾸중을 들었다. 어머니의 지시에 따라 누나와 나는 돌아오지 않는 명선이를 찾아 마을 안팎을 온통 헤매고 다녔다.

낮더위가 한풀 꺾이고 어둠발이 켜켜이 내려앉을 무렵에야 명선이는 당산 숲 속에서 발견되었다. 우리가 그 애를 찾아낸 것이 아니라 그 애가 돼지 먹따는 소리로 한바탕 비명을 질러 사람들을 불러모은 결과였다. 이 나무 저 나무 옮아다니는 매미처럼 당산 숲 속을 팔모로 헤집고 다니며 거듭거듭 내지르는 비명소리를 듣고서 맨 처음 달려간 사람들 축에 아버지도 끼어 있었다.

"너그 놈들이 누구누군지 내 다 안다아! 어디 사는 누군지 내 다 봐뒀으니께 날만 샜다 하면 물고를 낼 것이다아!"

해뜩해뜩 뒷모습을 보이며 당산 골짜기 어둠 속으로 꽁지가 빠지게 달아나는 남자들을 향해 아버지는 길길이 뛰며 입에 거품을 물었다.

"아가, 이자 아모 염려 없다. 어서 내려오니라, 어서."

한걸음 뒤늦어 득달같이 달려온 어머니가 소나무 위를 까마득히 올려다보며 한껏 보드라운 말씨로 달랬다. 소나무 둥지에 딱정벌레처럼 달라붙어 꼼짝도 않는 하얀 궁둥이가 보였다. 놀랍게도 명선이는 시원스러운 알몸뚱이로 있었다. 어느 겨를에 어떻게 거기까지 기어올라갔는지 명선이는 까마득한 높이에 매달려 홀랑 벌거벗은 채 흐느끼고 있었다. 아무리 내려오라고 타일러도 반응이 없자 아버지가 팔소매를 걷어붙이고 올라가 위험을 무릅쓰고 폭네라도 하듯이 그 애를 등에 업고 내려왔다.

"오매오매, 쟈가 지집애 아녀!"

땅에 내려서기 무섭게 얼른 돌아서며 사타귀를 가리는 명선이를 보고 누군가 이렇게 고함을 질렀다. 나 또한 초저녁 어스름 속에 얼핏 스쳐지나가는 눈길만으로도 그 애한테는 고추가 없다는 사실을 넉넉히 알아차릴 수 있었다.

"그러매 말이네. 머스맨 줄만 알았더니 인제 보니 지집애구만."

"참말로 재변이네, 재변이여!"

모여서 있던 마을 사람들이 저마다 탄성을 지르며 혀를 찼다. 어머니가 잽싸게 치마폭으로 명선이의 알몸을 감쌌다. 모닥불이라도 뒤집어쓴 것같이 공연히 얼굴이 화끈거려서 나는 차마 명선이를 바로 볼 수가 없었다.

"요, 요것이, 개패같이 달린 요것이 뭣이디야!"

명선이의 하얀 가슴께를 들여다보며 어머니가 소리를 질렀다. 곁에 있던 아버지가 얼른 그것을 가리려는 명선이의 손을 뿌리치고 뚝 잡아챘다. 줄에 매달린 이름표 같은 것이었다. 아직도 한 줌의 빛살이 옹색하게 남아 있는 서쪽 하늘에 대고 거기에 적혀진 글씨를 읽은 다음 아버지는 마치 무슨 보물섬의 지도나 되듯 소중스레 바지춤에 찔러넣었다. 그리고 마을 사람들을 향해 돌아서면서 눈을 딱 부릅떠 엄포를 놓는 것이었다.

"나허고 원수 척질 생각 아니면 앞으로 야한티 터럭손 하나 건딜지 마시요!"

언젠가 가뭄 흉년 때 이웃 논의 임자하고 물꼬 싸움을 벌이면서 시퍼렇게 삽날을 들이대던 그때의 그 표정보다 훨씬 더 포악해 보였다. 우리 논에서 떨어지는 빗물이나 마찬가지로 아버지는 우리 집안에 우연히 굴러들어온 명선이의 소유권을 마을 사람들 앞에서 우격다짐으로 가리고 있었다.

"우리가 친자식 이상으로 애끼고 길르는 아요. 만에 일이라도 야한티 해꿎이 헐라거든 앙화가 무섭다는 걸 멩심허시요!"

덩달아 어머니도 위협을 잊지 않았다. 명선이가 입은 손해는 바로 우리 집안의 손해나 마찬가지라는 주장이었다. 물론 어머니는 명선이 때문에 생기는 이익이 곧바로 우리 이익이란 말은 입 밖에 비치지도 않았다.

사람들을 따돌리고 집 안에 들어서자마자 어머니는 더 이상 참지를 못하고 아버지한테 다그쳤다.

"개패에 무슨 사연이 적혔든가요?"

"갸네 부모가 쓴 편지여."

"누구한티요?"

"누구긴 누구여, 나지."

"오매, 그 사람들이 어떻게 알고 당신한티 편지를……."

"이런 딱헌 사람 봤나. 아, 갸를 맡어서 기를 사람한티 쓴 편지니께 받는 사람이 나지 누구겄어."

"뭐라고 썼습디여?"

"자기네가 혹 난리 바람에 무슨 일이라도 당허게 되면 무남독녀 혈육을 잘 부탁헌다고, 저승에 가서도 그 은혜는 잊지 않겄다고 서울 어디 사는 누네 딸이고 본관이 어디고 생일이 언제라고……."

"가락지 말은 안 썼어라우?"

"안 썼어."

아버지는 딱 잘라 대답했다. 그러나 다음 순간 아버지는 득의연한 미소와 함께 어머니한테 나직이 속삭이고 있었다.

"금가락지 말은 없어도 저 먹을 건 다소 딸려났다고 써 있어. 사연이 복잡헌 부잣집인 것만은 틀림없다고."

명선이를 달아나지 못하게 감시하는 새로운 임무가 나한테 주어졌다. 우리 식구 모두는 상전을 모시듯이 명선이에게 한결같이 친절했다. 동네 사람 어느 누구도 감히 넘볼 마음을 못 먹도록 뚝심좋은 아버지는 그 애의 주위에 이중 삼중으로 보호의 울타리를 쳐놓고 언제나 안심하지 못했다. 나는 그 애의 그림자 노릇을 착실히 했다. 그러나 금반지를 어디다 감춰뒀는지 그것만은 차마 묻지를 못했다. 시간이 흐를수록 그 애는 내 사투리를 닮아가고 나는 반대로 그 애의 서울말을 어색하게 흉내내기 시작했다.

타고난 본래의 여자 모양을 되찾은 후에도 명선이는 갈 데 없는 머슴애였다. 하는 짓거리마다 시골아이들 뺨치는 개구쟁이였고 토박이의 텃세를 계집애라는 이유로 쉽사리 물리칠 수 있게 되면서부터 온갖 망나니짓에 오히려 우리의 앞장을 서곤 했다. 다람쥐처럼 나무도 뽀르르 잘 타고 둠벙에서는 물오리나 다름없이 헤엄도 잘 쳤다. 수놈 날개에 노랗게 호박가루를 칠해서 암놈으로 위장하여 말잠자리를 우리보다 솜씨있게 낚는가 하면 남의 집 울타리에 달린 호박에 말뚝도 박고 여름밤에 개똥벌레를 여러 마리 종이봉지 안에 가두어 어른이 담뱃불 흔드는 시늉을 하면서 다가와 술래를 따돌리는 재간도 부릴 줄 알았다. 인공 치하에서 학교가 쉬는 동안을 우리는 마냥 키드득거리며 떼뭉쳐 어울려다녔다.

심심할 때마다 명선이는 나를 끌고 허리가 끊어진 만경강 다리로 놀러가곤 했다. 계집애답지 않게 배짱도 여간이 아니어서 그 애는 아무도 흉내낼 수 없는 위험천만한 곡예를 부서진 다리 위에서 예사로 벌여 우리의 입을 딱 벌어지게 만드는 것이었다.

"누가 제일 멀리 가는지 시합하는 거다."

폭격으로 망가진 그대로 기나긴 다리는 방치되어 있었다. 난간이 떨어져 달아나고 바닥에 커다란 구멍들이 뻥뻥 뚫린 채 쌀뜨물보다도 흐린 싯누런 물결이 일렁이는 강심 쪽을 향해 곧장 뻗어나가다 갑자기 앙상한 철근을 엿가락 모양으로 어지럽게 늘어뜨리면서 다리는 끊겨 있었다. 얽히고 설킨 철근의 거미줄이 간댕간댕 허공을 가로지르고 있는 마지막 그곳까지 기어가는 시합이었다. 그리고 시합에서 승리자는 언제나 명선이었다. 웬만한 배짱이라면 구멍이 숭숭 뚫린 시멘트바닥을 기는 것은 누구나 할 수 있는 일이었다. 하지만 시멘트가 끝나면서 강바닥이 까마득한 간격을 두고 저 아래에서 빙글빙글 맴을 도는 철골 근처에 다다르면 누구나 오금이 굳고 팔이 떨려 한 발도 더는 나갈 수가 없었다. 오로지 명선이 혼자만이 얼키설키 허공을 건너지른 엿가락 같은 철근에 위태롭게 매달려 세차게 불어대는 강바람에 누나한테 얻어입은 치맛자락을 펄렁거리며 끝까지 다 건너가서 지옥의 저쪽 가장자리에 날름 올라앉아 귀신인 양 이쪽을 보고 낄낄거리는 것이었다. 그렇게 낄낄거리며 우리들 머슴애의 용기 없음을 놀릴 때 그 애의 몸뚱이는 마치 널을 뛰듯이 위아래로 훌쩍훌쩍 까불리면서 구부러진 철근의 탄력에 한바탕씩 놀아나고 있었다.

어느 날 나는 명선이하고 단둘이서만 다리에 간 일이 있었다. 그때도 그 애는 나한테 시합을 걸어왔다. 나는 남자로서의 위신을 걸고 명선이의 비아냥거림 앞에서 최선의 노력을 다해 봤으나 결국 강바닥의 깔린 뽕나무밭이 갑자기 거대한 팽이가 되어 어쩔어찔 맴도는 걸 보고 뒤로 물러서지 않을 수 없었다. 이제 명선이한테서 겁쟁이라고 꼼짝없이 수모를 당할 차례였다.

"야아, 저게 무슨 꽃이지?"

그런데 그 애는 놀림 대신 갑자기 뚱딴지 같은 소리를 질렀다. 말 타듯이 철근뭉치에 올라앉아서 그 애가 손가락으로 가리키는 곳을 내려다보았다. 거대한 교각 바로 위 무너져 내리다 만 콘크리트 더미에 이전에 보이지 않던 꽃송이 하나가 피어 있었다. 바람을 타고 온 꽃씨 한 알이 교각 위에 두껍게 쌓인 먼지 속에 어느새 뿌리를 내린 모양이었다.

"꽃이름이 뭔지 아니?"

난생 처음 보는 듯한, 해바라기를 축소해 놓은 모양의 동전만 한 들꽃이었다.

"쥐바라숭꽃……."

나는 간신히 대답했다. 시골에서 볼 수 있는 거라면 명선이는 내가 뭐든지 다 알고 있다고 믿는 눈치였다. 쥐바라숭이란 이 세상엔 없는 꽃이름이었다. 엉겁결에 어떻게 그런 이름을 지어낼 수 있었는지 나 자신 어리벙벙할 지경이었다.

"쥐바라숭꽃…… 이름처럼 정말 이쁜 꽃이구나. 참 앙증맞게두 생겼다."

또 한바탕 위험한 곡예 끝에 그 애는 기어코 그 쥐바라숭꽃을 꺾어올려 손에 들고는 냄새를 맡아보다가 손바닥 사이에 넣어 대궁을 비벼서 양산처럼 팽글팽글 돌리다가 끝내는 머리에 꽂는 것이었다. 다시 이쪽으로 건너오려는데 이때 바람이 휙 불어 명선의 치맛자락이 훌렁 들리면서 머리에서 꽃이 떨어졌다. 나는 해바라기 모양의 그 작고 노란 쥐바라숭꽃 한 송이가 바람에 날려 싯누런 흙탕물이 도도히 흐르는 강심을 향해 바람개비처럼 맴돌며 떨어져 내리는 모양을 아찔한 현기증으로 지켜보고 있었다.

우리가 명선이한테서 순순히 얻어낸 금반지는 두 번째 것으로 마지막이었다. 아버지와 어머니가 온갖 지혜를 짜내어 백방으로 숨겨둔 장소를 알아내려 안간힘을 다해 보았으나 금반지 근처에만 얘기가 닿아도 명선이는 입을 굳게 다문 채 침묵 속의 도리질로 완강히 버티곤 했다.

날이 가고 달이 갔다. 어느덧 초가을로 접어드는 날씨였다. 남쪽에서 쳐 올라오는 국방군에 밀려 인민군이 북쪽으로 쫓겨가기 시작한다는 소문이 돌았다. 생각보다 전쟁이 일찍 끝나 남쪽으로 피난 갔던 명선네 숙부가 어느 날 불쑥 마을에 다시 나타날 경우를 생각하면서 어머니는 딱할 정도로 조바심을 치기 시작했다. 내가 벌써 귀띔을 해줘서 어른들은 명선이가 숙부로부터 버림받은 게 아니라 스스로 도망쳤다는 사실을 이미 알고 있었다. 전쟁이 끝나기 전에 어떻게든 명선이의 입을 열게 하려고 아버지는 수단 방법을 안 가릴 기세였다.

그날도 나는 명선이와 함께 부서진 다리에 가서 놀고 있었다. 예의 그 위험천만한 곡예 장난을 명선이는 한창 즐기는 중이었다. 콘크리트 부위를 벗어나 그 애가 앙상한 철근을 타고 거미줄처럼 지옥의 가장귀를 향해 조마조마하게 건너갈 때였다. 이때 우리들 머리 위의 하늘을 두 쪽으로 가르는 굉장한 폭음이 귀뺨을 갈기는 기세로 갑자기 울렸다. 푸른 하늘 바탕을 질러 하얗게 호주기 편대가 떠가고 있었다. 비행기의 폭음에 가려 나는 철근 사이에서 울리는 비명을 거의 듣지 못했다. 다른 것은 도무지 무서워할 줄 모르면서도 유독 비행기만은 병적으로 겁을 내는 서울아이한테 얼핏 생각이 미쳐 눈길을 하늘에서 허리가 동강이 난 다리로 끌어내렸을 때 내가 본 것은 강심을 겨냥하고 빠른 속도로 멀어져 가는 한 송이 쥐바라숭꽃이었다.

명선이가 들꽃이 되어 사라진 후 어느 날 한적한 오후에 나는 그때까지 한 번도 성공한 적이 없는 모험을 혼자서 시도해 보았다. 겁쟁이라고 비웃는 사람이 아무도 없으니까 의외로 용기가 나고 마음이 차갑게 가라앉는 것이었다. 나는 눈에 띄는 그 즉시 거대한 팽이로 분갑해 버리는 까마득한 강바닥을 보지 않으려고 생땀을 흘렸다. 엿가락으로 흘러내리다가 가로지르는 선에 얹혀 다시 오르막을 타는 녹슨 철근의 우툴두툴한 표면만을 무섭게 응시하면서 한뼘 한뼘 신중히 건너갔다. 철근의 끝에 가까이 갈수록 강바람을 맞는 몸뚱이가 사정없이 까불렸다. 그러나 나는 천신만고 끝에 마침내 그 일을 해내고 말았다. 이젠 어느 누구도, 제아무리 쥐바라숭꽃일지라도 나를 비웃을 수는 없게 되었다.

지옥의 가장귀를 타고 앉아 잠시 숨을 고른 다음 바로 되돌아 나오려는데 이때 이상한 물건이 얼핏 시야에 들어왔다. 낚시바늘 모양으로 꼬부라진 철근의 끝자락에다 끈으로 친친 동여맨 자그만 형겊주머니였다. 명선이가 들꽃을 꺾던 때보다 더 위태로운 동작으로 나는 주머니를 어렵게 손에 넣었다. 가슴을 잡죄는 긴장 때문에 주머니를 열어보는 내 손이 무섭게 경풍을 일으키고 있었다. 그리고 그 주머니 속에서 말갛게 빛을 발하는 동그라미 몇 개를 보는 순간 나는 손에 든 물건을 송두리째 강물에 떨어뜨리고 말았다.

作品 解説

묘사와 실험

천이두

1

1970년대의 한국 문학에서 가장 화려하게 부각된 작가의 한 사람으로 윤흥길(尹興吉)을 꼽을 수 있다. 생산량에서 단연 앞설 정도로 정력적인 작가임을, 근래의 그의 일련의 작업들이 입증하고 있거니와 그의 문학이 매우 폭넓은 독자층을 포용하고 있다는 점도 간과할 수 없는 사실이라 하겠다. 근래에 몇 가지 문학상들이 잇따라 그에게로 돌아가게 된 것도 이런 사실들과 깊이 관련되는 점이라 할 것이다. 말하자면 그는 바야흐로 날개 돋친 듯 잘 팔리는 작가로 부각된 것이다.

그러나 불과 십 년 안팎의 짧은 기간에 획득한 그의 이러한 폭넓은 인기는 가령 우리가 흔히 말하는 인기 작가나 유행 작가의 그것과 명백히 구별되어야 할 성질의 것이다. 흔히 말하는 인기 작가나 유행 작가가 항용 드러내기 쉬운 위태위태한 단명(短命)의 징후 같은 것을 그의 문학에서는 조금도 찾을 수 없다는 것이다. 그의 문학은 오히려 본래적인 미덕이 간직하기 마련인 듬직한 중량감을 빚어냄으로써 독자의 확고한 신뢰감을 획득하는 데 성공하고 있는 것이다. 그는 어떠한 거센 풍파라도 능히 견뎌낼 뚜렷한 자신의 문학적 개성을 기반으로 하고 있다는 점에서 이른바 단명의 유행작가와 명백히 구별되는 것이며, 그러면서도 독자의 일시적인 기호나 취향에 영합함이 없이 자신의 세계를 꾸준하게 천착 확대해 나가고 있다는 점에서 이른바 부박(浮薄)한 인기 작가와 뚜렷하게 구별되는 것이다.

그는 우선 치밀하고도 섬세한 사실주의적인 묘사를 문학적 기반으로 하고 있다. 이 점에서 그는 얼핏 보기에 그다지 모험적이거나 실험적인 작가가 아닌 듯이 보인다. 이상(李箱) 같은 작가에게서 볼 수 있는 바와 같은 무슨 두드러진 위트를 느끼기도 어렵고, 최인훈(崔仁勳) 같은 작가에게서 보게 되는 도도한 소피스티케이션의 흐름을 만날 수도 없다. 그렇다고 김승옥(金承鈺)이나 최인호(崔仁浩) 등에서 볼 수 있는 바와 같은 재기활발한 어떤 환상적인 무드가 두드러지는 것도 아니다.

그는 대개의 경우 일단 차분한 관조자의 자세를 취한다. 이는 그의 문장의 지배적인 톤이 요설이나 웅변 같은 것과는 거리가 먼, 엄격하게 절제된 관조자의 그것이라는 사실과 긴밀히 관련되는 점이다. 확실히 그의 문장의 톤은, 그것이 펼쳐내는 작중의 액션 그 자체의 질료에 비하면 예외 없이 한두 음계쯤 낮다. 말하자면 그의 문장의 톤은 언제나 작중 현실의 액션이 빚어내는 탄력 속에 말려 들어가는 법 없이 일정한 거리를 엄격하게 지탱하고 있다는 것이다.

작중 액션의 질료와 그것을 펼쳐내는 그 문장의 톤 사이의 음계의 편차로 말미암아 그의 작중 현실 안에서는 대개의 경우 일종의 아이러니가 빚어진다. 이러한 음계의 편차는 그의 작중의 분위기를 약간 흐릿하고 우중충한 것으로 빚게 하는 데 결정적으로 작용한다. 그가 펼쳐내는 작중 현실은 일단 그 윤곽이 부각되기는 하면서도 어딘지 아련한 안개 같은 것이 거기에 서려 있는 듯하다. 그리하여 독자는 처음 다소 당혹감을 의식하게도 되지만, 또 그렇기 때문에 모든 윤곽이 백일하에 노출되어 있는 경우보다 어떤 신선한 여운을 느끼게도 되는 것이다.

그의 이러한 아이러니는, 특히 「황혼의 집」, 「장마」 등과 같이 철없는 어린이의 시점으로 어른들의 세계를 진술하고 있는 일련의 작품들에서의 아이러니는 얼핏 보기에 채만식(蔡萬植)의 「치숙(痴叔)」이나 손창섭(孫昌涉)의 「유실몽(流失夢)」 등의 그것과 비슷한 면을 지니고 있다 할 것이다. 이런 작품들은 모두, 펼쳐지는 작중의 액션과 그것을 진술하는 내레이터의 톤 사이에 각기 일정한 음계(音階)의 편차를 갖고 있다는 점에서 말이다. 무식하고 어리석은 내레이터가 유식하고 진지한 작품 상황을 진술함으로써 빚어내는 「치숙」의 아이러나나, 희화적인 작중 상황을 오히려 심각하고 진지한 톤으로 진술함으로써 빚어지는 「유실몽」의 아이러니 역시 자기가 그 진상을 채 이해하지 못하는 어린이의 시점으로 어른의 세계를 진술하고 있는 윤흥길의 일련의 작품들에서의 아이러니와 마찬가지로 앞서 말한 음계의 편차에서 연유되는 것들이기 때문이다.

그러나 그들 사이에는 명백한 차이가 있다는 것을 간과할 수 없다. 윤흥길의 아이러니는 「치숙」이나 「유실몽」의 경우처럼 그렇게 의도가 원색적으로 드러나는 성질의 것은 아니다. 이런 점은 엄격하게 절제된 그의 관조자적인 문장의 톤과도 긴밀히 관련되는 점이라 할 것이다. 아무튼 이러한 아이러니는 윤흥길의 문학이 간직하는 매우 중요한 매력 중의 하나라 할 수 있다.

이러한 아이러니의 묘미는 「황혼의 집」, 「몰매」, 「장마」, 「땔감」,

「기억 속의 들꽃」 등과 같이 잔인하고 교활한 어른들의 세계를 순진한 어린이들의 시점으로 진술하고 있는 일련의 작품들에서 뛰어나게 발휘되고 있거니와, 그것은 또 「아홉 켤레의 구두로 남은 사내」, 「직선과 곡선」, 「무제(霧堤)」 등과 같이 양식 있는 지식인의 시선으로 밑바닥 인생으로 전락한 시대 현실의 소외자들을 관찰하고 있는 작품들에서도 볼 수 있는 것이며, 심지어 한국의 어느 한 어촌에 상황을 설정하여 권력의 메커니즘 및 지식인의 윤리 문제를 다분히 상징적으로 추구하고 있는 「묵시(默示)의 바다」와 같은 정통적인 삼인칭소설의 경우에서도 앞서 말한바 내레이터의 톤과 액션 사이의 음계의 편차에서 연유되는 아이러니는 빚어지고 있는 것이다.

요컨대 그는 표현 대상을 선명하게 부각시킬 수 있는 치밀하고 정확한 묘사력을 간직하고 있으면서도, 그것이 그 이상의 어떤 상징이나 은유로 뻗어나갈 길을 열어주고 있는 것이다. 이리하여 그는 염상섭(廉想涉)·박태원(朴泰遠) 등으로 대표되는 한국 사실주의를 충실히 계승하고 있으면서도 그것이 자칫하면 떨어지기 쉬운 단조로운 평판성(平板性) 및 상식적 안이성을 효과적으로 극복하고도 있다 할 것이다.

"너 이런 거 먹어본 적 있어?"

윤기 흐르는 흑갈색의 그것에서 먹음직스러운 향기가 풍겼다.

"쪼꼴렛이다. 아저씨가 묻는 말에 대답만 잘 하면 이걸 너한테 몽땅 주겠다."

나는 될 수 있는 대로 그 이상한 과자 위에 시선이 머물지 않도록 신경을 많이 썼다. 그러나 나도 모르게 꿀꺽꿀꺽 넘어가는 침은 어쩔 수가 없었다.

"뭐 조금도 부끄러워할 것 없다. 착한 아이는 상을 받는 것이 당연하단다. 어떠냐, 대답하겠니? 네 대답 한마디면 아저씨는 친구를 만나서 좋고, 너는 이 맛있는 쪼꼴렛을 먹을 수 있어서 좋고……."

무엇 때문에 내가 망설이고 있었는지 알 수 없다. 받아서 좋을 것인가, 아니면 절대로 받아서는 안 될 것인가를 결정짓지 못해서였을까. 혹은 그런 도덕적인 문제가 아니라 단순히 그 나이의 시골애답게 모르는 사람에 대한 낯가림 때문에 그랬을까. 확실한 것은 별로 기억에 없다. 아무튼 나는 꽤 오래 시간을 끌었던 것 같다.

"싫어?" 사내가 재촉했다. "싫단 말이지?" 사내는 몹시 섭섭한 표정을 지었다. "그렇다면 별수 없구나. 착하게 굴면 이걸 꼭 너한테 주려고 했는데 이젠 하는 수 없다. 나한텐 필요없는 물건야. 자 봐라. 아깝지만 이렇게 내버리는 수밖에……."

실제로 사내는 그걸 아무렇지도 않다는 듯이, 땅바닥에 던졌다. 던졌을 뿐만이 아니고 구두 뒤축으로 싹싹 밟아 뭉개어버렸다. 내 표정을 흘끗 읽고 나서 그는 또 한 개를 내던졌다.

"난 네가 굉장히 똑똑한 앤 줄 알았는데…… 참 안됐구나."

그는 또 한 개를 구둣발로 짓밟아 놓았다. 벌써 세 개째였다. 사내의 손안에 이제 두 개의 과자가 남아 있었다. 그리고 여태까지의 사내의 태도로 보아 나머지 두 개마저도 충분히 짓밟고 남을 사람이었다. 사내가 별안간 껄껄 웃었다.

"너 이 녀석 우는구나. 못난 녀석 같으니라구. 얘, 꼬마야. 이제라도 늦진 않아. 잘 생각해 봐. 삼촌이 집에 다녀갔었지? 그게 언제지?"

어른의 비상한 수완을 나로서는 도저히 당해 낼 재간이 없다는 생각이 든 것은 바로 그 순간이었다. 그리고, 이 아저씨는 진짜로 삼촌의 친구일는지도 모른다, 그렇게 생각하니 마음이 한결 가벼워졌다.

막 시작할 때의 첫마디가 가장 힘들었다. 그러나 일단 얘기를 꺼

낸 다음부터는 연자새에 감긴 실처럼 전날 밤의 기억들이 술술 풀려
나왔다.

이것은 그의 대표적인 『장마』 중의 매우 탁월한 한 장면이거니
와, 이 대문에서 우리는 우선 그 섬세하면서도 정확한 묘사에 주목
하지 않을 수 없다. 어느 한 범죄자(부역자)의 행적을 추궁하는 수
사관과 그의 신문을 당하는 어린이 사이의 미묘한 심리적 역학 관
계가 그것의 직접적인 서술을 통해서가 아니라 그들 두 사람의 섬
세하고 정확한 동작과 표정의 묘사를 통하여 극명하게 부각되고 있
다. 이 장면은 물론 먹음직스러운 향기가 풍기는 초콜릿을 사이에
두고 교활한 어른과 배고픈 어린이 사이에 벌이는 한 줄다리기의
그것에 지나지 않는다. 그리고 사실, 작자는 이 장면을 그런 구체적
인 장면으로 묘사하는 데 그침으로써 그것이 그 이상의 어떤 복잡
하고 추상적인 차원으로 문장의 흐름이 일탈할 수 있는 개연성을
엄격하게 봉쇄하고 있다. 차분히 가라앉은 문자의 톤에서 그런 추
상적 이슈에 관한 하등의 언질도 우리는 받아낼 수가 없는 것이다.
　그런 점과 관련하여 이 작품에서의 시점의 문제를 생각해 보는
것은 중요한 일이다. 앞서도 말한 바와 같이 이 작품의 시점은 나이
어린 소년(내레이터인 '나')의 그것으로 되어 있다. 작중의 모든 액
션은 그 소년의 시선에 의하여 관찰된다. 따라서 작중의 모든 액션
은 그 소년의 시선이 미칠 수 있는 한도 밖으로 일탈할 수가 없다.
　그러나 시점의 문제와 관련하여 간과할 수 없는 또 하나의 사실
은 이 작품의 작중 현실 안에 빚어지고 있는 시간과 지금 그것을 진
술하고 있는 시간 사이에는 뚜렷한 간격이 가로놓여 있다는 사실이
다. '무엇 때문에 내가 망설이고 있었는지 알 수 없다. 받아서 좋을
것인가, 아니면 절대로 받아서는 안 될 것인가를 결정짓지 못해서

였을까. 혹은 그런 도덕적인 문제가 아니라 단순히 그 나이의 시골 애답게 모르는 사람에 대한 낯가림 때문에 그랬을까. 확실한 것은 별로 기억에 없다. 아무튼 나는 꽤 오래 시간을 끌었던 것 같다.' 말하자면 내레이터인 '나'는 지금 자신의 과거를 회상하는 시점에 서 있는 것이다. 이 작품의 톤이 한결같이 술회적인 것으로 일관하고 있는 이유가 거기에 있다.

이리하여 작중의 모든 액션이 철없는 어린이의 시점 안에 국한되어 있을 뿐 아니라, 그것은 또 상당히 많은 시간적 거리를 두고 술회되고 있다는 점에서 작중의 액션과 내레이터 사이에는 이중적인 간격, 즉 『소설의 이해』의 저자들이 말하는바 '거리(distance)'가 생기게 되는 것이다. 김병익(金炳翼)이 적절하게 지적하고 있는 바와 같이 그가 "사건이 스스로 말한다는 것을 소설을 통해 실증하고자" 하는 작가일 수 있는 유력한 계기의 하나는 이런 점에서 찾을 수 있다.

내레이터와 작중의 액션 사이의 이러한 이중적인 거리의 설정 위에 이룩된 작품은 「장마」 외에도 숱하게 많다. 「황혼의 집」, 「양 (羊)」, 「집」, 「기억 속의 들꽃」 등 어린이의 시점으로 진술되는 대개의 작품들이 모두 이런 방법론의 기초 위에 서 있거니와, 「아홉 켤레의 구두로 남은 사내」나 「무제」 등과 같이 작중의 내레이터와 그 중심인물이 별도로 설정되어 있는 작품의 경우에서나, 「묵시의 바다」와 같은 삼인칭소설에서도 음계의 편차, 다시 말하면 일정한 거리가 설정되어 있다는 것은 이미 언급한 바와 같다.

아무튼 여기 인용한 장면 그 자체는 그것이 지닌 가혹한 비극성과 관련되는 하등의 언질을 누설하는 법 없이 그 자체의 구체성만을 드러내고 있을 뿐이며, 더구나 작자의 의도는 이중적으로 노출의 개연성이 봉쇄당하고 있는 터이지만 그러나 총체적인 문맥 속에서 볼 때 이 장면은 더없이 치열하고 가혹한 장면으로 부각되는 것이다. 증오와 살육과 밀고와 보복과 그리고 파괴와 굶주림 등등 6·25의 온갖 비극의 실체가 이 '먹음직스러운' 초콜릿을 사이한 이른과 어린이 사이의 줄다리기의 장면 속에 집약되어 있다고 해도 과언이 아니다. 그런데도 이 장면을 펼쳐내는 문장의 톤은 어디까지나 차분한 술회적인 그것으로 머물러 있는 것이다. 작중의 액션의 치열성에 비하면 그 문장의 톤은 그 치열성에 조금도 감염되어 있지 않다는 것이다. 말하자면 양자 사이에는 음계의 편차가 있다는 것이다. 아이러니는 여기서 빚어진다. 이러한 아이러니는 이 작가의 한 문화적 특질이요 매력이다.

그가 한국 사실주의의 정통을 충실히 계승하고 있으면서도 그 평판성을 효과적으로 극복하고 있다는 것은 그의 작중 현실이 대개의 경우 짙은 상징적 분위기에 싸이게 된다는 사실과도 관련이 된다. 말하자면 그는 일단 치밀하고 정확한 묘사가이면서도 자신의 작중 현실이 어떤 은유나 상징의 세계로 고양될 수 있도록 꾸준한 노력을 아울러 계속하고 있다는 것이다.

그러한 그의 일관된 노력의 소산으로 지적할 수 있는 것이 많은 그의 작품들에서 쉽사리 발견할 수 있는바 갖가지 상징적 장치(device)들이다.

가령 「아홉 켤레의 구두로 남은 사내」에서 밑바닥 인생으로 전락한 한 소외자(권 씨)가 끄리고 다니는 아홉 켤레의 구두가 그 좋은 예이다. 그는 애당초 현실과의 사이에 적절한 화해의 단서를 찾지 못한 소외자이다. 아이들에게는 제대로 먹여줄 만한 벌이가 없는 무능력한 아버지요, 임신한 아내에게는 분만의 위기를 해소시켜 줄 만한 입원비를 대주지 못하는 무능력한 남편이다. 결국 현실의 거센 파도에 밀리고 밀려 서울 하고도 강남의 어느 중학교 교사의 십에 세 들어 사는 신세로 전락하였다. 게다가 그는 무슨 소요 사건의 주모자로 지목되어 감옥살이까지 하고 나온 전과자이기도 하다. 이제 그에게 남은 건 아무것도 없다. 철두철미한 적빈(赤貧) 그것뿐이다.

그러나 그러한 가혹한 가난 속에서도 그는 한 가지 사실만은 완고하게 고집하고 있다. 지식인으로서의 자부심 그것이다. 주어진 현실과의 사이에 화해의 가능성을 모색하느니보다 애당초 그런 노력조차를 외면하는, 그러한 노력을 차라리 일종의 타락으로 생각하는 그의 오만한 자존심 그것이다. "이래 봬도 나는 대학까지 나온 사람이요." 자기가 세 들어 살고 있는 집주인에게 토로한 이 말 속에서 그러한 권 씨의 면모를 단적으로 엿보게 된다.

이러한 권 씨의 이미지를 한결 선명하게 부각시켜 주고 있는 것이 바로 그러한 적빈 속에서도 걸맞지 않게 끄리고 다니는 아홉 켤레의 구두가 그것이다. 가난을 남루처럼 걸치고 다니는 그에게 그 아홉 켤레의 구두는 사실 분에 넘치는 사치요, 또 남루 그것과도 어울리지 않는 부자연스러운 장물에 지나지 않는다. 그런데도 그는 소중하게 그것을 끄리고 다닌다. 가난이라는 이름의 남루를 보상해 줄 수 있는 마지막 보루라고 믿고 있기 때문이다.

그런데 그는 그러한 아홉 켤레의 구두(자신이 신고 있는 한 켤레를 제외한 모든 구두들)를 마침내 버리기에 이른다. 현실과의 온갖 참담한 부대낌을 겪고 난 연후의 일이다. 구걸이라도 하듯이 돈을 꾸어달라고 남한테 아쉬운 소리를 했다가 거절당하고, 강도질을 해 보려다가 실패하여 망신만 당하고, 차라리 자살을 하려다가 그것도 실패하고 돌아온 어느 날의 일이다. 더 정확히 말하자면 주어진 현실과의 참담한 부대낌 끝에 어떤 깨달음을 얻은 연후의 일이다. 그 깨달음이란 주어진 현실을 오만하게 외면하고 겉돌 게 아니라 그 속으로 파고들어야 한다는 바로 그것이다.

　이 작품에서 그 구두들이 그 주인인 권 씨의 소외자로서의 비뚤어진 자부심, 현실과의 대응 관계 속에서의 패배를 합리화하려는 자신의, 지식인으로서의 허영심 등을 상징하는 장치임은 밝힐 것도 없다. 자신의 남루(가난)에 걸맞지 않는 그 구두들을 다 버리고 자신에게 딱 알맞은 한 켤레만을 골랐을 때 그에게는 이제 비로소 주어진 자기 현실을 과부족 없이 받아들일 태세가 완비된 셈이다.

　「무제」라는 작품에서의 인쇄소의 유능한 식자공인 봉 씨가 병적이리만큼 완고하게 되풀이하는, 식자공으로서의 실수, 즉 어떤 문장이든 그 문장의 주제가 될 만한 중심적인 주격어를 한결같이 '무제(霧堤)'라는 어휘로 일관성 있게 바꿔치기해 버리는 행위 역시 윤흥길의 문학에서 볼 수 있는 상징적 장치 가운데의 두드러진 한 예이다. 이 작품의 내레이터인 내가, 그를 알게 된 때부터 그를 자기 고모부와 동일인시하고 있는 바와 같이 사실 그는 여러 가지 점에서 나의 고모부와 비슷한 면을 지니고 있다. 단적으로 말해서 이 두 사람은 우리가 당면하고 있는 바 분단의 비극이라는 이 작품의 주제를 표상하는 두 존재라 할 수 있다. 우선 두 사람은 이산가족의 아픔의 당사자들이라는 점에서 공통성을 드러낸다. 그리고 고모부가 생활의 무능력자라는 점에서, 봉 씨가 유능한 식자공으로서의 역량을 간직하고 있음에도 불고하고, 식자공으로서의 치명적인 약점('무제'라는 오식을 완고하게 되풀이하는)을 지니고 있다는 점에서 양자는 모두 시대 현실에서 소외된 밑바닥 인생들이다. 게다가 특히 그들은 자신들의 쓰라린 과거(이산가족의 아픔의 당사자로서의)에서 헤어나지 못하는 위인들이다.

　말하자면 그들은 모두 과거의 아픔 속에 사로잡힌 나머지 당면한 현실에 대처할 만한 능력을 상실한 일종의 신경성질환의 소유자들이다. 고모부가 이북에 남기고 온 자기 아들에 대한 기억이 차츰 흐려져가는 사실을 안타까워하는 것이나, 봉씨가 완고하게 '무제' 라는 오식을 되풀이함으로써(실상은 병적인 증상으로 봐야 하겠지 만) 당면한 식자공으로서의 자신의 조건을 받아들이려 하지 않는 것은 모두 동일한 병원체에서 연유된 양면성일 뿐이다. 그들은 모 두 '무제'라는 완고한 환상에 들려 있는, 분단 시대의 풍랑에 의하 여 파멸당한 난파선들이다.

윤흥길에게서의 이러한 상징적 장치는 「아홉 켤레의 구두로 남 은 사내」나 「무제」에서보다 「장마」의 경우에 훨씬 더 감동적인 효 과를 발휘한다. 이 「장마」라는 작품에 등장하는, 음산하고 신비적 인 분위기를 발산하는 구렁이는 윤흥길의 문학이 획득한 가장 탁월 한 상징적 장치의 실례이다. 그 구렁이는 이 작품에서 한국적 한이 서린 작중의 짙은 토속적 분위기 속에 혼연일체로 용해되어 있을 뿐만 아니라, 우리 시대가 치러야 했던 음산하고 저주스러운 동족 상잔의 비극을 극명하게 표상하는 구체적 실체로도 부각되고 있기 때문이다.

이 작품에서 우리가 주목해야 할 점은, 이 작품은 6·25라는 민족 사적 비극을 그리되, 그것을 추상적 관념의 차원에서가 아니라 토 속적 샤머니즘적인 한국 농촌의 구체적 상황 속에서 그리고 있다는 사실이다. 말하자면 6·25의 비극적 상황을 무슨 논리나 이데올로 기의 차원에서 포착하고 있는 게 아니라 우리들의 심층 의식적 근 원적인 차원으로까지 파고든 자리에서 포착하고 있다는 것이다.

따라서 이 작품은 이데올로기라는 이름의 의식의 상층부와 샤머 니즘이라는 이름의 의식의 저변을 하나의 소설적 공간 안에 포괄하 고 있는 작품이라 할 수 있다. 따라서 그 두 가지 요인들은 우리 시 대의 문화적 문학적 조건에서는 완전히 이율배반적인 것이요, 상극적인 것이라 할 수 있다. 그러한 이율배반적인 두 요인을 하나의 소설적 공간 안에 파탄 없이 용해시킬 수 있게 한 결정적 장치가 바로 그 음산하고 저주로운 모습으로 등장한 구렁이라는 장치이다.

저주받은 사람이 죽으면 구렁이가 된나는 우리의 전래의 부속 신앙은, 이 작품의 경우에서는 결코 단순한 미신의 차원에 머물러 있는 게 아니다. 적어도, 빨치산이 되어 죽은 아들의 어머니인 할머니나, 국군으로 간 아들의 전사 통지서를 받아야 했던 외할머니의 경우에는, 우연히 나타난 그 구렁이는 결코 우연의 일치가 아닌 필연의 결과이며 미신이 아닌 확신이요 확증인 것이다. 그리고 가련한 이 두 노파의 한 맺힌 설움에 충분히 공감할 수 있는 우리에게도 그것은 저주로운 비극의 실체로서 우리의 심금에 부딪쳐 오는 것이다.

이런 일련의 사실들로써도 알 수 있듯이 작가 윤흥길은 정통적인 사실주의의 충실한 계승자이면서도 의외로 지적인 작가이기도 하다는 사실을 승인할 수 있게 된다. 말하자면 다분히 실험적 방법론적인 작가로서의 면모를 뚜렷하게 반영하는 작가이기도 하다는 것이다. 이렇게 볼 때 그는 염상섭·박태원의 계승자이면서도 이청준과 같은 지적 실험적인 작가로서의 면을 아울러 간직한 작가라 할 수 있다. 이 작가의 새로움은 바로 이 점에 있다. 다만 그의 새로움이 그다지 두드러지게 눈에 띄지 않는 이유는 그의 실험적인 일련의 작업의 밑바탕에 언제나 엄격하게 절제된 관조자로서의 자세가 확고하게 뒷받침해 주고 있기 때문이다. 그리고 그것은 그의 일련의 실험들이 대개의 경우 파탄 없이 자신의 작중 현실 속에 용해될 수 있었다는 사실의 반증도 되는 것이다.

2

우리는 이제까지 관조자이면서도 실험가로서의 면모를 아울러 가진, 그리고 표현 대상을 극명하게 부각시키는 묘사력을 발휘하면서도 그것이 어떤 함축적 상징적인 차원으로 고양될 수 있는 가능성을 예비하는 작가로서의 윤흥길의 문학적 특질을 살펴보았다. 이제 이 작가의 문학적 소재나 주제의 측면에서 살펴볼 단계에 이르렀다.

「황혼의 집」, 「아홉 켤레의 구두로 남은 사내」, 「무지개는 언제 뜨는가」 등 세 편의 단편집과 장편 「묵시의 바다」를 통해서 볼 때 윤흥길의 그동안의 문학은 그 소재의 면에서 관심의 방향이 상당히 다채로운 작가라 할 수 있다.

초기에서부터 비교적 꾸준하게 다루어지고 있는 소재의 하나로 우선 가난의 문제를 들 수 있다. 가령 그의 데뷔작인 「회색 면류관의 계절」에 다루어지고 있는 소재도 그런 것이라 할 수 있다. 박 병장을 에워싸고 있는 분위기는 물론 지루하고 단조로운 군대 내의 일상의 흐름이다. 우중충한 비가 내리고, 지루한 일과가 계속되는 동안 박 병장은 무위와 권태에 빠진다. 무지하고 심술궂은 상급자로부터의 시달림도 그의 마음을 우울하게 한다. 그런 그의 심정의 반동으로 동료들과 지구의 종말이니, 3차 대전이니 하는 따위의 무의미한 잡담을 늘어놓아 보지만 침울한 그의 마음은 가셔지지 않는다.

이러한 그의 우울증을 한껏 농도 짙은 것으로 만들게 한 것이 다름 아닌 고향 누나로부터의 편지였던 것이다. 그것은 고향집의 찌든 가난을 피부로 느끼게 하는 사연이었던 것이다. 회비가 밀려 등교 정지를 당한 동생이 '공부보다는 돈을 벌어야 한다.'는 쪽지를 써놓고 행방을 감추었다는 것이다. 고향으로부터 날아온 이 찌든 가난의 소식에 접한 그는 그러나 결국 어찌할 수가 없다. 그저 우울한 마음이 한껏 뒤틀릴 뿐이다. 그런 심정 속에서 그는 동료와 무의미한 잡담을 늘어놓으며 신문을 뒤적인다. 신문에는 3천 원의 현상금이 붙어 있는 퀴즈 문제가 실려 있다. 어쩌면 그 문제를 풀 수 있을 것도 같다. 그러나 관제엽서가 없다.

기지 교회를 지나는데 안에서 찬송가 소리가 들려온다. 그러나 그 소리는 자신의 가난과는 아무 상관도 없는 소리라고 그는 생각한다. 그는 그냥 그곳을 지나친다. 그리고 그 대신에 그는 동료와 함께 술집으로 빠져나와 술을 마신다. 마음은 우울하고 답답하기만 하다. 돌아오는 길에 다시 교회 앞을 지나다가 그는 망설인다. 들어갈까, 돌아설까. 교회 안을 기웃거려본다. 가시면류관을 쓴 그리스도의 모습이 눈에 띈다. 그러자 거기에 아버지의 영상이 겹친다. 줄레줄레 매달린 식구들을 거느리며, 찌든 가난 속에 허우적거리며 피를 흘리고 있는 아버지의 모습이 선명히 떠오른다. 돌아서 오는 길에 그는 중얼거린다. 내일 세계의 종말이 온다면 그때까지 당신은 무엇을 하시렵니까 하는 질문을 받는다면, 자기는 '관제엽서를 쓰겠소.' 라고 대답하겠노라고.

대충 이러한 이야기가 꼼꼼한 사실적인 묘사를 통해서 그려지고 있다. 이 작품에서 우리는 무위와 우울 속에서 방황하는 한 젊은이의 정신의 분위기를 느끼게 된다. 그리고 그러한 방황의 주된 유인이 되고 있는 것이 그 찌든 가난임을 우리는 알게 되는 것이다.

이런 가난의 문제는 가령 「아홉 켤레의 구두로 남은 사내」나 「땔감」 같은 작품으로 발전한다.

「땔감」에는 굶주림 못지않게 두려운 추위를 막아주는 땔감과 관련되는 몇 가지 에피소드가 제시되어 있었다. 첫째 에피소드는 '남의 물건은 터럭 하나라도 건드리는 법이 아니다.' 라는 신조로 살아온 아버지가 어느 날 추위에 떠는 가족들을 그 추위로부터 막아주기 위한 가장으로서의 역할을 다하기 위하여 결국 '남의 물건을 선드리는' 행위를 하기에 이르는 이야기다. 땔감을 훔치려는 것이다. 뿐만 아니라 어린 '나'까지 그 일에 참여시키는 것이다. 당연한 결과로 발각이 나서 곤경에 처하게 되지만 어찌어찌 풀려나게 된다는 이야기이다.

두 번째의 것은 좀 더 나이 든 소년이 된 '나' 자신이 역에서 석탄을 훔쳐내는 이야기인데 그로 인하여 아버지에게 혹독한 벌을 받는다는 이야기이며 세 번째 것은 토탄을 사게 된 아버지의 실패담을 그리고 있다. 최선을 다해서 흥정을 하노라고 했는데, 정작 파보니 어처구니없게도 너무 적은 분량밖에는 나오지 않았다는 이야기다.

이런 일련의 에피소드들의 배후에는 6·25라는 비극적 상황이 깔려 있다. 그리고 이런 이야기들을 통해서 우리는 '시국을 잘못 만나서' 생활의 무능력자로 전락하고 만 '나'의 아버지의 모습이 비교적 선명하게 부각되는 것이다. 그리고 이 작품에 이르러 가난의 문제에 '시국'이라는 이름의 객관적 조건에 의한 조명을 부여하고 있다는 사실을 알게 된다. 이제 가난의 문제를 시대 현실이라는 문맥 속에서 포착하기에 이르렀다. 밑바닥 인생들의 생태에 관한 천착, 산업사회가 빚어내기 마련인 제반 부조리의 고발, 나와 남들과의 상관관계 및 집단의 부당한 압력 앞에 대처해 나가야 할 개체로서의 윤리 문제의 추구 등등을 시도하기에 이르렀다는 것이다. 그것은 오생근(吳生根) 씨의 말을 빌리자면 '개인과 사회의 역학' 관계의 추구라고 할 수 있다. 이제 작가 윤흥길의 문학적 시야는 폭넓게 열려지기에 이른다. 그리고 그런 점에서 그는 가령 조세희(趙世熙) 같은 작가와 비슷한 일면을 반영한다.

그러나 그의 사회에의 접근 방식은 조세희의 경우처럼 그렇게 냉소적이지 않다. 그는 일단 치밀하고도 엄격한 관조자의 입장에서 있기 때문이다. 앞서 말한바 엄격하게 절제된 객관적 묘사가로서의 그의 입장은 이런 측면에서도 느낄 수 있게 된다. 엄격한 묘사가의 자세를 견지함으로써 그의 시대 현실에의 관심이 추상적 관념으로 일탈하는 것을 철저히 봉쇄하고 있다. 일턴의 사회참여 문학이 자칫 드러내기 쉬운 생경한 관념, 추상적인 요설이나 웅변을 그의 문학에서 거의 찾아볼 수 없는 이유는 거기에 있다.

그의 이러한 관심은 집단 사회의 소외자로서의 밑바닥 인생들의 생태에 대한 추구로 나타나기도 하고, 그러한 집단 사회의 부당한 횡포에 대한 고발 풍자로 나타나기도 하고, 그 집단 사회의 부조리와 대결해 나가야 할 개인으로서의 윤리 문제의 추구로 나타나기도 한다.

가령 굶주림 못지않게 가난한 사람들의 공포의 대상인 추위를 견뎌내기 위하여 결국 '남의 물건에 손을 대는' 행위로 발전하는 이야기를 그린 「땔감」이나, 악랄한 포주의 횡포 아래에서 차츰 파멸되어 가는 창녀들의 생태를 그린 「돛대도 아니 달고」 등은 그의 첫 번째 노력의 소산이라 할 것이요, 둘째, 사람들의 실없고 무책임한 장난이 한 젊은이를 투신자살로 몰고 가게 한 「몰매」, 마을 사람들의 비겁한 이기심이 결국 죄 없는 한 어린이를 속죄양으로 만들고 마는 「양」, 제식훈련의 변천 과정을 통하여 획일화되어 가는 집단 사회의 부정적 측면을 고발하고 있는 「제식훈련 변천약사」, 분단 시대의 비극적 당사자로서 파멸되어 가는 인간의 생태를 그린 「무제」 등은 두 번째 노력의 소산이라 할 것이요, 평범한 한 인간을 엉뚱하게 영웅으로 조작해 냄으로써 자신의 명리를 취하려는 어떤 권위의 횡포 앞에 도전하고 나서는 인간의 모습을 그린 「빙청(氷青)과 심홍(深紅)」, 집단 사회의 횡포에 의하여 밑바닥 인생으로 전락한 한 인간이 차츰 그 집단의 압력에 대결해 나갈 자신의 윤리를 정립해 나가는 모습을 그리고 있는 「아홉 켤레의 구두로 남은 사내」(연작) 등은 그의 세 번째 노력의 소산이라 할 것이다.

그러나 모든 분류가 다 그러하듯이 이런 그의 세 가지 노력들은 정확히 선을 긋듯이 구분할 수 있는 성질의 것은 아니다. 그것들은 결국 시대 현실에의 그의 일련의 관심이 반영하는 다양한 국면에 지나지 않는 것이며 따라서 그의 이러한 일련의 노력들은 때로 병행하기도 하고, 때론 중첩되기도 하면서 다양성을 드러내기에 이르는 것이다. 그리고 이런 일련의 작품들에서만 그의 시대 현실에의 관심이 반영되어 있는 것도 물론 아니다. 따지자면 작가 자신의 어린 시절의 회상에서 연유된 듯한, 그리고 어린이의 시점으로 이룩되고 있는 「황혼의 집」, 「기억 속의 들꽃」 등과 같은 다분히 서정적인 색채가 짙은 작품들의 경우에서도 우리는 이 작가의 일관된 사회에의 관심의 반영을 느낄 수 있고 철저히 토속적 샤머니즘의 분위기 속에 상황을 설정한, 그리고 이 역시 어린 시절의 회상에서 연유된 듯한 「장마」 등에서도 시대 현실에의 짙은 관심의 반영 및 고발 풍자의 의지의 반영을 보게 되는 것이다.

윤흥길의 문학에 일관하는 또 하나의 소중한 노력, 그것은 토속적 샤머니즘적 세계에 대한 추구, 한국적 한에 대한 꾸준한 추구라할 수 있다. 이러한 측면은 실상 로고스적인 것이기보다는 파토스적인 것이요, 지적(知的)인 측면이기보다는 정서적 측면이며, 산문의 영역이기보다는 시의 영역이라 할 수 있다. 또 그것은 산문 문학의 자리에서 볼 때는 윤리적 주제적 측면이 아니라 풍속적 분위기적 측면이다. 그럼에도 불구하고 그것은 한국인의 에토스, 한국인의 심층의식과 긴밀히 관련되어 있는 측면이다. 「정읍사(井邑詞)」 이래의 한국 서정시의 주조가 한의 가락으로 일관하여 왔다는 사실은 이런 점에서 결코 우연이 아니다.

이러한 측면은 윤흥길의 문학적 분위기를 형성함에 중요한 요인으로 작용하고 있는 것이며, 대개의 경우 그의 작중 현실에 아련한 서정성이 감돌게 하는 중요한 요인으로 작용하고 있는 것이다. 정확한 묘사문을 기반으로 하고 있는 그의 문학에 어딘지 아련한 신미적 분위기가 감돌게 되는 것도, 물론 앞서 말한 바와 같이 여러가지 요인이 복합적으로 작용한 탓이라 하겠지만, 특히 이런 측면이 중요한 요인으로 작용한 때문이라 할 것이다.

이러한 그의 문학적 측면은 「황혼의 집」, 「기억 속의 들꽃」, 「장마」, 「무지개는 언제 뜨는가」 등과 같은 작품에서 특히 두드러지게 나타나고 있지만, 「아홉 켤레의 구두로 남은 사내」, 「무제」 등 시의에 가까운 명제와 관련되는 작품에서도 중요한 요인으로 작용하고 있으며, 「묵시의 바다」 등과 같은 그의 장편에서도 작중 현실의 결정적 배경으로 되고 있는 것이다.

이런 점에서 그는 김동리나 황순원 등에서 그 전형적인 예를 찾을 수 있는바 한국적인 한의 문학과 긴밀히 관계지어져 있다 할 것이다. 가령 「황혼의 집」에서 술에 취한 날 저녁이면 언제나 서녘 해를 바라보며 넋두리를 늘어놓는 자식 잃은 노파(경주네 할머니)의 모습에서 우리는 가령 황순원의 일련의 단편에서 볼 수 있는바 한 서린 여인상의 모습을 느끼게 되는 것이며, 징그러운 구렁이 앞에서 거의 신들린 듯 축수(祝手)를 하는 「장마」의 외할머니나 또 그녀의 그런 비손으로 하여 그녀에게 화해의 손길을 내미는 할머니의 모습에서 우리는 김동리의 「무녀도」의 모화의 일면을 보게 되는 것이며, 이북에 두고 온 아들의 이름이 떠오르지 않아서 밤새껏 애절한 오열에 잠기는 「무제」의 고모부나, 자신의 완고한 외로움 속에 칩거하는 식자공 봉 씨의 모습에서 우리는 또한 이효석의 「모밀꽃 필 무렵」에서의 허생원의 일면을 보게 되는 것이며, 저주스러운 자기 운명을 견뎌내기 힘들어 항상 깜깜한 바다의 죽음에의 유혹에 시달려야 하는 「묵시의 바다」의 금순네의 모습에서 우리는 이루지 못한 사랑이 한으로 맺힌 황순원의 오작녀(「카인의 후예」)의 일면을 느끼기 어렵지 않다.

이렇게 볼 때 윤흥길은 또 한국적 고유성을 전형적으로 드러내는 한국 현대소설의 주류라 할 수 있는 한적 인정적 소설의 흐름을 착실하게 이어받은 작가라 할 수 있다. 그럼에도 불구하고 이 작가가 그러한 한적 인정적인 문학과 명백히 다른 면을 간직하고 있는 사실도 간과해서는 안 된다. 가령 앞서 말한 일련의 작품들에서의 한은 어디까지나 당대 현실의 시대적 역사적 조건에서 유리된 순수 추상으로서의 복고적인 자리에 기반을 둔 것인 데 반하여 윤흥길의 그것은 한결같이 당대 현실의 절박한 조건과의 상관관계 속에서 추구되는 것이라는 점에서 그렇다.

가령 모화(「무녀도」)와 두 노파(「장마」)를 대비해 보거나, 허생원(「모밀꽃 필 무렵」)과 고모부나 봉 씨(「무제」)를 비교해 볼 때 그 차이는 분명히 드러난다. 양자들 사이에는 분명 혈연적 유사성이 있음을 부인할 수 없음에도 불구하고 전자들이 당대 현실의 역사적 조건에서 일단 유리된 자리에 서식하는 인간상들인 데 반하여 후자들은 모두 우리 시대의 민족사적 비극과 긴밀히 관계지어져 있는 것이다. 모화나 두 노파가 다 같이 신들린 존재들이라 할 수 있지만 전자가 식민지 시대의 현실적 조건에서 일단 유리된 가공의 자리에 위치 지어진 인물인 데 반하여 두 노파는 동족상잔의 비극의 현장에 위치 지어진 인물들이며, 허생원이나 고모부 및 봉 씨가 다 같이 쓸쓸하고 뒤틀린 분위기를 지닌 인간상들임에도 불구하고 전자가 당대 현실에서 유리된 떠돌이 장돌뱅이인 데 반하여 후자들은 분단의 소용돌이 속에 치명적으로 말려들어 있는 인물들인 것이다. 한국적인 한을 계승하되 그것을 당대 현실의 조건과의 관련 속에서 추구하고 있다는 점에서 그는 「왕릉과 주둔군」, 「야호(夜壺)」 등의 작자 하근찬(河瑾燦)과 매우 비슷한 일면을 간직하고 있다. 물론 양자 사이의 개성적 차이를 부인할 수는 없지만.

아무튼 윤흥길의 문학적 매력의 중요한 일면은 바로 이 점에서 연유되고 있다. 그의 문학에서 작자 자신의 시대 현실에의 유다른 관심의 반영을 볼 수 있음에도 불구하고 그것이 가령 카프 계열의 문학에서와 같이 생경한 관념이나 추상적인 요설이나 웅변으로 드러나지 않고 오히려 우리들의 심층의식으로 부딪쳐 오는 이유도, 물론 앞서 말한 여러 조건들이 복합적으로 작용하고 있다 하겠지만, 특히 이런 면이 결정적으로 작용한 때문이라 할 것이다. 얼핏 보기에 그다지 새로운 것 같지 않은 그의 문학의 진정한 새로움은 바로 이 점에 있다 할 것이다. 「장마」가 거둔 뛰어난 성과도 바로 이런 측면과 긴밀히 관련된 탓이라 할 것이다.

토속적인 것과 당대 현실의 윤리, 샤머니즘적 분위기와 시대 현실의 명제는 실상 한국 현대소설에서는 상호 보완적인 것이기보다는 오히려 이율배반적인 것으로 평행선을 그어왔다. 그러한 이율배반적인 두 요인을 하나의 소설적 공간 속에 종합한다는 것은, 참으로 어려운 과제라 할 것이다. 이 작업이야말로 한국 현대소설이 감당해 나가야 할 가장 핵심적인 과제가 아닌가 생각되는 것이다. 그리고 그것의 본격적인 추구는 한정된 단편소설의 공간에서가 아니라, 장편소설의 보다 광활한 공간에서만 가능하다. 이런 점과 관련하여 그의 최초의 장편 「묵시의 바다」는 매우 주목을 요하는 작품이다. 그러나 이 작품에 관한 본격적인 검토를 시도하기에는 이미 지면이 넘쳤다. 이 문제에 관해서는 다음 기회로 미룰 수밖에 없다.

(원광대 교수 · 국문학)

작가 연보

1942년 전북 영읍에서 태어남.

1961년 전주사범학교를 졸업한 뒤 공군 기술병으로 자원 입대.

1964년 병역을 마친 뒤, 첫 발령을 받아 전북 익산군 춘포국민학
교에서 교사로 근무.

1966년 독학으로 문학 수업을 시작. 효과적인 소설 습작을 위해
전북 부안군 진서국민학교로 전근하여 작은 갯마을의 석
포분교장에서 교사 생활.

1968년 《한국일보》 신춘문예에 단편 「회색 면류관의 계절」이 당
선되어 문단에 나옴.

1972년 동료 교사이던 유경순과 결혼.

1973년 원광대 국문과를 졸업한 뒤, 경기도 성남시에 있는 숭신여
중고에 국어 교사로 취직되어 고향을 떠남. 아들 아람이
태어남. 교사직을 그만두고 한동안 실직 생활.

1975년 출판사 일조각의 편집 사원으로 근무. 서울로 거처를 옮김.

1976년 딸 예니와 첫 창작집 『황혼의 집』이 동시에 태어남. 일조각

을 마지막으로 직장 생활을 떠나 이후 전업 작가로 생활.

1977년 두 번째 창작집 『아홉 켤레의 구두로 남은 사내』 출간.
「빙청과 심홍」 및 창작집 『아홉 켤레의 구두로 남은 사내』
도 제4회 한국문학작가상을 수상.

1978년 일어 판 계간지 《韓國文藝》에 중편 「장마」가 소개된 것이
인연이 되어 아쿠타가와〔芥川〕상 수상자인 나카가미 겐지
〔中上健次〕와의 교분을 시작. 《동아일보》에 장편 「옛날의
금잔디」 연재. 장편 『묵시의 바다』 출간.

1979년 나카가미 겐지를 통한 일본과의 개인적인 문학 교류의 첫
결과로 일어 판 소설집 『장마』(일어판 제목 『長雨』)를 도쿄
신분〔東京新聞〕 출판국에서 출간. 세 번째 창작집 『무지개
는 언제 뜨는가』와 콩트집 『환상의 날개』 출간.

1980년 장편 『순은(純銀)의 넋』과 중단편 선집 『장마』 출간. 두 번째
일어 판 소설집 『황혼의 집』을 도쿄신분 출판국에서 출간.

1981년 나카가미 겐지와의 문학대담집 『동양에 위치하다』를 일본
사쿠힌샤〔作品社〕에서 공저로 출간.

1982년 일본 신쵸사〔新潮社〕의 특별 기획으로 전작 계약을 맺어
집필한 장편 『에미』(일어판 제목 『母』)를 한일 양국에서 동
시 출간.

1983년 중편 「꿈꾸는 자의 나성(羅城)」으로 제15회 한국창작문학
상, 장편 「에미」와 「완장」으로 제28회 현대문학상을 수상.
장편 『완장』, 콩트집 『바늘구멍으로 본 세상살이』, 문학수
상록 『문학동네 그 옆동네』 출간.

1984년 《한국일보》에 장편 「청산아, 네 알거든」 연재.

1985년 장편 「언덕 위의 백합」과 연작소설 「아버지는 나귀 타고」
를 연재. 전년도에 《부산일보》에 연재했던 장편 『백치의

달』출간.

1986년 일본 가도카와쇼텐〔角川書店〕과 전작 계약으로 장편 「낫」
을 집필.

1987년 네 번째 창작집 『꿈꾸는 자의 나성』 출간.

1988년 장편 연작의 제1부인 「밟아도 아리랑」을 《문학과비평》에
연재하기 시작.

1989년 일어 판 전작 장편소설 『낫』(일어판 제목 『鎌』)을 가도카와
쇼텐에서 출간. 영어 판 소설집 『The House of Twilight
(황혼의 집)』을 영국의 리더스 인터내셔널 출판사에서 출
간. 프랑스의 국제 저작권 대행사인 TIP-TV와 해외 번역
및 출판에 관한 전속 계약을 맺음. 연작 가족 소설집 『말
로만 중산층』 출간.

1991년 장편 『옛날의 금잔디』와 『밟아도 아리랑』(1, 2권) 출간.

1993년 《현대문학》에 장편 「빛 가운데로 걸어가면」 연재. 프랑스
어 판 장편소설 『La mère(에미)』를 케이 출판사에서 출간.
장편 『산에는 눈 들에는 비』, 『옛날의 금잔디』, 중편선집
『쌀』, 콩트집 『달국씨 일가의 꾀죄죄한 나날들』, 산문집
『텁석부리 하나님』 출간.

1995년 전작 장편소설 『낫』 출간.

1997년 장편 『빛 가운데로 걸어가면』 출간.

1999년 산문집 『윤흥길의 전주이야기』 출간.

2000년 「산불」로 제6회 '21세기 문학상' 수상.

2001년 수필집 『내 영혼의 봄날』 출간.

2003년 창작집 『낙원? 천사?』, 『소라단 가는 길』 출간.

2004년 제12회 대산문학상 수상.

2005년 현재 한서대학교 문예창작과 교수.

오늘의 작가총서 7

장마

1판 1쇄 펴냄 1980년 8월 5일
1판 19쇄 펴냄 1994년 12월 5일
2판 1쇄 펴냄 1996년 3월 20일
2판 38쇄 펴냄 2005년 8월 10일
3판 1쇄 펴냄 2005년 10월 1일
3판 44쇄 펴냄 2024년 2월 13일

지은이 · 윤흥길
발행인 · 박근섭, 박상준
펴낸곳 · (주) 민음사

출판등록 1966. 5. 19. 제16-490호
서울특별시 강남구 도산대로1길 62(신사동)
강남출판문화센터 5층(우편번호 06027)
대표전화 02-515-2000 팩시밀리 02-515-2007
www.minumsa.com

ⓒ 윤흥길, 1980, 1996, 2005. Printed in Seoul, Korea

ISBN 978-89-374-2007-8 04810
ISBN 978-89-374-2000-9 (세트)